船の旅 本の旅

ὩΡΑΙΟΣ ΠΛΟΟΣ ΠΕΡΙΠΛΟΥΣ ΒΙΒΛΙΩΝ

ὉΣΟΙ ΑΤΣΚΟ

細井敦子

書肆アルス

はじめに

いつのことであったか確かな記憶はないが、フランス語作文の授業のなかで、「移動の手段」として、「車で」「列車で」等々の例文をとりあげたときのこと。話のついでに「私がフランスに留学した時は、横浜からマルセイユまで、船でしたが」と言ったところ、最前列にいたひとりの女子学生が、一瞬けげんな顔をして、ためらいながら、「……じゃあ先生って……ひょっとして……明治生まれ……?」と訊いた。「まさか。私も、あなたと同じ、昭和二桁生まれよ」と答えると、学生もほっとした表情になって、その場は終わった。学生としては、ヨーロッパへ船で行くなど遠い昔の人の話で、それと目の前の話し手とがすぐには重ならなかったのであろう。

本書をまとめている間にも、この時の学生とのやりとりを何度か思い出した。というのも、私の父方の祖父も、横浜から船で欧州へ行った一人であるが、安政六年(一八五九)生まれ、昭和三年(一九二八)他界で、これまでは、遥かに遠い昔の人と思っていた。ところが今回あらためてその年譜を見ると、かれが最初にドイツに留学したのは一八九三年、次に公使館付武官としてまだ大使館はなかったベルリンに赴任したのが一八九九年。私の初めてのフランス行き(一九六一年)から遡ると六十数年前である。一方、その私の船旅から今現在(二〇二一年)までの年数は六十年で、こちらの六十年は私にはたいそう短かったように感じられるのだけれど、大昔のことと思っていた祖父の船旅と私の船旅との間にも、時間的にはほぼ同じ長さの隔たりしかなかったのである。

こんなことを、あの遠慮がちに問いかけた学生に話したら、何と言うだろう。

外国語の初歩文法の授業では、水平な直線を引いてその線上に、起点としての現在を中央におき、左を過去、右を未来と印付けて、その便宜的な了解のうえでさらに詳しい「動詞の時制」の説明に入る。未来から流れてくる時間がそのまま現在を通って過去へと流れ去る「時間の流れ」のイメージになるが、それはほんとうにそうなのだろうか。流れ去ったはずの時間が、ときに生き生きと蘇って現在の中に現れることもある。「過去の現前を表す現在形（historical present）」の修辞に頼るまでもなく私自身には短く感じられる六十年の「旅の時間」を、小さな形にしたのが本書である。

第1章は、船旅の途上、東京の家族へ送った手紙から成る。一橋大学経済研究所にいた父と法政大学総長秘書室に勤務していた母とが、まとめて取っておいてくれたもので、同様の形で別のアルバムに収めてあった家あての絵葉書や、自分の日記から補ったところもある。文中には、現在では「差別語」とされるような表現も見られるが、過去の記録という意味であえて直さず、そのままとした。

三十二日間の船旅では、毎朝、目覚めるとまず船室の丸窓を通して水平線を眺めた。小さい丸窓に区切られた水平線が、水平状態のままゆっくりと上下していれば海は穏やかで、斜めに傾いて上下していれば海は荒れている。眺める窓は小さいが、窓の外には果てしない広がりをもつ空と、海と、大地と、があるはず……それは、恐ろしいけれども引きこまれる、ふしぎな眺めであった……船旅を思うたびに蘇ってくるその感覚を、第2章「神話への窓」、第3章「古典への窓」のタイトルに託した。自分の小さい窓から眺めて書いたり話したりしたことを、第2章ではホメロスの語るギリシャ神話を中心に、第3章では留学してその面白さに目を開かれた古代ギリシャの弁論作品を中心に、集めている。

第4章の主題は本の旅。手写本であれ、印刷本であれ、それが最初に作られるところから、現代の私たちが手に取るところまでの間にはそれぞれに、紆余曲折に富む時間がある。また私たちのほうも、それを読んだり調べたりして、数百年、ときに千年以上もの時を隔てる写字生や印刷者の仕事場を覗き見ることができる。ここには、手写本と印刷術初期の刊本の伝承を調べる中で、興味深く思ったことのいくつかを集めた。章の末尾に入れた国会図書館蔵本をめぐる一編は、私にとっては専門外である論理学書のラテン語写本を題材としているが、この本の旅も、時間と空間を超えて世界がひろがる喜びを実感させてくれたものである。

「できるだけ遠いところへ行きたいから」という理由でギリシャ古典の勉強を志した私の旅が、どこかで、だれかの「新しい旅」につながることがあればと願っている。

船の旅　本の旅――目次

第3章　古典への窓……171

装訂　井原靖章

カバー写真

表：出港直前の櫂船：アッティカの混酒器・上部正面部分の図柄。前8世紀後半制作、テーバイ出土。ロンドン、大英博物館（British Museum）蔵。提供：ユニフォトプレス。画面左の2人物を「ヘレネ（左端）と、彼女をトロイへ連れ去ろうとするパリス」と同定する見方もある。

裏：ハスの花の匂いを嗅ぐ牡牛：陶器の水差し。前7世紀制作、キプロス島アルナディ出土。レフコシア（＝ニコシア）、キプロス博物館古代部門（Department of Antiquities, Cyprus Museum）蔵、提供。幾何学文様を脱して無地の上に図柄を配する様式がとられている。

船の旅　本の旅

第1章

秋の船旅

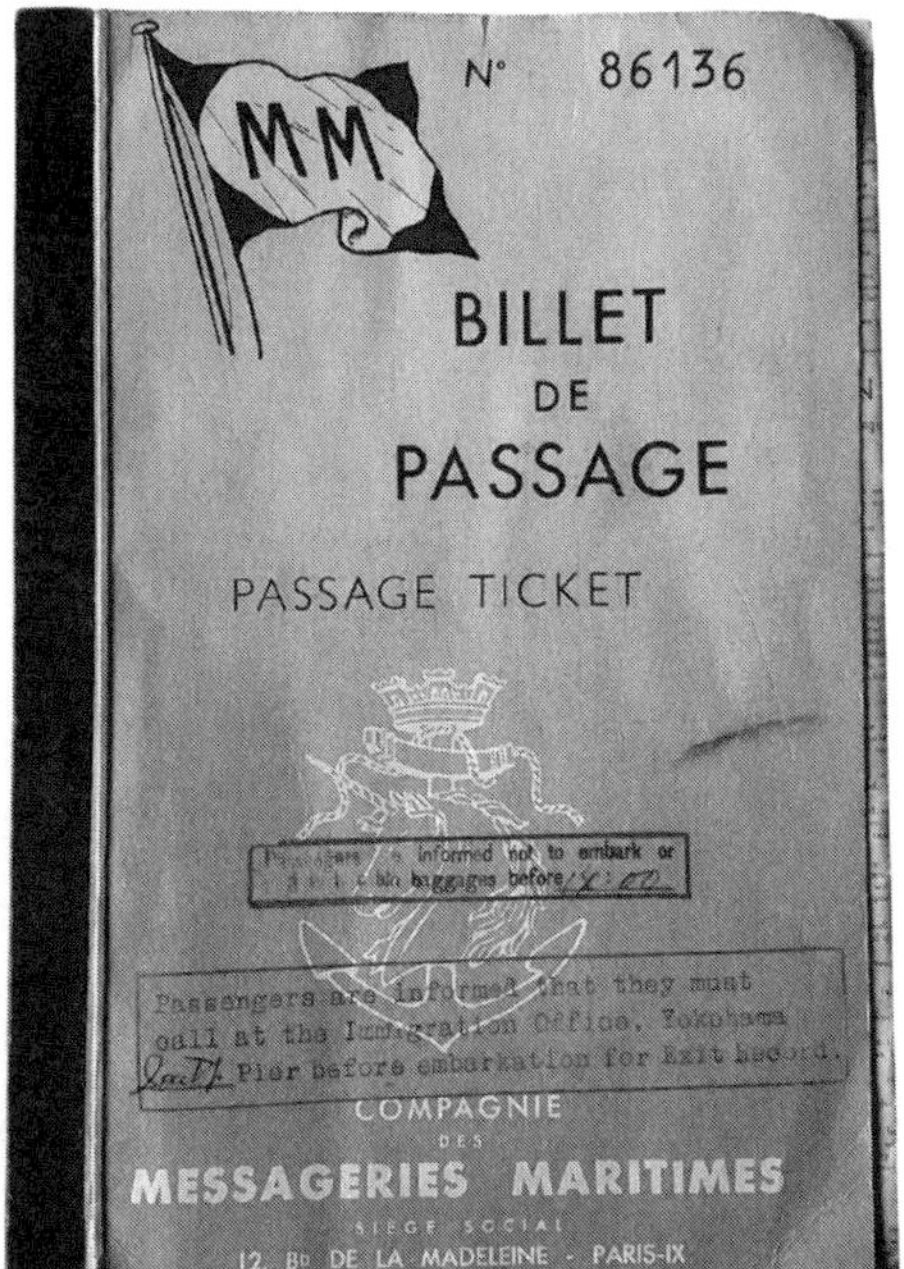

フランス郵船会社の乗船券表紙（1961年8月19日発券）

一九六一年秋の船旅

一九六一年九月二日午後四時半。錨《いかり》が上げられ、フランス郵船会社（Cie des Messageries Maritimes）の、かなり古びた（一九五一年十月進水）白い客船ヴィエトナム号（Le Viet Nam）が、快晴の横浜港大桟橋をゆっくりと離れる。目的地のマルセイユ港まで三十二日間、大学院修士課程＝前期課程（西洋古典学／ギリシャ文学）二年生の私には初めての外国への旅でした。

『出入国管理統計年報』によると、この年（昭和三十六年）に日本から出国（沖縄行きを除く）した日本人は86,328人（平成十二年＝二〇〇〇年は17,818,590人）。渡航者の大半は航空機利用でしたが、フランス政府給費留学生は、フランスでの生活には月額四百フランの給費があり復路の旅費も支給されますが往路は自己負担とされていたため、より安い船を使うのが慣例のようになっていました。いま手元にある色あせた乗船券の控えには、横浜→マルセイユ間ツーリスト・クラス（二等）の運賃が英ポンドで174ポンド8シル3ペンス、それを日本円で175,808円支払ったと記されています。換算レートは、一ポンド1,008円。一ドル360円、一フラン73円、外貨の持出しは二百米ドルに制限され、日本からの送金など容易にはできない時代でした。

船内に入れば、船長以下スタッフはすべてまずフランス語で、掲示やアナウンス、食堂のメニューなどはフランス語と英語。文学や歴史をフランス人の先生からフランス語で学ぶ大学外の課程も終えていて言葉には不自由しなかった私たちにも、日常生活についての情報は、現在とは比較にならないほど欠けていました。

昼食と夕食ではフルコースの終わりに毎回違う種類のチーズが出ること、浴室の中まで靴をはいて行くこと……十余りの国の人々と一つ船で暮らして、目新しいことばかりでした。

船の生活は万事フランス式で、一方、寄港地ごとに船を降りて見るアジアの国々は、サイゴン（現ホー・チ・ミン市）はフランスの、シンガポールはイギリスの、旧植民地の都市でしたから、重層的な異文化体験とでもいうのでしょうか、アジアを通して西洋を見ながらだんだんと目的の「本体」に近づいてゆくという実感がありました。ヴェトナム戦争が本格化する少し前で、サイゴンはまだ穏やかな都市でしたし、シンガポールからマラヤのジョホール州へ行ったときの家への便りを読み返すと「貧しげな周囲の風景とは不釣り合いな広いハイウェイで、中央に細くグリーンベルトがあって、往・来の車は各々別の道を通るようになっている」と、日本ではまだ目にすることがなかった中央分離帯のある自動車道路に強い印象を受けています。

海に出ると、時に上甲板にあるプールに入ったりするほかは、もっぱら手紙を書きました。日本やヨーロッパにいる家族や友だちからの手紙は寄港する先々で受取るのですが、これはいつも待ち遠しかった。船には常時通話のできる公衆電話もテレビもなく（テレビはまだ普及していなかったのです）、ニュースは掲示板に貼出されるものくらいでしたから、台風の被害、ベルリンのその後の情勢（「壁」の建造が始まったのが出発直前の八月でした）など、新聞の切抜きや写真が同封された航空便を、甲板の綱具の陰や暑い船室の二段ベッドの上で貪《むさぼ》るように読み、留学生の間で情報交換することも度々でした。

日本と欧州をむすぶ客船のこの極東定期航路はそれから間もなく、一九六六年に廃止されました。第二次大戦終結から十六年、世界も日本も大きく変わりつつあった六十年代の初めに、世界の多様さ複雑さを、船旅ならではのゆっくりとした時間の中で体験できたことはとても幸いだったと思っています。

ヴィエトナム号航海日程（予定）

寄港地	入港	出港
神戸	8月30日16時	8月31日18時
横浜	9月01日14時	9月02日17時
香港	9月06日10時	9月08日10時
サイゴン	9月10日14時	9月12日14時
シンガポール	9月14日09時	9月15日17時
コロンボ	9月19日06時	9月19日20時
ボンベイ（現ムンバイ）	9月21日17時	9月22日11時
ジブチ	9月26日04時	9月26日10時
ポートサイド	9月29日19時	9月30日03時
マルセイユ	10月03日07時	

【初出】成蹊大学広報誌 ZELKOVA 第28号（2002年1月）「四十年前の船旅」

【付記】本稿を作成した二〇〇一年夏は、フランスの通貨「フラン」が欧州連合（EU）の単一通貨「ユーロ」

に移行する、その期間中であった。フランスでは二〇〇二年一月一日より「ユーロ」の一般流通が開始され、「フラン」は同年二月十七日をもって通貨としての役割を終えた。またフランについては、本稿の船旅の前年（一九六〇年）一月一日からフランスでは「通貨切下げ」（＝名称変更）が実施されて「旧百フラン」は「新一フラン」（NFまたはF）となっていたが、筆者の滞在期間中、実生活とくに話し言葉や商品の価格表示においては、新旧両方の名称が併存して使われていた。（二〇二〇年十二月記）

横浜港で、船をバックに家族と。左端が筆者（父　松川七郎写す）

船から家への便り

横浜から香港へ

第一信　一九六一年九月三日（日）あさ九時、デッキのサロンで（読みにくい字ですみません。できるだけ小さくと思ううえに、しじゅう微動があって何も静止しているものがないので）。

お父さん、お誕生日おめでとうございます。

出発のときはほんとうにいろいろありがとうございました。ずっとあとまで皆さんの姿がよく見分けられました。お父さんとお母さんはもちろん、元《はじめ》くん〔弟〕とまこちゃん〔従弟〕が手をふりふり帰って行くのも、淳ちゃん〔妹〕も、シロ・チャイ〔妹と弟が可愛がっていた小さい玩具の動物〕も、よくわかった。

部屋へ入ってから、必要なものだけ出して戸棚に入れ、あとはそのままで何だかうろうろしてしまいました。なにしろ暑くて……。

夕食は七時でした。食堂は冷房されていて寒いくらいです。テーブルは留学生東京勢のうち六人が同じところ、女の子二人は向かい合いに真ん中です。これは指定席。メニューは、まずポタージュ（カレー汁をうすくしたようでまずい）、次が「セロリの髄」というのですが、セロリをたてにうすく切って煮たもの、次がインゲン、ニンジン、ジャガイモと焼き豚を煮たもの、このゴタ煮はわりとおいしいでした。少しづつですが一種ごとに皿をかえてゆきます。四番目がサラダ、期待していたらレタスが出ました。サラダ油と酢で和えたもの。次にデザートで、シュークリーム一つ、小さい桃が一個（冷やしてあります）。食後のお茶やコーヒーはデッキで出されます。テーブルでは赤ぶどう酒が三人に一びんおいてあって好きなだけ飲めます。のみ終わるとまた一びん持ってきます。どれも頼めばお代わりしてくれますが、出されただけで量は十分でした。パンは固いフランスパンの輪切り、バターは頼まないともってきません。遠慮なく要求すれば親切にそのとおりしてくれるようです。

夕食後しばらくデッキにいました。マクリーヴェ夫妻の姿もみえました。一等のデッキ（見送りの時の）とちがっておそまつなデッキですが、星がとてもきれいでした。北斗七星の柄杓がすごく大きく目の前にあって……沿岸の灯と日本列島のくろい島影がかなりのスピードでどんどんうしろへ流れ去ってゆきました。

船室では、留学生四人が同室。「どうぞよろしく」を交わして、二つの洗面台を、洗面用と洗濯用とに分けて使うことなどをきめました。ベッドの枕元には小さい電気がつくので、さっそく便りを書こうと思っていましたが、頭が少々痛くて、疲れていましたので、すぐねることにしました。ベッドカヴァーをめくってシーツの間にもぐるしくみですが、十分もたつと背中の下がすごく熱くなってしまい、夜中、暑さには苦労しました。ベッドの足元の位置の天井に風穴があるのですが、その真下だけは風が通って、あとは全然だめ、ことに私のところは窓から遠いし、頭の上の天井に救命衣をしまう戸棚がついているので、ベッドの上では首を曲げないと坐りにくいのです。夜の暑さだけは考えるとあと三十日近くちょっとゆううつです。二段ベッドなので、半月で上下を交代する約束はしましたが……。

船はだいぶ揺れます。だれでも乗ってから三日くらいはふらふらしているそうですが、そのうち慣れるでしょう。船室の小さい丸窓に青い水平線がゆっくり上下しているのは、なにか、言葉にできないような、ふしぎな感じがして、見入ってしまいます。

今朝は六時起き。ゆうべ洗って風穴の近くへつるしておいたタオルなどはすっかり乾いていました。またすこし整理したり、ベッドを直したりして、八時に朝食、朝食は六時半から九時半の間にいつすませてもよく、テーブルの位置も各自好きに選べます。トーストまたはフランスパン、紅茶またはコーヒー、オートミール、ハム、バター、ジャムなどのメニューの中から好きなものを注文します。冷たい水はとくに頼んだら持ってきてくれました。

部屋には一人づつ掃除番がいて、朝食後に部屋掃除をしたり、夕食後に見回りに来て何か用はないかときいて、あればせわをします。私たちのところは黒人のボーイさんで、おちついた人です。

けさは雲がありますが大体晴れ、九州沖（屋久島辺り）を通って、「北緯三十度、東経百三十度」の点より少し南を下りつつあります。空と水しか見えません。

部屋のかぎは一つしかないので、四人が一週間づつ責任をもつことになりました。今週は私です。十時になりました。一度部屋へ帰ります。

夕五時三十分。暑いのですが、十一時すぎまで眠っていました。昨夜あまりよくねむれなかったせいで、よく眠ります。十二時昼食。赤いキャベツの酢油和え、フランス名物の「マルセイユ風ブイヤベース」（これは魚の切り身をスープで煮込んだもの、パン一切れが中に入って）、うどん（nouilles）をチーズで炒めたものに牛肉、ニンジン等々の煮込みをかけたもの、チーズ一切れ、洋梨一個などで、量は十分でした。メニューがきれいな紙に印刷してあるので、給仕のボーイにほしいといったら二日の分からくれました。「フランス料理を覚えたいから」と言ったら、喜んでいました。

昼食のテーブルでわかったのですが、Dさん（建築美術）は私と同じ西高出身、隣席のEさん（彫刻）と二人とも給費留学生でパリの美術学校にゆくのだとのことでした。

デッキで少しスケッチしたりして、また部屋へもどり洗濯、そのあとまたぐうぐうねました。食堂では二時から映画があったようです。

四時のブザーで起こされて、「お茶の時間」。大きなカップで紅茶とビスケット一つ、四時半にものすごいブザーが鳴って、デッキで救命胴着のつけかたの練習とライフボートの在処などの注意。船の旅だなあ、と思いました。

客には英語を話す人が多く、船内アナウンスや掲示はぜんぶ英仏両語です。アナウンスが始まると四人とも通路にとびだして耳をすませますが、なかなか聞き取りにくく、四人たしても半分くらいしかわかりません。でも掲示を読めばわかることばかりです。

三十分ばかり強い雨が降ったあと、パーッと晴れました。虹が出ました。雲が多いので下の方しか見えませんが、水平線からのぼる虹はなかなか大きく、みごとです。六時過ぎると夕方らしく雲が色づいてきます。海も昼間のむらさき色から藍色になってゆき、水平線がくっきりして、空と水との境がはっきりしてきます。インド婦人の緋色のサリーがとても美しいです。夕食のときは真紅のでした。ヴェトナム人は顔つきが日本人にとてもよく似ているので、かれらがフランス語を流暢に話すのをみると、ことにボーイなどふしぎな気がします。白い制服を着たボーイたちには私たちのフランス語もよく通じます。

九時～十一時、三時～四時の間に、ツーリストクラスの人は上甲板で水泳ができます。私はまだ少々熱っぽいのでひかえていますが、そのうち入ります。海水で、常に入れ替わっていますからきれいです。シャワー、バスもたくさんあり、いつでも入れますが、どちらも勝手がちがうのでついめんどうです。汗ばむと部屋で熱いお湯の中にタオルをしぼって身体をふいていますから、気持ちはいいです。

ワンピースは前あきのほうが便利だったと思います。それと、忘れた、と気づいたのは水筒。まほうびん式のを持ってきた人もいますが、あれは便利です。もっとも船の中ではすぐ近くに冷たい水の出る場所も湯沸かし場もあるので、なくてもすみますが。

六時半、デッキは暗くなりはじめました、電灯が少ないので。つづきは又あした。

船の中では日本円も使えます。ただし留学生仲間の一人が石鹸一個買ったら百円の由。

夜十時半。七時の夕食は日曜のせいか、かなりごちそうでした。いちいち書きませんが、若鶏の焼き肉やそれに添えたジャガイモ、カリフラワーなど上手に調理してあると思いました。帰ったらこんなふうに家でも作ってみようと思います。横文字でしかもフランス語をれいれいしく並べたら、元くんなど目を回すでしょう。Glace Alhambra（アランブラ・アイスクリーム）というのは四角い、まあ「二色アイス」というところで、うすみどりとうすいクリーム色がいかにもフランス好みのアイスクリームでしたが、上に一つビスケットがのって甘すぎなくてとてもおいしいでした。

夕食後のお茶のとき、マクリーヴェ夫妻のそばへ椅子をもっていってお話ししました。英国人のM氏はフランス語で話されます。そして私のフランス語をいちいち夫人（日本人）に英語で通訳なさるので、「英語はうまく話せませんけれど、わかります」と英語で言って、なるべく英語で話そうとしましたが、三人で話すために、夫人は私には日本語なので、また、日・仏でやることにしました。外国へ行くのは初めてか、ときかれて、そうだというと、それはなかなかのアドヴェンチュアだね、とおっしゃいました。話が、M氏「仏文学を勉強しにゆくのか」という問になって、私が「ギリシャ文学です」と言ったら、一瞬、呆気にとられて、言葉も出ないという様子、「では君はギリシャ語を読むのか⁉」というわけで、それからformidable（フランス語）、marvelous, wonderfulの連発。恐縮の至りでした。ケンブリッジでギリシャ・ラテンもやったが、もう三十年も前のことだ、とも言われ、何を読んだか、日本では、やる人が少ないだろう、私が会ったのでは最初の日本の学生だ、等々、質問ぜめでした。発音はどんなふうにやるのか、古代ギリシャふうか、イギリス人は英語ふうに読むが、『イリアス』の最初のところをどう発音するのかやってごらん、とか……声を合わせて三、四行暗誦したりして、たいへん話がはずんでしまいました。三十分くらいでしたが、私のほうからおやすみなさいを言ってひきとりました。又つかまるだろうと思います。イギリスで勉強するほうがいいだろうに、なぜフランスへ行くのか、なんてこともきかれました。イギリス（British Council）のスカラシップには年齢制限の下限（二十五歳）があってまだ応募できないことを答えました。この間、夫人は終始にこにことして時に相づちをうつくらいでした。

そのあとおふろへ入りました。ゆかの上に素足で立つことに慣れている私たちには、浴槽のところまで靴（サンダル）を履いていなければならないのはどうもおちつきません。でもいい気持ちでした。九時からはまた食堂で映画らしいですが、あまり見る気にもならないので、一時間ばかり髪を乾かしたり（風穴がドライヤーになります）、暑いので寝間着をしまって短いシャツを出したりして、十時半からベッドの上で、壁から引き出せる机（?）の上でこれを書きました。十一時、おやすみなさい。

午後四時に時計を合わせるためのブザーが鳴りました。もうすでに日本をでたときの時計を、四分ほど遅らせておかねばなりません。

トランジスター・ラジオはまだ試してみませんが、皆の話ではデッキでなら聞こえる由、上のデッキへ行けばなおよいとのこと。カメラもまだあれきりです。ちかく二つとも使ってみるつもり。

九月四日（月）夜十一時、ベッドの上で。

これで三晩目になります。どうやら慣れました。もうふらふらしません。昼前にプールに入りましたが、狭いのでバチャバチャやるだけです。三十分くらいでした。お昼には細い長ねぎが生のまま二十センチくらいのぶつ切りで出ました。サラミソーセージといっしょに食べたらとてもおいしかった。涙が出るほどからくて。果物はあまり上等ではありませんが、必ず冷たくしたものが出ます。昼はオレンジ一個、夜はぶどうでした。お菓子は、既製品はまずいです。肉料理、野菜の付け合わせなど、うまくできてるから家でも……と思うたびにあらためて「帰ったらやってみよう」というのが「遠くへ行くのだ」ということを意識させるようで、ちょっと遥かな気持（へんな言葉ですが）になります。

忘れずに書こうと思いながら落としていたのは、貞子叔母さんからもらったあのクッションをとても重宝していること、ことに風通しの関係で頭の向きを逆にしてからはとても役に立ちます。そうでなくてもちょっと昼寝するにも、よりかかるにも、いろいろ利用できます。感謝しています。

絵はがきを買うのに、一ドルをフランに換えてもらいました（事務室で）。日本円もやはり二万円は公認の由でフランにしてくれます。一ドルが四・八新フラン（＝四百八十旧フラン）ですから、一新フラン（NF）＝七十三円とすると、ちょっと割がわるいようです。絵はがき一枚（船の写真）が〇・二フラン、約十五円見当です。誠くんに出そうかと思いますが、元くんもほしいかな。切手はどれも香港へつく前の晩、つまり明日の夜でなくては売り出しません。一ドルをフランにしただけで、あとは香港待ちということにします。一人では不安なので。

夕食の前に今度の給費留学生十数人が船長のところへよばれて操舵室、レーダー室などの見学をし、かんたんなもてなし（ぶどう酒とつまみもの）を受けました。一等甲板のもう一つ上にあり、もちろん前方の見晴らしはすばらしいです。夕日がかたむく頃でしたが、日没まで見たらさぞみごとだろうと思います。ほんのちょっとの間、舵も取らせてくれました。

夕食には羊肉の大きな一切れを煮たものや、またありがたいことにサラダ（レタス）が出ました。「これ、大好き」と言ったら、黒人のボーイが笑ってお皿からはみ出るほど入れてくれました。「図々しくやってるな」って皆にニヤニヤされるだろうと思いながらおいしく平らげました。ぶどう酒はいつも赤ですが、アルコール分十一度と書いてあるからかなり弱いんじゃないでしょうか。のどが渇くのでよくのみます。ちっとも酔いません。でも、今日船長さんのところで出されたマルティニというのはさすがにずっとこっくりして、甘口で上等でした。

三日間、どうやら慣れるまでにかかってしまい、そろそろ勉強でも、と思う頃にはもう香港間近です。船の速力は二十ノットくらいらしい。規則的に『オデュッセイア』を読もうと思っているのですが、ギリシャ語の本を、この船には図書室がないしキャビンは狭くて暑いので、デッキなどで読んでいると人が、といっても外国人ばかりですが、立ち止まるので閉口します。そして必ず「ギリシャ語を読むのか」と聞き、連れでもあれば「おい、ギリシャ語を読んでるぜ」と伝えるのです。

スケッチは三枚ほどしました。東工大の人も建築だそうで、これはどこかのアトリエへ入りたいらしいです。フランスでは建築家修行はアトリエごとの「徒弟制」がほとんどらしい話でした。建築家はやはりこまかいスケッチをしています。

今日正午の本船の位置は、デッキに地図といっしょに北緯・東経、出港地・寄港地との距離が掲示されるのですが、〈27°42′N, 126°36′E; 832 miles from Yokohama; 763 miles to Hong-Kong〉です。こうしてどんどん日本から遠ざかってゆくわけですね。フランスへおちつけばまた、すぐ近くにいるような気持にもなれるでしょう。今は南へ南へ……。

みなさんお元気で。そちらはだんだん涼しくなるでしょうね。学校もそろそろはじまるし、また忙しいでしょう。お父さん、お母さん、淳ちゃん、元くん、みな今頃、この時間、どうしているか、大体目に見えるようです。

追伸：今、また絵はがきを買いに行ったら、受付にいる中年のボーイさん（フランス人）が、私の、白地に赤いイセエビの絵のついた財布を、とても気に入ったから売ってくれというのです。百円で買った物だというと、二百円で買うから、と申し出ました。よく考えてあとで返事するといっておきましたが、これを売ったらあとで困ります。この封筒は便箋つきでただでくれます。第一信はここまでで投函します。

［**日記から**］九月六日晴、水曜日。

いよいよ第一回の寄港地香港。わたしが生まれて初めて踏む「外国」の土地である。朝六時起き、もう陸に沿って、ジャンクというのかしら奇妙な帆を拡げた小舟がたくさんゆきかっている。両岸ともほとんど短い青草の生えた岩山、右岸は海際に貧しげな家が点在するのみだが、左岸は上のほうまで岩肌を切り開いて近代的なビルディングがびっしりと立ち並ぶ。船は九龍側へとまる。九時前から一等甲板でイギリスの官憲と船の副船長（commandant adjoint）が並んで、パスポートに入国のヴィザをくれる。九時半タラップがおろされる。たちまち「Change! Change money! Changez? カネコウカン？」と口々に叫びながら人相の悪い人たちがどやどやと乗り込んできてつきまとうのでこわい。どうしたものかと思っているうちに一橋大の小島麗逸氏が訪ねてきてくださった。みんなと別れてフェリーボートに乗る。一等は最先端の良い席。二階建で下には自動車が入り、上に人が乗るしくみ。

第二信　九月七日（木）　香港停泊中、船上で。

今、絵はがきを買って船へ帰って来たところ。港に停まっている間は、お客はほとんど船から出てしまうので、どこもがらあきです。二等のデッキでは商人が入ってテーブルクロスやハンカチーフなどを売る店をひろげています。私は一等のデッキにあがりこんでのんびりと書いています。昨日午後と今日の昼前後、香港をまわりましたが、この絵はがきの写真のような街路の市場では、生の、血の出ている豚を半匹つるしていたり、生きた鶏を何羽も、かごに入れて売っていたりします。ビル街は清潔ですが、商店街になると、新宿の雑踏以上の混み方で、せまい道路に人、人、人……人力車、自動車、と、ものすごい混雑、それに漢字と極彩色の氾濫です。

第三信 九月七日夜八時半、一等デッキにて。

いろんな意味でショッキングだった香港も明日あさ出港です。二等のデッキは今、まん中の床板を全部もちあげて、その下の倉庫に荷を入れる作業中。そのわきで商人たちが昼間の商売の勘定をしているらしい。船室は停泊中窓をしめきっているのでものすごく暑く、私は今一等のデッキで、「宝石箱をひっくり返したような」香港の夜景をみながらこれを書いています。船客は夕食後また出かける人が多くて、まわりには十人くらいしか見えません。

昨日（六日）は、朝九時半投錨《とうびょう》してまもなく、小島氏が船の中、事務室のところまで迎えにきて下さいました。人相の悪いmoney-exchangerがたくさん入ってきておそろしくなっているところでしたので助かりました。すぐいっしょにフェリーボートで香港側へ渡り、東大女子学生の会の先輩から紹介されていた「S先生」をクゥイーンズ・ストリート（皇后大道）のビルに訪問。まだ出社前でしたが話は入っていたらしくて、その有限公司（東亜毛織）の人が、「何でもご用をつとめましょう」といってくれました。さっそくお金の交換のことを話して日本円四万五千円のうち（二千円は船の中でフランにし、三千円はまだもっていますので）、二万五千円を米ドルに、二万円をフランに換えることにしました。格子のはまった両替屋で「公司」の中国人と小島氏とがいろいろ交渉して下さって、一ドル＝三百八十円、一フラン＝七十七円で換えました。公定は各々三百六十円、七十三円ですからもちろん公定よりは割が悪いですが、あとで留学生仲間で話し合ったら、私のがいちばん有利というか損していないようでした。小島氏も、「中国人がいっしょでなかったらもっとずっと率がわるかっただろう」といっておられました。

S先生が「十二時半に昼食をいっしょに」とのことでしたので、それまで小島氏と二人で財布を買おうとあちこち歩きました。この財布の件は第一信でちょっとお話ししましたが、受付にいるフランス人のボーイが、私のもっていた赤いイセエビの絵のついた札入れを欲しがって、はじめは二百円で買うと言っていたのが三百円でもということになり、毎日私がその受付の前を通るたびにせがむので、香港で代わりのが買えたら譲ってあげようと約束した（させられた）ものです。あちこちとごみごみ汚いメインストリートを歩き回ったあとでやっと、七香港ドル（四百九十円弱）の豚革のを（革製では最低値）みつけ、よさそうだったので小島氏が六ドルに値切って下さって買いました。あとで船に帰ってからボーイにわけを話し、領収書をみせて、どうするか、と言ったら、大喜びで六ドル払って私の古いのをもってゆきました。

S先生というのはその公司の重役で、完全冷房の大きなビルにある公司は（大きい店やレストランやビルはみな冷房です）かなり手広くウールを扱っています。ちょうど台湾からカナダへ機械工学で留学するその義弟が来ているとのことで紹介してくれて、小島氏と四人で、「代表的な北京料理」をごちそうしてくれ、午後は、小島氏は三時～五時の間、大学に行きましたが、ずっとドライヴに連れていってくれました。北京料理はおいしかったですが、あとからあとから油こいものがつづくのでお腹がいっぱいになってしまいました。小島氏は北京語が英語と同じにペラペラです。私は英語を思いだしながらあやつるだけ、それでもだんだん慣れて話もできるようになり、有益な半日でした。S先生は娘二人が中国本土の大学で核物理をやっている由、義弟ともども非常に「親共的」で、「台湾政府はアメリカの派出所にすぎず、台湾にも香港にももう希望はない。中共には明日がある」とおちついた口調で話しました。義弟のJ君は、私より一つ二つ年下かと思いますが、北京語のわからない私に英語で説明してくれましたが、かれもカナダへの留学二年ないし四年のあとどうするか、は〈wait and see〉だと言っていました。こんな金持ちでこんなに中共をわかっている香港の人はほんとうに稀だ、と小島氏はおどろきを隠せない様子でした。いっしょにドライヴして、私はJ君の言葉を借りればtwo faces of Hong Kongを、金持ちと貧乏人、華美と悲惨とを全く同時にむき出しの形でみせつけられました。日本よりひどいだろうと思われる水上生活者のたまり場をわきにみてすばらしい自動車道路がつづき、岩肌を切り開いた山腹には高級な近代的なアパートが真っ白に林立し、ちょっと休んだホテルのロビーには紅い花と椰子の木が茂り、眼下には静かに美しい海岸がひらけています。そして少し走ればまた浮浪者と不潔と貧困……しかも私が、その美しいロビーを出ながら、「今あなた方は香港のbright faceを見せて下さり、私はその写真もとった。今度は帰途、dark faceもカメラに収めたい」と言ったとき、S氏は、「あなたはbright faceというが、ここにだって惨めさはあるのですよ。ほらあそこに見える香港の少女が着飾って西洋人の青年といっしょにいるでしょう。あの少女は、日本でいうpan-pan-girlなんです」と言われ、私は自分の見方の浅さを恥じました。書けばきりもありませんが次にゆずるとして。

今日七日は一橋大の石川滋先生のお招きで（昨夜小島氏夫妻が船にみえて、ぜひということで、ことわれなかったのですが）、十時すぎに待ち合わせて小島氏と三人でケーブルカーで香港を見下ろすピークに登り、そこで偶然出あった留学生仲間二人まで飛び入りで、小島夫人（まだ学生っぽい、感じのよい人です）と、つごう六人で、先生に広東料理をごちそうになって別れました。

香港からサイゴンへ

第四信　九月八日（金）夜、海上（キャビンで）。

今朝の九時半に香港を出てから、かなり船が揺れはじめ、一日中だいぶ辛かったです。夜になると強い雨が吹きつけ、稲妻がやすみなくひらめいて、海はぶきみな紫黒色になり、おおきくうねるとなんだか水という感じがせず、まるで大きくひろげた黒いゴム布が風にあおられているようでした。舷側に砕ける波の音がはげしく、今こうしてベッドにすわっていても、左右のローリングといっしょに時折ガツンガツンと水平に突き動かされるような感じはどうもよい気持ではありません。けっして船に酔うまいと思ってわざと一粒も酔い止め薬をもってこなかったなんていうのは私一人じゃないかしら。デッキの手すりにもたれて海を見ているとかえってふらふらしないんですが、それも時間に制限があるし、甲板は掃除したばかりでひどく湿っぽいので、どうしても暑いキャビンに入って、汗ばんだベッドの上で横になる、ということになってしまいます。今日などは午前午後とも食事の前後以外はうとうと眠りどおし。運動不足がわかっているのですが、どうにもなりません。明日あたりからピンポンでも始めようかと思います。

いつも美しいサリー姿で女王のようにおちついたインド婦人は、夕食に姿をみせませんでした。このひとのサリーと長い服との色はいつもすばらしく華やかな原色なのに、焦茶色の肌と合うとけっしてけばけばしくないのだからふしぎです。真っ黒く豊かな髪――日中は一本に編んで右肩から胸へ垂らし、夕食には大きく束ねて出てきます――、黒い長い眉、深い目、大きく切れた口、小さい顎とその下の豊かな肉付きの二重顎と首とに、飛鳥時代の仏像のような特徴があります。もう少し人物を描きなれていたらすぐにでも描かせてもらいたいところですが、まだデッキで遠くから鉛筆描きをためしているだけです。

香港からは、また船客の顔ぶれが少し変わり、人数が増えました。食事時がことに騒々しくなったように感じるのは、中国人が急に増えたせいもあると思います。その中にはやはりフランス政府の給費生でパリ大学へ行く学生も三人まじっています。女子学生は一人、人類学だそうです。

ターバンを巻いて目の鋭いインド人が加わり、右手だけで食べているのもおもしろい見ものです。ときどきはスプーンも使いますが。

イギリス人らしい若い夫婦が加わりましたが、奥さんは身なりはずいぶんかまわない人ですが、とても美しい、がっしりとした彫刻的な顔立ちをしています。身体も大きく堂々としていますが、顔の線がすっきりして、額がきれいです。

前からいるイギリス人の母娘は、夕食には必ずきれいな服を着、首飾りをかけてきますが、この人たちも感じがよく、おちついた家庭の人らしく見えます。娘はずいぶん背が高くしっかりした身体で、快活な感じで、目尻の上がった眼鏡をかけています。若い女のひとで眼鏡をかけているのは、この娘と私と香港から乗った中国人の女学生らしい人と、三人だけでしょう。イギリス人の母親のほうは、またとても優しい上品な、繊細な顔をしています。とても美人、というわけではありませんけれど、ごくうすいえんぴつでデッサンしたらよさそうな顔で、眉がほそく弧を描いてほとんど半円のようにさがっています。ひろい額がちょっと瞑想的な感じです。あれほど知的ではありませんが、ピカソが描いた、エリュアールの妻ニッシュのデッサンを、私はすぐ思い浮かべました。

ツーリストクラスの客たち（配布された乗船者名簿によるとおよそ百名）のなかで目立つのは、西洋人の青年と、その日本人の妻と、八カ月半というかわいい赤ちゃんの一家族でしょう。この一家ははじめからなにか一種の哀愁を私に感じさせ、どういう人たちなのだろうと、いろいろかってな推測をしたりしてしまいます。それはとびきりやせて背の高い金髪の若い夫と、小柄な、身なりもふるまいも言葉遣いもどちらかといえば荒っぽい感じの妻が、二人で交代に赤ん坊を背負って歩き回ったり、他の客たちが代わり代わりに赤ん坊をあやしている間にピンポンに興じたりしているのが、いわば日常生活からいちおう切り離された船の毎日のなかで、奇妙に「生活」を感じさせるからかもしれません。

第四信（つづき）　九月九日（土）午前十一時前。

昨夜真夜中に時計を一時間遅らせましたので、なんだか少し得をしたような気持になりましたが、けっきょく、よく眠りこんでしまいました。時差のせいだろうと思いますが、まだどこに変更線があったのか調べてありません。

香港をあさ九時半に離れてから昨日一日はずいぶん揺れ、食事の前後をのぞいては大体横になっているより他ありませんでした。夜になって激しい雨が吹きつけ、稲妻がひらめいて、海はぶきみにまっくろなゴム布をひろげたようにみえました。けさは海もだいぶ穏やかになり、かなり雲が切れてきています。サイゴンへは明朝八時半に入ります。香港で、サイゴンのマダム・シャロンからの手紙をうけとりました。船の事務室前まで迎えに来て下さるそうです。サイゴンは今でも盗難で有名なところの由ですから、四人で話し合って交代でキャビンにいるようにしました。私は十日に外出するとすれば十一日は出られませんから、K夫人のところへ遊びにゆくひまはあまりないかと思います。預かり物を渡してしまえば、立ち話程度ですませたいと思っています。

香港では家からのたよりを心待ちにしていたのですが、だめでしたね。日本―香港は三日間で来るようです。郵便代、はがき代がかかるので、つい節約してしまいますが、遠くなるほど高くもなるから、サイゴンで絵はがきをたくさん買ってあちこちへお礼かたがた出しておこうと思っています。香港で使ったお金は、香港ドルにして、絵はがき三・九、切手一、航空書簡一、合計日本円で四百円くらいです。財布代は払い戻してもらったわけですし。香港側へ渡るフェリーボート往復四十セント（二十八円くらい）に始まる交通費や食費は、みなさまのご好意に甘えましたので、全然かかりませんでした。

香港のことで少し書きたしますと、ここは言葉の点でもすごいごたまぜだそうで、ふつうの住民は広東語、これで買物ができるようになれば、ボラレル心配は全然ないそうです。新聞売り子などは北京語がわかりませんが、おとなたちはそれもよくわかり、広東語の次に普及している由です。英語もちゃんとした店やレストランでは十分通じますが、これ一点張りの客は必ず四倍くらいの値をふっかけられている、とのことです。町を歩いていると、日本語ペラペラの中国人がついてきて、買物の案内をしようと申し出てきます。留学生仲間は、助かったといっていっしょに行ったようですが、小島さんの話ではこれはたいてい、日本がここを占領していた頃に日本語教育を受けた人たちで、あまり信用できないこともあるそうです。貧民街のことなど少し書きましたが、石川先生の話ですと、香港に住んでいるイギリス人に〈Where do you live?〉ときくと、〈I live above the half.〉と答える由、つまり半分より高いところ、というのは山の中腹以上ということで、上へいくほど土地の値段も高く、高級な家があるからだそうです。とにかく一九四九年の革命達成以後、香港はまだまだ激動の中にあって、その相を正しくつかむことはとてもむずかしい由でした。

本を読んだりこうして小さい字を書いたりしていると、どうしても頭が痛くなります。

昨日デッキでトランジスター・ラジオを試してみましたが、長短波とも中国の放送しかキャッチできず、またしまいこみました。

九日午後、キャビンで。

また少々熱っぽくてゆううつです。湿気がかなりこたえているんだろうと思いますが……それに、あきらかに運動不足。水泳も、プールがあんなに狭くてはせいいっぱいできないし、歩くところも少ないし、なんとかしないといけません。あすはサイゴン着ですからせっせと歩くつもりです。サイゴン見物をすませたらまた書きます。

追伸：元くん、切手をいろいろの種類で買いました。シャロンさんからもらったのも同封します。二枚同じだから、まこちゃんにもあげたらいいでしょう。

第五信　九月十一日（月）あさ八時すぎ、キャビンで。

お手紙ありがとう！　昨日午後二時にサイゴンへついて、事務室の前でマダム・シャロンを待っているとき、受け取りました。そこですぐ封を切って立ったまま読みました。横浜のときは、ほんとうにおつかれさまでした。「帰宅して、みんな死んだように寝た」とのお父さんの言葉、痛切でした。先生方へもいろいろありがとうございました。住所録をちゃんと出しておかなくてすみません。

日本を出るとき酔い止め薬をもってこなかった、なんていうのは私だけみたいですが、それでも頭がふらふらするときは横になっているだけで十分回復します。昨夕はピンポンを、同室のBさんと少しやって、二人とも汗びっしょりになりました。（中断）

今、K夫人と娘さんが来たところ、やっと、預かってきた物を渡しました。昨日はいれちがいになってしまって、会えなかったのです。娘さんがシナそばを食べて帰りたいといっているそうで、お昼をいっしょにと誘われました。やはり知った人とでないと心細いから、十二時に待ち合わせることにしました。タクシーなどの悪質なこと、昨日私はシャロンさんといっしょでしたからよかったですが、日本人だけで出かけたら、メーターを隠して見せなかったり、十二ピアストル（約百二十円）で行かれるところを二百ピアストルもとられたりしたそうで、とてもおそろしいです。ちょっと信じられません。

昨日（十日）は、三時近くにシャロンさんと船を出てまずK夫人を訪ねましたが留守、夫人のいるところはヴェトナム人の家で、そこの主人は、K夫人の親族とは二十年来の友人だと言っていました。書き置きをしてまた外に出、シャロンさんにしたがって、中国ふうのパゴダ（お寺）の中で催された芝居を見にゆきました。昨日はヴェトナムの英雄なんとか元帥の記念祭の由で、その行事の一つとしてその芝居も行われていたらしく、シャロンさんはそこへ招待状をもらっていたのです。外には汚い様子をした子どもや老人たちが、一生懸命にのぞこうとひしめいていましたが、中へ入れるのは特別の人たちだけで、黒と白の礼服を着て胸に菊の花（といっても日本のみたいに「立派」ではありません）をつけた、市の有力者や、大学の人たちが案内してくれました。サイゴン大学でシャロンさんの教えているヴェトナム人の学生が、上手なフランス語でそばから私たちに説明してくれましたが、なにしろものすごい極彩色で役者たちはものすごい声でわめきたてるので、まわりが暑いのといっしょになって、とうてい鑑賞する気分にはなれませんでした。シナの古い時代（唐あたり？）の王家の陰謀の話で、悲劇だというのですが……言葉は今のヴェトナム語の由、皆よく笑ったりしていました。見せ場のようなところになると、最前列の客席（といっても土間に椅子を並べただけ）から有力者らしい人たちが、先の割れた棒にお金（札）を挟んだものを舞台へ投げる、と役者もおじぎをし、日本でいえば「黒子」みたいな、緑の上着を着た少年が奥から出てきてそれを拾い集めて楽屋へ入ります。シャロンさんにもそう言ったのですが、私には舞台と同じくらい観客たちやまわりの風物がとても珍しく思われました。そのパゴダは赤や金のこまかい彫り物をした柱で飾られていて、欄間には、「有求即応」、「謝神恩」、「萬家生仏」などの額がかかっています。あとでシャロンさんに、私にはあの意味がわかる、といって例えば「謝神恩」はラテン語の Deo gratias にほぼ当たるのだ、といったらびっくりしていました。漢字は西洋人にとってはずいぶん驚異らしいでした。半土間の柱廊の奥半分が祭壇と礼拝所で、緑色や赤の果物が供物として山と積まれ、香煙が立ちのぼって、老若男女、代わる代わる正座して筒に入れた小さい棒切れの束みたいなものを両手にささげもって何度も何度も頭をさげて祈っていました。奥のほうでは僧らしい人が絶え間なく鐘を鳴らしています。入口に近い後ろ半分がその芝居で、観客は祭壇に背を向けているわけで、二つの部分の間には少し通路があけてあるだけで、戸一枚あるわけではありません。祈る人は熱心に祈り続け、観るほうは笑いながら興じているという形、それでも奇妙には感じませんでした。中にいる観客たちはやはりかなり中流、上流の人たちらしく、着ているものもきれいです。婦人たちの服装はことに優雅でした。中国服をながくしたような、くるぶしまでの上衣を着、下にはズボンをはいています。上衣は腰のあたりから脇がずっとあいているので、歩くとひらひらして、若い人など華やかな花模様ですからとてもかわいい。顔や体つきは日本人にとてもよく似ています。さっきのヴェトナム人の学生はきちんとネクタイを締め、ワイシャツの袖をまくって、日本の私たちの同輩と変わりません。中国人よりもむしろヴェトナム人のほうが「日本的な」顔立ちのような気もします。しかし投錨と同時にものすごい勢いでなだれ込んできて客とみれば荷物を持とうとつきまとう人足たちは、ぼろぼろの着物で、一様に背が低く（私くらいかむしろ小さいくらい）まっくろで目がぎょろぎょろしていてとてもおそろしい感じです。貧しいといえばここもやはり日本よりもずっと、貧しさがむきだしの形です。フランス人がつくった町並みは、観光宣伝のとおりきれいで、広い道、高く青々と茂った並木、白やベージュ色の建物（たいてい四、五階建ての洋館でアパートが多い）、煉瓦づくりのカトリック教会、と香港よりずっとずっとおちついた雰囲気があり、パゴダのまわりには椰子やフェニックスがいかにも暑い国らしくみごとですが、そこでちょっと立ち止まってカメラでもかまえようものならワッと裸足の子供たちが集まってきて押し合うように見上げ、そこへ乞食（といっても香港の浮浪者ほどすごい身なりではありませんでしたが）の女が菅笠をもって寄ってきてお金をねだります。その群からぬけだすのは一苦労でした。ハンドバッグもカメラも手提げに入れて胸に抱え込んで歩いていますから安心と思いますが、ポケットなどとても危険だそうです。なかなかいつでも誰かキャビンにいるわけにはいきませんが、窓もとびらもがっちり閉め切って、ボーイの部屋掃除が終わるまで待っていればあとはまず心配ありません。この部屋掃除の間があぶないので、ボーイが鍵をかけずにちょっと水を汲みにいったりしたすきに盗まれるようです。

十時半。今、シンガポールの山田秀雄先生から葉書をいただきました。ぜひ、とあります。これまでもみんなに、「あなたは行く先々で知っている人があって羨ましい」といわれていますが、どうしようかと思います。……やはりはじめのうちは仲間だけで歩かないほうがこわくないので、お訪ねすることにしたいと思いますが。

昨日（十日）の続きを書きます。

昨日は芝居を途中で抜け出して、ちょうどそこで出逢ったシャロンさんの同僚、大学で英語を教えているフランス人のプロフェッサーの車でシャロンさんの家にゆき、その人はちょっと休んだだけで帰りましたが、私は夕食にひきとめられました。ここのリセ（高等中学）で先生をしているというご婦人が、この春日本へ遊びにいった人というので（マダム・シャロンやルロワ先生の知人）、やはり夕食によばれて来て、三人でいろいろ日本の思い出話などでにぎやかでした。シャロンさんは、ご主人が定年で先生をやめ、今フランスへ帰っている由、子どもはなく、ご主人が戻るまでアパートで一人暮らし、ヴェトナム人の家政婦がパートタイムで来ています。ペルシャ猫の子猫が二匹いて、それをジゾオ（牡）とジェザベル（牝）と名づけてものすごいかわいがりようです。二匹はあまり騒ぐので、食事の間は浴室に閉めこまれてしまいましたが……また、ちょうど「日本の使用済みの切手がほしいが、もっているか」と香港への便りにあったので、あの箱をもっていったらとても喜んで、二枚あるのを一枚づつほしいといって、十五、六枚より分けていました。みなさんに助けていただいて集めたのがさっそく役に立ったわけです。シャロンさんは、うちでおしぼり入れに使っているのとまったく同じの竹皿を、パンを載せてめいめいに出すのに使っています。コッペパンの輪切りみたいなパンだからちょうど載るのです。これ、日本からでしょう、と言ったら、日本ではこれにナプキンなどを載せるようだが、とてもかわいいのでパン入れに使っている、とのことでした。帰りは二人で船まで送ってきてくださいました。

この手紙、ものすごい字で、さぞ読みにくいことと思います。お母さんが目をしかめ、お父さんが眼鏡とルーペを持ち出し、それをそばから見て元くんが「カーッ」となっているんじゃないかと思います。けっきょく「淳ちゃん、読んでくれ」ということになるのだろうと期待して、あいかわらずごちゃごちゃと書いています。山田先生からの葉書も、シンガポールの切手ですから、さっそくコップの水に漬けてはがして、同封します。

出発時にみなさんからいただいたキャラメル、お煎餅、羊羹等々、まだ手をつけずにあります。同室の人たちもいろいろもらってきているのですが、みな船の食事だけでお腹いっぱいで、お菓子まで手が出ません。Aさんが横浜で贈られた果物一籠がようやく一昨日、空いたばかりです。パリまで持っていけば、お煎餅など喜ばれるでしょうが、どうしようかと皆で思案しています。昨日Aさんがお急須を出しましたので、船が海へ出たら久しぶりで日本のお茶を飲みましょうと楽しみにしているところです。船のコーヒー、紅茶はとてもまずくて、この頃では朝食以外はもっぱら水です。赤ぶどう酒もいつも同じものなので、飽きてしまいました。九月九日にベッドの敷布、枕カバーなどを洗濯してくれました。毎晩汗をかくので、換えるとありがたいです。ともかく暑い。それでも一時よりはすこししのぎやすいですが……。

寄港地で疲れぬように、というご注意は守っています。ともかく手紙を書くのが一日の仕事の大部分を占めていますから、夕方は早く帰らないと時間がなくなるし、洗濯も、ひとと重ならないように済ませたいので、なるべく早くキャビンに帰るようにしています。昨夜はシャロンさんのところで九時すぎてしまいましたが（夜の港にヴィエトナム号が停まっているのはとても美しかったです。真っ白く、明るくて……）。船客のなかで新しい知り合いが増えるのも要注意、との話も心しています。私たちのところへも、時々インド人（かセイロン人）の一等船客の紳士（ものすごいデブちゃん）が外出を誘いに来ますが、適当に断っています。一人では下船しないようにというご注意もありますし。また夜十時というのが船員の勤務交代の時間なので、その頃も気をつけないといけないようです。

十一時半。これから支度してK夫人たちに会いに出かけます。あす（十二日）午後二時に船が出ます。次はシンガポールで。お元気で！

サイゴンからシンガポールへ

第六信　九月十三日（水）あさ九時、キャビンで（シンガポールへの海上）。

今日は朝から曇り、出港以来はじめての涼しさで、こまかい雨が降っています。昨晩のボーイの話では、台風の通ったあとの余波を受けている由、夜来の風がかなり強い、そのわりには船が揺れません。昨日、仲間の一人が写真を持ってきてくれましたので同封します。サイゴンで焼き付けたそうです。私は一昨日サイゴンから小西六の会社あてにカラーフィルム一本を現像に出しました。十二枚撮りのネガですがいずれそちらにつくと思います。また黒白のベタにしてみて、いつでもけっこうですから船便で送って下さい。もっとも、説明書に、送るときは封をせずにとあったのでそのとおりにしたのですが、あとで考えたら湿気の心配がかなりあり、うまくできてくるかどうか、心許ないものです。サイゴンから絵はがきも送ろうかと思いましたが、元くんはノースタンプのほうが良いだろうと思って、はがき用の切手を三枚、未使用で送ります。絵はがきは、あとで何枚かまとめて船便で送ります。マルセイユあたりからになるかもしれません。写真にとらなかったところが入っていて、記録の一部にしようと思っています。

一昨日（十一日）にはお昼にK夫人とお嬢さんに会って町をいっしょに歩いて絵はがきを買い、ヴィエトナム号がみえる河の上に浮かぶレストランで中華料理をごちそうになりました。香港で食べたほうが（ことにS先生の）ずっと豪華で本式でしたが、ここのは本場のものでないだけに日本で食べる中華料理（蟹玉とか）に似ていて、ちょっと懐かしい気がしました。三百四十二ピアストル（デザートも含めて、三人で）でしたから千七百十円くらいです。カボチャに似て甘く柔らかいパパイヤも一切れ食べました。ちょうどK氏の命日だそうで、二人でお墓参りに行ったり、十三日に発つお嬢さんの支度をしたりしなければならないので、ご案内できないのは残念だが失礼しますとのことで、辞退したのですが、四十ピアストル（二百円）絵はがき代にでも、と下さいました。そこで別れてひとりで散歩がてら郵便局へゆき、切手を買ったりして、昼休みどきで正午から三時まで扉をおろした商店街を通って帰船しました。家への封書はお昼前に町中のポストに入れました。船に帰ってから、先生方や親戚その他に計九通、絵はがきを出しました。

［日記から］　九月十三日海上で。曇り涼しい。

昨十二日（三日目）のサイゴンは暑く、晴れていた。朝九時に船をでて、留学生仲間五人で、博物館、植物園を観にいった。日差しがとても強いが、わりにからっとして、木陰はずいぶん温度がちがうように感じられた。朝だったし、歩いて行こうということになり、もうだいぶおなじみになった橋をわたり、Catinat 通りを横切ってゆく。メインストリートをすこし外れると、道幅もぐっと狭くごみごみしてきて、商店の前の

サイゴン河の河口付近（ヴィエトナム号船上から、筆者写す）

道路には、地面にじかに坐った物売りが、あいかわらず、白い素麺のようなものや、青い葉に包んだ炊き込みご飯みたいなものを売っている。十日の夜にシャロンさんのお宅でごちそうになったパイナップルふうの丸い小さい甘い柔らかい果物や、十一日昼、restaurant flottant（水上レストラン）で食べたパパイヤなども売っている。店を構えた商店は、この通りではだいたい新宿西口をもう少しごみごみと小さくしたくらい。カティナ通りは十一日の午後歩いたが、大きな豪華な店ばかりで、お昼から三時頃までは扉を閉めてしまう。

カテドラルの横へでて郵便局に寄る。昨日午後二時頃の閑散としたのにひきかえたいへんな混雑。でもとても立派な郵便局だと感心する。中の掲示はヴェトナム語とフランス語、表のファサードの上に大時計があり、それを囲んでフランスふうにP.T.T.と書いてある。掲示で気がつくのは、香港ではほとんどが漢字と英語と両方だったが、ここではまずなによりもヴェトナム語だ。そして看板などは、大きな店はもちろんフランス語もたくさんあるが、むしろ中国語のほうが優勢なのじゃないかと思われる。美珠、宝玉、とか……美術館正面の札とかも。「上午」がA.M.「下午」がP.M.など、香港で覚えてきたのが通用する。道の標識などがヴェトナム語一点張りなのは不便。NGAYがDAYでHOIがhourくらいしか記憶に残っていない。

サイゴンは午後二時出港というので見送りに来てくださったシャロンさんはすぐ急いで下船されたが、干潮時のため河がまだ浅くて船はなかなか出られず、私がどうぞお帰り下さいと何度も船の上から頼んだが、とうとう一時間も木陰でヴェトナム人の家政婦さんといっしょに待っていて、船が出るのを見送って下さった。

ここでまた、数人が船客で乗り込んできて、その中にマルセイユまでゆくというヴェトナムの女の子が二人いて、その家族と友だちが十人くらい見送りにきていた。見送り人は全部合わせても十五人ほどで、テープを投げるわけでもなく、いまさらのように、横浜での見送り騒ぎはすごかったなあと思われた。

濁った河はどちらへ流れるのかと思うほどゆるやかで、かっと強い日ざしのもとで眩しいばかりに輝いていた。ヴェトナムの旗をたてたモーターボートでパイロットが来て、船に乗り込んで、船はだんだん速度をあげながら河をくだる。三時に錨をあげてから三時間かかって、キャップ・サンジャックと思われるあたりを通り、海へ出た。

第六信（つづき）　九月十三日　海上。

サイゴンでの出費の報告をしますと、昨十二日は朝のうちに、留学生五人で植物園と動物園と博物館がいっしょにあるところを見て、みんなにつきあって休憩所でコカコーラを飲み（十ピアストル）、タクシーに同乗して三人で割り勘にしたら五ピアストルで、K夫人からの四十と、シャロンさんに換えてもらった二十とを合わせて六十ピアストルはきれいになくなりました。これがサイゴンでの出費全額でした。香港ドルは十セント（七円くらい）硬貨がひとつ残り、記念にとってありますが、サイゴンはみな紙幣で、それがものすごーく汚いので、とうていとっておく気にはなりません。あまりよくは知りませんが、他の人の出費は百五十ピアストルくらいが平均のところらしいでした。私はシャロンさん、K夫人などのおかげもおおいにありますし、お土産を買ったりしないからでしょう（サイゴンではヴェトナムふうの刺繍のある綿のブラウス地を買った人もありますし、香港ではオパール、翡翠などまで買った留学生もいます）。それにみんなといっしょに歩くと、途中で喫茶店に入ったり、タクシーを使ったりで、どうしても出費が多くなります。

あすはシンガポール、あいにく曇って南十字星もだめそうです。山田先生には、お電話してみるつもりです。さっき事務室で、一米ドルを三マラヤドルに換えてきました。また書きます。

今日は四時のお茶に行かずにかわりに四人で日本茶をのみ、Bさんがお煎餅をあけました。どちらもとてもおいしくて皆で大喜びをしました。あとでその話を男子連にしたら、Cさんたちの四人部屋（留学生の東京勢）でも四時半に日本茶をいれてお煎餅を食べた由、いづこも同じといってみなで大笑いになりました。先日はおかずとしてご飯をトマトケチャップふうのもので炒めたのがちょっと出ましたが、皆、もっともらいたいといったものです。そろそろサンマの季節だなあ、なんて言いだして唾をのむ人もでてきました。夜十時半。

第七信　九月十四日（木）夜十二時半、キャビンで（シンガポール停泊中）。

今日は手紙を書くのがこんなにおそくなってしまいました。先生方そのほかに三通はがきを書いたあとです。なぜって、朝、一人で船を出た留学生が、夜遅くなっても帰らず、数人が町のポリスオフィスに行ったりして、ひとさわぎだったのです。留学生仲間は総出で心配し、ポリスが船まで来たりして……けっきょく十一時すぎて帰ってきましたが、何もそのことにはふれずにいるので、どうしたのかわかりませんし、私たちも聞きもしませんが。こんなことでいろいろ報告する時間がなくなりました。

今日はあさ九時に投錨、電話が通じるとすぐ、船から山田先生に電話し、十時半に迎えに来ていただきました。先生が「庶民的な」といわれる中華料理店でおひるをごちそうになったあと、ハイヤーでマラヤの最南端ジョホール州のJohore Bahru（ジョホール・バルー）まで連れていっていただきました。くわしいことはコロンボへの船中で書きたいと思っていますが。イギリスはシンガポール島だけを自分の手にまだ握っているわけで、ジョホールとの境には関所があってパスポートを調べられました。シンガポールは人口百六十万で、そのうち中国人が百四十万といいますから、中国の華僑が大勢で、それらのなかにコミュニストがまぎれこんでいないか、それがマラヤへ入らないか、ということが最大の心配なのだそうです。ジョホールのサルタンの旧い離宮や回教の寺院の美しさは、ほんとうにお伽話のようでした。帰途、植物園に寄りましたが、ここはまた東洋一の名にふさわしく（と思います）、素晴らしい、整備されたみごとな庭で、咲きこぼれる白、紫、黄、赤、真紅の花々、鬱蒼と茂る椰子の並木、たくさんの種類のシュロ、その下の芝生に群れて遊ぶサルたちは人が近寄っても警戒する気配もなくおすもうに興じ（咳をしている親猿もいました）、ときおりしっぽの長い小さいリスが影のように芝生を横切ってすべってゆき、たちまちシュロの木に登ってしまったり。写真をいれたので、ここでいったんやめます。くわしくは又あとで。ふしぎの国のAより。

[日記から] 九月十五日（金）晴。

昨夜の「事件」でおなじみになった警察のザヴィエル氏が船に来て、町を案内してあげようとのこと。留学生仲間数人でいっしょに行くことにする。

第一に、昨日はジョホールからの帰途でゆっくり見る時間のなかった植物園へ。スケッチするひまがないのは残念だが、そのためにカラーフィルムを入れてきてある。ともかくすばらしい植物園で、ここの園丁になって一生住みついてもいい、と半分本気で言ったくらい、規模が大きい。美しく手入れがゆきとどき、どの植物にも黒い札に白い字で学名が付けてある（通称の名前がないのは、ちょっと一般向きでないが。昨日の山田先生の話では、園長が植物学者で、そのもとにちゃんとブレインスタッフがそろっている由）。花がとてもとても美しい。緑が瑞々しく豊かで、道はみなきれいにペーヴされている。Valley of Palmsなど、椰子、シュロ、フェニックスのいろいろな種類が実に豊富で、中を歩いていると、ほんとうに不思議の国へ迷いこんだような気持になる。サルたちが放されていて、入口で売っているピーナッツの袋を持って歩くと追ってきて、スカートをひっぱったりする。カラーフィルムでほとんど花や木ばかり十五枚くらい写した。街を歩いて三時帰船、五時出港。

[日記から] 九月十六日（土）夜、海上で。

シンガポールは、九月十四日午前九時すぎ入港、十五日午後五時出港で、マラッカ海峡はもう通り抜けたらしい。せっかく赤道間近まで来ていながら、曇天で南十字星は見られず残念。しかしそのかわりぐっと涼しい一日だった。マラッカ海峡の海の青色を楽しみにしていたがそれもだめ。果物の写生につかれて夕方甲板へ上がったら、雨の直前のように、空の半分は黒い雲でおおわれ、海はじつに静かで、暗い冷たい色をしていた。船の通ったあとだけがかきたてられて緑色にわきかえっていたけれども。黒い雲のほうからさーっと冷たい風が吹いてくる。でも空の半分、船の右手前方は雲が薄く、空のわずかな部分の灰橙色が、そのうしろに夕陽が沈んでゆくのを示していた。

船べりの手すりに凭《もた》れて、反対側の手すりの間からうしろへうしろへ流れてゆく海を見ていると、船はずいぶん速く走っているのだなあと思う。でも自分のいる側の海を見ているととてもゆっくりしているみたいに感じるのはどういうせいだろう。

海峡だから、右手にマラヤ、左手がスマトラ、いずれも水平線をうっすらと縁取っているのが分かるだけ。左手に汽船が二隻見え、交叉して行った。

第八信　九月十八日（月）コロンボへの海上、デッキで、午前十一時。

一昨日に一時間、昨日また一時間時計が遅れ、日本との時差がこれまでで三時間半となりました。マラッカ海峡はあいにく曇りで、海の青さは見られませんでしたが、船はすべるように通り抜けました。海峡を出たとたんに揺れはじめ、昨日は一日中そうとう揺れ、気温が（海峡で）急に二十五度にも下がったための風邪も手伝って、てきめんにやられ、夕食後すっかり酔って、Aさんからトラベルミン一粒をもらってしまいました。その後また二粒。もう平常に復しつつありますが、一度酔うと万事につけて臆病になります。今、涼しいせいもあって、デッキの椅子も半分くらいあいています。あすはコロンボですが、今度は時間も少ないし、知り合いもいませんから、皆といっしょに町を見物するくらいにとどめておくつもりです。長いと思っていた船旅ももう二週間、皆もそうですが、なかなか本も読めず、ものを書くのもせいぜい手紙と日記で、やはり頭は軽くなる一方です。そのかわりに寄港地ごとに珍しいものを見たり聞いたりして、感覚器官はそうとう鋭敏にはたらいていているようですが……。

シンガポールでは、山田先生にすっかりおせわになり、おかげでジョホールまでも見ることができました。シンガポールは英領の小さな島、ジョホールはマラヤ連邦の一州で、その最南端、シンガポールに接するところがJohore Bahruです。香港でもそう思いましたが、経済学者の説明を聞くのはなかなかありがたいことで、マラヤとシンガポール、イギリスの関係など、伺ってなるほどと思うことが多くありました。イギリスは軍事基地としてのシンガポールを手放したくないし、しかもあまり固執すればシンガポールは孤立してしまう、現にシンガポールは水さえもマラヤから大きな水道管で供給されているしまつで、貿易地としてたってゆけるのもマラヤ奥地の鉱山資源あればこその話、そのシンガポールが曲がりなりにも社会主義（社会党右派くらいとのこと）を奉じているのを、マラヤは嫌って、このごろでは独自の港をつくって対外貿易を行い始めている。マラヤは、シンガポールの人口の八割以上を占める中国人を極度に嫌い、コミュニストの潜入を恐れて、合併を避けようとする、シンガポールは合併を望む、イギリスはシンガポールの左傾化を挫折させて骨ぬきにした上でマラヤと合併させようとしている。こういった危機の中でシンガポールの現政府が、独自には工業も興し得ないこの島の地位をどのように保ってゆけるかは、小さな実験室としてたいへん興味のある問題の由でした。その中で、シンガポールに住むマレー人たちがどう考えているのか、がわかったら一層おもしろいと思うのですが、そこまでは聞けませんでした。カトリック、ヒンズー教、イスラム教が共存しており、日本人に対する感情も戦争の傷跡が消え去らない人々と、それを知らない世代とではずいぶん違うように思われました。中年くらいの人では日本語もなかなかうまい人がいます。

[日記から]（シンガポールのこと）

シンガポール入港は九月十四日（木）午前九時、晴。山田先生に電話して迎えにきていただく。船をでたのが十時四十分。タクシーでこぎれいな喫茶店へ行き、小憩ののち海沿いに埋め立てて造られた公園（サイゴンと同じだがここのほうが立派）を歩き、街で絵はがきを少し買った。商店の前の人道がせまいこと、そこにはみな屋根があること、漢字・英語の看板が多いこと、が香港を思わせるが、人間はもっと少ないし、高層建築のないのが街を広く感じさせている。全体の印象としても清潔だ。商店街を除けば並木は美しい。木々はサイゴンのものほど高くないけれど。そこから町の新しい図書館（開架式）を見、隣のラッフルズ博物館に入る。入場無料。明るくてきちんとしている。ほとんど英語の説明つき。ここでマラヤの原住民の間に子どもの頭を平らにする風習があるというのを模型つきでみたのは、ちょっと収穫だった。秀村欣二先生の時間にストラボンで読んだ話にそっくりだったから。説明をメモし、写真をとっておいた。うまくいったかどうか。鉱産物のところで山田先生からそれに関連してマラヤとシンガポール、イギリスの政策、などについていろいろ話していただいた。そこからシナ料理屋で昼食。人口百六十万中、百四十万が中国人というのだから、どこへいっても中国人が多いのも道理だ。代表的な中国料理は香港でごちそうになってきているからとくべつに珍しいとは思わないけれど、広東米のご飯が嬉しかった。

その後、先生の滞在先のホテルに寄り、私は庭でマグノリアのような白い花にカメラを向けたりしている

ジョホールへの道路に沿って敷設された水道管（走行中の車窓から筆者写す）

間に、先生はハイヤーと交渉していらしたが、だいぶ長いと思ったら、ジョホールへ連れていってくださるという。マラヤの一州、最南端のJohore Bahruである。植物園、大学など緑につつまれた美しい地帯（イギリスのコッテージふうのしゃれた家も多い）をぬけ、両側に椰子が並び、道に沿って貧しげな家が寄合い、続き、店が中国の看板をかけている道路を走る。道路は周囲と不釣り合いなほど広く、よく舗装されたハイウェイで、まん中に細くグリーンベルトがあって、往・来の車はおのおの別の道をとるようになっている。香港の自動車道路でもここまでにはなっていなかったし、サイゴンではこれほど舗装がよくなかった。

二時半出発、時速五十キロほどの車でいって、約二十分でシンガポールの出口に来た。ところがそこから地峡を通ってジョホールに入るにはハイヤーを乗り換えなくてはならない。自家用車やバスならフリーパスだが、タクシーは営業区域が違うからだめ、の由。それがなかなかみつからず、暑い道端で三十分ほど待った。土手の下に、遠くタイまで続くという鉄道があるが、列車は一日一、二本だけで単線、自動車による交通がもっぱらだそうだ。地峡は橋でなく埋め立てた道。こんなところにも、イギリスがマラヤとシンガポールをつかずはなれずにしておきたがるのが表れているらしい。直径二メートルもありそうな太い水道管が道に平行して設置されている。水は主にマラヤから給水を受けている由。現在は東南アジア一帯にひどい旱魃《かんばつ》で、あちこちで餓死の危険もでてきているそうだ。シンガポールでも時間をきめて地区ごとに断水している。ジョホール側のゲートを通るときにもパスポートの提示を求められた。「コレ、アナタノナマエ?」と日本語で聞いたりする。

シンガポールよりさらにずっと人間の少ない町をすこし走って、高い丘に登ると、海を見下ろすところにサルタンの旧離宮がある。黄色に塗られ、表は改装してあるらしいが、青いよく刈り込まれた広い芝生、赤紫に咲くブーゲンヴィリア、高い大王椰子、整然とした花壇。そして人はといえば、番人が三人、私たちとフランス人の一家だけ。まったく静かそのものだ。けっきょくサルタンなど上流階級だけがぜいたくに暮らしているらしい。又すこし自動車で走ると、垣根の上に放し飼いの孔雀が一羽、尾を半開きにしていた。

そこからまた高いところに、真っ白に立つ回教寺院(モスク)へ。入口に黒い帽子のマラヤ人の番人がおり、英語を話す。靴を脱ぎ、帽子をとって、大理石の床を歩いて中へ入った。柱に囲まれたまん中の広間が人々の集まるところ。正面に黄金で彫刻のある螺旋《らせん》状の階段のついた玉座があり、赤い絨毯でひときわ美しい、これが僧正の説教壇の由。徹底した偶像排斥で、壁にもどこにも絵、像、祭壇、何もない。広間の外側(側廊)も、柱列で仕切られているのみ。天井からクリスタルのシャンデリアが輝いている。聞いたらチェコから輸入したものだと番人が答えた。この寺院は六十年前に建てられ、また修理されたものの由。夕陽をあびはじめた寺院を去って、モダンなホテルのロビーで小憩、目前に地峡が美しく静かに横たわっている。ここでシンガポールの政権、経済的な成り立ち、見通しなどのお話を伺い、面白かった。

そしてあとはまっすぐシンガポールへ。ヨークホテルのロビーで冷たい、紙箱入りのミルクに渇きをいやしてほっとしたのが五時半。植物園を見残しているので、ともかくのぞくだけでも、とまた外へでる。これはまたすばらしいものだった。東洋一と言うそうだが、それも道理と思う。よく見たかったが暗くなってくるので、又明日来ようと決心して出る。先生は夕食をいっしょにと勧めて下さったが、シャワー、洗濯、葉書、手紙と考えるとなるべくはやく船へ帰りたいので、港の五番ゲートまで送っていただいた。帰船六時半。

このあと小さな突発事件があって、夕食後ゆっくりして手紙でも、と思っていたのがだめになり、夜中頃まで、留学生仲間は皆でおおさわぎしてしまった。


第八信（つづき）　九月十八日。


同室の誰かがもらったパイナップルやバナナなどの果物が、あまりみごとなので、食べる前に写生しました。果物はもっと豊富かと思って来ましたが、オレンジはカリフォルニアやオーストラリアから、リンゴ、ナシは日本から、と輸入品が多いようです。バナナとパイナップルはここのもので、バナナは日本でみるよりずっと小さいですがおいしいです。パイナップルも、缶詰とはちがう新しさがあります。直径二十センチくらいありそうなのが一個三十円くらいですからずいぶん安いものですね。ドリアンやマンゴスチンは、今はその季節ではない由で、ありませんでした。

シンガポールへ降りる前に米ドル一ドルをマラヤドル三ドルに換えてもらい、絵はがきを買って、三十円くらいの硬貨が残りました。切手一枚をそれで買うつもりでいたのですが、うまく郵便局に行き当たらないで、残ってしまいました。あすはコロンボですが、こんどは一ルピーが約七十六円くらいらしい。ともかくお金のことがいちばんめんどうです。船の中で切手を買って出すときには香港のでもサイゴンのでもフランで払わねばならず、現地の郵便局で買うのより少し損をする（われわれが）らしいのです。十円もちがわないのですが、すぐ換算してみようとする頭がはたらきますし、それがなかなかめんどうなのです。また、出納簿の整理もたいへんで、なにしろお金の種類が米ドル、（新旧の）フランス・フラン、現地の通貨、と最低三本立てでいきますから、みな悲鳴をあげています。この上、人と貸し借りをしたら、もう絶望的にこんがらがってしまうでしょう。フランで借りたのをルピーで返したり、なんのかの、ということになったら……。

夕食から戻ってきてまた書いています。香港、サイゴンから出した手紙はもうついているでしょうね？私のほうにしても、そちらにしても、時間的なくいちがいがあるから、なんだか両方で一方通行をしているみたいで、なんとなくたよりなく思われます。シンガポールでは手紙を受け取れませんでしたから、明日のコロンボを楽しみにしています。

船の食事もこの頃は同じものがくり返されることがしばしばです。たいていはじめにコンソメかポタージュ、次にオールドゥーヴル、次が魚・肉・野菜、お菓子かチーズ、果物、の順です。チーズだけはいろいろ種類があるのですが、どれもものすごく香がつよくて（というより臭くて）どうにも食べられないものが多いです。たいていの留学生は、メニューをあけるとき、どうぞチーズが出ませんように、と思うのだそうです。私もその一人。お料理はどれも煮込みふうのものが多く、なにかきまった香辛料のにおいがして、どうも飽きてきます。ものそれ自体の風味をいかした、ナス焼き、ピーマン焼き、魚の塩焼き、生野菜などが全然なく、サラダ菜はおいしいけれど油のなかでかきまぜてありますし、他の野菜はみな形も色も変わってしまうくらいよく煮て、やわらかくなっています。インド人などはいろいろ注文をつけてお米を出してもらったりしていますが、そのお相伴かどうか、私たちにも一昨日とその前日でしたか、ご飯が出ました。銀の器に入れて大きいお匙がつき、みんなでとりわけて食べました。炒めご飯のできそこないみたいにパサパサしていましたが、みんな喜んでお塩をかけて食べました。途中で船室まで「コレハウマイ」（ふりかけの商標名）をとりに帰った人もあったくらいです。むこうへいったらカマルグ米でも買って炊くかもしれませんね。まあパンはやはりおいしいので辛抱できますが……。

マルセイユからの荷物運送の予約などもそろそろ始まりました。私の手荷物二個は少ないほうです。ビニールの旅行鞄だけでも三つ、四つという人はたくさんいますから。バゲージルームに入れた長持と木箱三つだけは予約して運んでもらい、あとは自分で持っていこうかと思っていますが、もう一度検討してみます。明日は手紙を書く時間がなさそうです。次はボンベイから出しましょう。

シンガポール、コロンボからボンベイへ

第九信　コロンボ、九月十九日（火）午後三時、キャビンで。

今、コロンボ見物から帰って来たところ、船のもの以外は食べないのに少しばかりお腹が痛くなりかけ、私だけ早く船へ帰ってきて、熱い日本茶をいれ、船旅で仲良くなったセイロン人の美しいマダムからもらったイギリス製のクラッカーを三枚ほど食べてお昼の代わりにしました。もうなんともありません、ご心配なく。

第二便は今朝たしかにうけとりました。ありがとう。私の出したのがなかなかつかないようで、心配です。きっと中野局のせいでしょう。香港への船上で一通、香港から航空書簡一通と絵はがき一通（以上三通香港から）、サイゴンへの船上で一通、サイゴンから一通（以上二通サイゴンから）、シンガポールから二通、コロンボへの船上で一通（今朝コロンボから）計八便、すでに出しています。船の中では寄港日の朝までなら事務室の前の箱に切手を貼って入れておけば、着くとすぐまとめて持ってゆきます。その時間をはずれると自分で現地の郵便局なりポストなりへ入れなくてはなりません。日本などからのは、寄港の日、まだタラップが降りないうちに、はしけか何かで船へ運んできますので、私たちは一等甲板で入国手続きの行列をしているときに、ボーイ長から受け取るわけです。もう大体私たちの顔と名前を覚えていて、行列のなかに見つからなかった時など、キャビンのドアと敷居の間から、Lettre! と大声をかけてすべりこませてゆくか、あるいは夕食のテーブルに持ってきてくれます。

パリからの、宿舎決定の書類のこと、お知らせ下さってありがとうございました。私の寮は、ドイツ館でなく、フランス館です。Deutsch de la Meurthe というのはパリ大学にいろいろ財政的な援助をした篤志家の名前で、この館もその援助を基にしてできているようです。吉川逸治先生がパリの日本館館長でいらしたとき話をつけておいて下さったとおりになったわけです。フランス館の館長ルジューヌ（Michel Lejeune）先生はギリシャ語学の世界的な大家で、高津春繁先生も、そこへ入れればよいが、と言っていらしたところ、一九二五年とかに「大学都市」のなかでも最初にできた建物、と説明書には書いてありますから少し古いでしょうが、おそらく日本人もあまりいないでしょうし、「フランス人との二人部屋」は私の希望した通りです。

お父さんがこの館の番地をそのまま写して下さったのでとても助かりました。というのは、前便にも書きましたように、荷物をマルセイユからパリまで鉄道便で送る予約を、スエズに着く前にしなければならないので、スエズ寄港以前にパリでの住所がわかると、日本館を経由せずに直接そこへ送れるから便利なのです。ポートサイドはスエズよりあとですから。

淳ちゃん、奨学金のこと、どうもご迷惑をかけましたね。今にしてみれば、出る前に「代理受領の手続き」（そんなのがあるとは知らなかった）をしておけばよかったと思います。もしうまくもらえたのでしたら、おおいに手数料をとって下さい、冗談でなく。元くんの球技大会もおわっていよいよ「勉強の秋」に入りますね。しっかりしっかり、遠くから応援しますよ。

シンガポールで出港の前日に、留学生の一人が朝ひとりで船を降りたまま夜遅くまで帰らず、仲間が数人と、船客で前にシンガポールで働いていて町を知っているというスイス人夫婦とが、町のポリスステーションまで知らせに行ったりしてひと騒ぎしたことは、十四日にちょっと書きましたね。ポリスへ行った人たちがポリスから船に電話して「帰ったか」ときいたら船のボーイが「もう帰っている」と答えたので、かれらは護送車みたいな車で、念のためというので日本語を解するマラヤ人のポリスマン（ザヴィエル氏）がいっしょに船まで付き添って、帰ってきたのですが、帰ってみたら当人はまだ帰っていない。船で心配して集まっていた留学生仲間には、船のボーイは、「彼女は今、道でポリスに拾われて帰ってくるところだ」と言っていたのに。けっきょく船のスタッフがポリスと交渉をもつのをいやがってごまかしていたらしい。ポリスマンはフランス語がわからない、ボーイは英語がわからない（ふりをする）、なかで通訳をするCさんはあわてて、

from ce matinなどと英仏混合となる始末。おかしい、おかしいと皆が顔を見合わせるばかり。どうにもらちがあかないのでもう一度、仲間二人がザヴィエル氏とともにポリスステーションへ戻る、私がどうやら英仏が話せそうだから船の電話の前にいてボーイを介さずに連絡をとる、ということになり、かれらは出て行きましたが、十分もするとCさんから電話で、「見つかった、ポリスとの用がすみ次第送ってもらっていっしょにすぐ帰る」とのこと、けっきょく十一時半に全員帰って来ました。

あとから間接に聞いたところでは、昼間、町で日本企業の人と知り合いになり、昼食、夕食をごちそうになって、帰途は港のゲートまで送ってもらい、自動車から降りたところで偶然、こちらからの一行と出あった、ということでした。船のボーイやポリスのある人は、事の始めから、「彼女はもう成人なんだから、町で何をしようと、出港時刻（次の日の夕方）までに帰船すればよいのであって、もしかしたら、いいボーイフレンドでもみつけたのかもしれないのに、あなたたち仲間がそんなに騒ぐのはおかしいじゃないか」と言う。私もかれらの言うことに一理あるのは認めましたけれど、そうかといって、タクシーの運転手に高い値をふっかけられ、払えないでどこかへ連れて行かれたりしたら、と、皆それをいちばん心配して（シンガポールでは、戦後十数年経った今でもまだ対日感情のわるい年齢・社会階層が残っており、そういう恨みが日本人の女を誘拐する、というような事件になって表れることがある由）、ともかくポリスへ届けよう、ということになったわけです。彼女が無事で帰ったから、よかったよかった、と、いちおうおさまったものの、私は、自分たちがした「よけいなお節介」の意味についても、親切にいろいろ気遣ってくれたザヴィエル氏に対しても、さらには船のフランス人のスタッフに対しても、かなり複雑な、割り切れない気持ちが残りました。ポリスやボーイたちはそれみたことかと皮肉な顔をしていましたし、ザヴィエル氏は、もう過ぎたことだ、としか言いませんでしたが。もちろん船のボーイが確認もせずに出まかせを言ったことには、怒るよりまず呆れる気持がつよく、まったく事勿れ主義でずいぶん無責任だと驚いてしまいました。でも問題の発端は、当人が行く先を連絡せずにそんなに遅くまで船を出ていたことにあるのですから、ボーイのごまかしだけをとりあげて抗議することは（抗議しようといきりたっている留学生もいますが）、私にはできそうもありません。そのあとになっても、ボーイ長や船客がおもしろ半分に話題にすることもありますし、また、当日の午後たまたま町の博物館の前で問題の人に出あっていたために「最後の目撃者」としてポリスのところでパスポートを提出させられ、調書をとられて（ごていねいにすぐちゃんと印刷物になっていたそうです）、生まれて初めてのことゆえショックを受けてシンガポール出港後の一日は寝たきりだった、という人もいます。

六時半。出帆間近です。見送り人は下船せよ、のアナウンスをしています。

夜十一時。久しぶりになかなか寝つかれません。だいぶ揺れているので、起きるわけにもゆかず――。今朝コロンボから家へ出した手紙には、とくにいろんな種類の切手をもらって貼りました。これからもなるべくそうしましょう。これがつくころは淳ちゃんの二十一歳のお誕生日ですね。はるかより親愛なるあいさつを送ります！ 何か贈れるといいんですが。元くんのお誕生日くらいまでに、探そうかな、二人分。毎日が速く経つので、あまり、遠くへ来た、さびしい、という実感がまだありません。みんなもそういっています。目方が超過しそうなので、裏に書きます。国連のハマーショルド事務総長の飛行機がアフリカで爆発してかれは亡くなったのですって？ 昨夜だれかが聞き込んできました。ここにいるとだんだん世間のことに疎くなってしまいます。ニュースは掲示板に出るのですが、どうしても遅くなるので。なんだかいよいよ物騒なことになりますね。富士山麓の演習基地問題、その後どうなっているでしょうか。ベルリンなどもこの秋あたり、また問題がありそうですね。

第十信　九月二十一日（木）夜十時半、キャビンで（ボンベイ停泊中）。

第三便ありがとうございました。前便に書きましたような行列の中でもらい、すぐ立ち読み、そして又今寝る支度をしてベッドのうえでゆっくり読みました。例の通り、ときどきおもわず吹き出しながら。

小島氏にはシンガポールから葉書を出しておきましたが、石川先生、山田先生にはまだです。あすボンベイの町で絵はがきが買えたらそれで、買えなかったらこの船の写真のでジブチから出しておきます。船便でも同じ額をとられるので、この事務室から切手を買う船客は全部エアメイルでやっています。何しろ手紙はあちこちへせっせと書いているのですが、まだお餞別をもらった人全部にはわたりません。この、今書いているのが第三十五番目のものです（絵はがきも通算して）。それでも私などこの数からいえば多いほうではないかもしれない。Aさんが六十通をこし、Bさんは香港投函分だけで四十五通の由ですから……何しろ彼女は出港時にもらったお餞別品だけで大きなふろしきにいっぱい、つまり一尺立方くらいのかさになって、棚の上に載ったきりになっているんですからおどろきます。

東大ギリシャ悲劇研究会の久保さんは、今度ソフォクレス作『フィロクテテス』上演の演出をするので、劇場関係の調査に建築学科へお出ましになった由です。淳ちゃんが出会ったのはその時でしょう。横浜出発時の写真たのしみにしています。今日Aさんのところへは手札四十枚ほどが印刷物として百二十円で来ていました（あまりたくさん写真があったのでいくらの送料で来たのかちょっときいてみたのです）。手紙といえば

（寄港地で上陸手続きの行列をしているところへボーイ長が名前を呼びながら渡しに来るという方式で）、男子の一人など、コロンボで、ものすごく分厚い日本からの手紙を受け取り胸のポケットに入れて、渡し船を待っている間でも皆から離れて読んでいました。いつもの仲間たちにあとでうんとからかわれていたので、三月に大使館で留学関係の説明会があったときに、「あとから奥さんをよびよせる方法」についてかれがたいへん熱心に質問して注目をあびたことを思い起こしてなるほどと思った次第です。

今日は四時の予定が一時間半おくれて夕方五時半ボンベイ入港。だんだん近づいてくるボンベイの町は丸屋根や塔が灰橙色の夕空にかすんで、ちょっと幻想的なものがありました。

上陸手続きがすんだのが六時、船で七時の夕食をしてゆけば経済的ではあったのですが、この三、四日急に食欲をなくし、食堂へ入る前からあのきまった味が口の中にいっぱいになるようで、最初のころの四分の一も食べていないありさま、ついにAさんと私が悲鳴をあげて、ともかくあの食堂の匂いのしないところで食べたいと言いだし、留学生の京都勢二人と四人つれだって上陸、大地が右に左に揺れているように感じたのはここが初めてでした。やはりインド洋はそうとうきつかったのでしょう、私にとって。税関のところで各自一米ドルを四・六五インドルピーに換え、地図をたよりに十分くらい歩いて町の通りへでました。今までみたどの町よりも照明が少なく、道路に寝たり坐ったりしている人が多くて気味が悪くなりました。そこへ英語のうまいインド人の青年がやってきて京都の学生と話しはじめ、ここの港で日本船の番人をやっている由、どこか夕食をするところはないかときくと、そこまでいってあげるという。私は警戒していたのですが、よくみているとよさそうな人で、私たちが時計をしているのを見て、それはもぎとられるおそれがあるから外してしまっておくようにといいます。ここがいいというところで立ち止まり、京都の人がピース三本あげたら喜んで別れてゆきました。そこは冷房されたきれいなレストランで、入口にはかわいい少年が真っ赤な制服で立っていてドアを開けます。中も町で歩いているのとはずいぶんちがったこぎれいな身なりの人ばかりで、まずちょっとほっとしました。入ってから気がついたのですが、私たちのすぐそばにジャズバンドの演奏場所があり、イギリス人との混血かあるいはアリアン系の血をひいたような若者たちが五人ほど、それにあきらかに混血の娘がいて、ジャズを歌いました。お客はしずかにしゃべりながらそれをきいています。私たちはともかくカレーライスが食べたかったのですが、注文すると八時までは食事は出さないで飲み物やお菓子だけとのこと、日本の喫茶店と同じようなものが並んでいますが、私はレモンスカッシュをもらって、これが〇・六ルピーでした（五十円弱）。八時少し前になるとバンドは止み、食事をするお客たちだけを何組か残してあとは皆帰ってしまい、テーブルも食事の用意に、模様替えをしました。バンドの中でピアノを弾いていた青年が私たちに、どこへ行くのか、日本人かなどと英語で話しかけてきます。京都の連中はかれとおしゃべりを始め、帰りにタクシーを拾いたいが危険はないか、いくらぐらいでここから船まで行くかなどをたしかめ、ともかく私たちは今ここへ来たばかりで全く不案内なのだと説明すると、それはもっともだ、とうなずいていろいろ教えてくれました。カレーライスにはサラダなどの前菜がついていて久しぶりに生の玉ねぎ、トマトなどを食べました。チキンカレーというのですが、辛い辛いと聞かされていたので期待がはずれたほど甘く、それでもとてもとてもおいしいでした。ごはんは広東ふうと同じくパサパサした炊き方です。チキンはひなのもも肉が二つ入っていて、ジャガイモなどはありませんでした。これが三・五ルピー、二百五十円見当です。京都の男子連はもう少しここにいて、町の見物もしたいらしい様子でしたが、船で心配し

朝、ボンベイの町で。共同の洗濯場か？ それとも何かの工場か？（9月22日朝、筆者写す）

ても困るし、ともかく安全第一とこれで切り上げることにし、帰りのタクシー代をひいたらルピーがたりないのでタバコを買ったりした男子連がひとまずアメリカドルをたして支払い、少年に港の私たちの船のゲートを知っているタクシーを呼んでもらいました。ここのタクシーは三人しかのせないというので、二台呼んで分乗、船の前まで一・二ルピーのメーターが出て一人当たり〇・六ルピー、Aさんとさっそく計算して精算し（レストランのチップが四人で二ルピー）、一ルピーは約一フランなので私は〇・六フランを追加払いして計五・二ルピー使ったことになりました。三時間くらいのことにしては少し高いけれど、ともかく夕食はおいしかった。

Cさんたちは夕食後、五十ルピーほどを携帯して、二、三人一団となって勇んで出かけていったそうです。どんな冒険をしたやら。あすは朝十一時出港、船で組織した市内見物は十三・五フラン

（約千円）で朝七時半から十時まで町をまわるそうですが、私は申し込みませんでした。東京勢の男子連は「なるべく金を使わずに見物する」と言っていますので、疲れていなければあとについて出るかもしれません。今までのところ寄港地ごとに五百円くらいですませていますので（タクシーで三人で見物したコロンボでも）こんどもそのくらいにとめたいものです。絵葉書を買うとかなり高くなりますが、一枚三十円くらいがふつうです。では又。

アラビア海から紅海へ

第十一信　九月二十五日（月）夕方六時、船室で。

淳ちゃん、おたんじょう日おめでとう!!

今アラビア海を通ってジブチへ近づいています。あす夜中の一時にジブチ入港予定。今日から急に揺れなくなったと思ったらまた急に暑くなりました。シンガポール以来、気温二十五度から二十八度くらいのあいだで涼しかったので、こたえます。それでもともかく揺れないのはありがたい。二十三日は一日中何も食べられず（朝ほんの少し胃袋におしこんだパンも出ていってしまいましたので！）、ベッドに寝て押し上げられ・押し下げられしているきりでした。昨二十四日も相当ふらふらで、むりしてつめこみ、それはどうやらこなれたようです。それでも夜は、すばらしい月夜。上甲板で、中国、ヴェトナム、日本、フランス、アメリカ、ドイツ、インド、などなど、いつのまにか集まった若い連中が二十人くらいか、もっとおおぜいか、大きな車座になって「キャプテン探し」のゲームにおおさわぎしているうちに、すっかり正常に復しました。

「キャプテン探し」は京都の男子連中が言い出したのですが、なにしろ興奮してくるとめいめいお国言葉でピイピイしゃべるので、「——さんがキャプテン？」なんて言っても日本人にしか分からず、皆に知らせたいことは英仏両語でやらねばならず、たいしたさわぎでした。とうとう修道服の神父さんまで輪に入ってきて、なかなか勘の良いところをみせたりもしました。そのあと中国の女の子たち（香港からロンドンへ看護学の勉強にゆく由）が月餅をみんなに分けてくれたり、日本のおかきが出たり、おしゃべり、ダンスの講習まで始まるしまつ。私は前から近づきになりたいと思っていた、台湾からのフランス政府給費生のひとり、Yさんと初めてゆっくり話をしました。彼女はいつも地味な服装で、お白粉気ひとつなく、とくべつに美人というわけでもないのですが、私にはとても印象的だったひとです。ソルボンヌで人類学をやる由、両親と小さいきょうだいたちは中共に、年長のきょうだいたちと自分は台湾にいて、何年もの間、文通さえ許されないとはおどろきました。フランスからなら中共との手紙のやりとりができるだろうと言っていました。二つの中国についても、彼女は口数少なに、台湾にいてはただ一方からの報道しか与えられないし、たいていは疑問さえもてない状態にある、私はフランスへ行ってそこから中共の姿をできるだけ正しく知りたいのだ、と答えました。香港で案内してくれたS氏の義弟のJ君が、留学後に中共へ行くかどうかは、wait and seeだ、と言ったのと同じく慎重で根強いところをもっているのでしょう。私たち二人、両方とも少し政治的な話になると英語で（彼女はフランス語より英語のほうがずっとうまい）、あまり十分には言えませんでしたが、これからもっといろんなことが話し合えるようになったらおもしろいだろうと思います。

もう船酔いはしないだろうと思いますが、酔うとものを読んだり書いたりできなくなるので、両山田先生へもはがきだけ。とても切手が貼りきれないものは、すみませんが、買った切手も同封しますので、うちでそれといっしょに封筒にでも入れて届けてください。事務室の人は重ねて貼れと言い、みなもそうしているんですが、もしつかないと残念だから。いままでの皆の話では、ついたかどうかあやしいのです。

今日で日本との時差は五時間です。パリからは八時間。

こんなに何枚も書いても葉書一枚でも同じ値段とはおかしいですね。それにフランス—日本よりも、ジブチ—日本のほうが高いんです。一・七フラン、つまり百二十四円くらいです。どうしてこうなるのかしら。ジブチは午前一時に入港で午前十時に出港だし、なにか病気がはやっているらしいし、「地上ではスリに注意」なんて掲示が出ているし、港から町の中心までは遠いらしいので、郵便局へ行くひまもなさそうです。

淳ちゃんの質問ですが、Dさん(芸術部門の留学生)にきいたら、かれは西高の第二外国語でフランス語を始め、あとは大学とアテネ・フランセでやった由、一級建築士の試験は、フランスで受験勉強して帰国してから受けるつもり、フランス語の出来は、「自分では一に心臓、二に心臓、三、四は押しの一手でやっている」そうです。他人から見ても、外語大講師の先生(留学生)の観察ですが、かれは話す時必ず手振り身ぶりが入り、その「押し」が強い——物理的に——ので、かれに話しかけられている相手は、必ずジリジリと、多かれ少なかれあとずさりを余儀なくさせられている、とのことでした。愉快な人で、喧嘩早いことでも第一、だじゃれのうまいことでも第一、これは西高生の一大特徴でもあります。

そのうち東工大大学院の人にもきいておきます。かれはテーブルがちがうので、あまり話さないのです。自然科学部門の留学生です。Dさんの言によると、構造方面をやるなら美術学校(Ecole des Beaux Arts)よりもEcole polytechniqueにいくほうがよい由、美術学校では、建築、絵、彫刻の三部門が並立しているそうです。あまりよくないとのことですが、これは評判だけでしょうから、ほんとうのところはまだわからないのでしょう、かれも。いつか書きましたように、偉い先生の（弟子の）アトリエに入ってやるというやり方、いわば職人的なやり方のほうが、パリというような古びた都では勢力もあり、実力もたくわえているのかもしれません。いづれできるだけの情報を、なるべく信頼できる筋からあつめておきましょう。

二十七日は船のお祭りで、仮装か正装かどちらかにして出てほしいというカードがきました。仮装はいやだし、同室の四人で話し合って、きちんとした身なりをしてゆけば、イヴニングドレス（そんなものはだれも持っていない）やキモノでなくてもいいでしょうから、のぞきにゆこう、ということになりました。東京勢の男子連は、いつか私が話したギリシャ劇のお面を見せてほしいというので、バゲージルームへの付き添いをDさんに頼んで（船底にあるので女子だけで行くのは禁止なのです）、出しに行きました。それほど暑くもなく、わりにちゃんとしていて、東大安田講堂の倉庫よりずっとましです。ただし乾燥剤はみんな粉になって、ノートなど白くなっていましたが、はたけばとれるものばかりだから困りません。荷物の送料は、保険その他を入れると一万円くらいになりそうです。船を降りるときにまとめて出すチップが（学割？で）一人十ドルないし十五ドルとはおどろきです。ふつうなら運賃の一割くらいの由です。ジョウダンジャナイ！ではまた。六時四十分。

追伸　今日は七時の夕食前に顔を洗ったりする時間をみこんで書き上げねばならないので、もうれつななぐり書きですが、お許し下さい。

九月二十六日あさ七時十五分、ジブチ。

今食堂でお手紙いただいて、早く読もうと食事も早々にキャビンへとびこんだところ、ありがとう!! これからすぐ切手買いの行列に並んでともかくこれやほかのを出しちゃってからゆっくり拝見させていただきます。猛烈に暑い。日ざしがつよくて……。

［日記から］ 九月二十六日（火）。

夜中にジブチ入港。朝十時すぎに出港して、紅海に入った。早いものだ。シンガポール以来もう十日以上経ってしまったなんて。日記もずいぶん怠けてしまった。手紙をくわしく書くと、日記をつける時間も、なによりも気持がなくなってしまう。

ジブチの光線の強さ、暑いことは、おどろいた。目が痛いくらい、なにか灼熱という言葉がわかるような気がする。アフリカとアラビアに挟まれて、砂漠の熱気が海も大気をも包んでしまっているようだ。石油地帯だけあってここへ入ってから多数のタンカーにゆきあう。吃水線の見え方でその船がいっぱい石油を積んでいるか、そうでないか、が分かるのだと注意されてなるほどと思ったりする。まっさおな海の上で、堂々たる船が二、三隻行き違ったり、平行して走ったりする光景はなんといっても壮大で、みごとで、のびのびする。フカらしい黒い魚が群になって海面を跳びながら船から遠ざかってゆき、船縁で切り裂かれる白い波しぶきはたえず虹となって飛び散ってゆく。いままでどこの海でもみかけなかったカモメがたくさん飛び交う。なにか、海が生きている感じ、といったらよいのか、単純な言葉だが「楽しい」という気持になる。そして海はまっさお。暑いことはいままでになく凄いが、風は静かで、なにより海が凪いでいる。楽しい航海、という気持に久しぶりでなった。午後はプールで泳いだ。でも今のこの暑さ。じっとしていても汗びっしょりになってしまう。それにジブチみやげにまいこんだ一匹のハエのうるさいこと！

アラビア側の岬が突き出して海峡がいちばん狭くなっているところでは、アラビア側の崖やそのすそにひとつまみほどたっている石造りらしい家などがはっきり見えた。アフリカ側は、太陽の光で午後になるほど輝いて、文字どおり白熱されてかすんでしまったが、お昼のあとではまだ奇妙な、テラスというのか、上が平らになった岩地が海に切り立ってつづき、あとからあとから船の後方へ流れ去っていった。

夜は星空がかなり広く見られた。一昨夜までは船尾左側に白く輝いて昇った月は、船尾右側に、黒い雲に隠れながら、黄色みをおびて、ゆっくりと昇ってきた。銀河が中天から低くにまで流れ、カシオペイアが目の前に見られた。あとの星は残念ながらわからない。

上甲板で、香港からの船客で、知り合ったばかりのYさんをみつけたので、それからおしゃべりが始まった。夕食後すぐだったから、八時頃から十時まで、楽しく、有意義だった。

彼女も仏政府給費生で、ソルボンヌで人類学をやる。中国古代史をやっていて、それと関係のふかい考古学、人類学へとすすんできたものだという。私が、高校で漢文を習っていくつかとても好きな詩がある、と言い出してから、今日は話がはずんだ。はじめは、李白とか、杜甫とか、王維とか、彼女が中国式に発音するのから私が察して指で空書してみせて話を通じさせていた。そのうち、べつの中国人からペンを借りてきて、私が「寒雨連江夜入呉……」と書き始めたら、ああ、と嬉しそうに言って、私の頼みに応じてその詩の中国語での読み方を教えてくれた。が、発音はたいへんむずかしい。それからお互いに、字で、あれ知ってるか、これ知ってる、というわけ。有名なものは彼女が一字書き出せば私にわかり、私の暗記の知識があやふやなのは彼女が訂正した。たまには私の知っているもので彼女の知らないものもあり、当然ながら、彼女の好きなもので私の知らないものもあった。でも漢字で書かれれば意味は推測できた。彼女は「詩」よりも「宋詞」のほうに好きなものが多いといい、こんど教えてくれることになったが、二人の好きなものを書き並べたら、その共通点、相違点などがわかるかもしれない。しかし、私が高校で習った解釈、それによってできている私の漢詩理解の基礎が正しいかどうかわからないし、そういう微妙な解釈を、英語で、ていねいに議論できるかどうか……。

それから中国の近現代作家の話になったが、私が読んだものとしては、魯迅、丁玲くらいしか思い出せなかった。彼女は魯迅の作品は全部読んだが、すばらしい、とくに短編がよい、また、魯迅の父、周作人も優れた作家だと思う、という。丁玲のものなどは今の台湾では全然読めない由。「私は今のような不自由な時代になる前に本を読める年頃になっていたので、それがせめてもの幸せだ」と語っていた。あとできいたら、私より少し年上。東大の中文の連中は卒論に茅盾という作家を好んで選んでいる、と話したら笑って、それも台湾では危険な作家だが、私はかれの作品にはとてもよいものもあるがつまらぬものもあると思う、という。女性作家では蕭紅という人のものがよいし、好きだそうだ。魯迅の作品は持ってきたかったが、税関で全部さし止めになるから、発つ前にそっと友人に全部あげてきた、とはおどろく。一昨夜、日本はデモクラシーで羨ましい、といったのも無理ない。そのとき私は、おそらく比較的（台湾との）には、と答えたのだったが、今夜も、日本から来たあなたのほうがラッキーだとくりかえしていた。

また、アメリカと台湾のことについて――私たちの話題がなににつけてもそれにいってしまうのは、やはりわたしにとっては日本が問題であり、彼女にとっては台湾・中国が問題で、そして二人ともそこにアメリカという大きなものがおしかぶさっているのを始終意識しているためであるだろう。その意識のしかたに相違はあるにちがいないが、大きな共感もたしかに存在するだろう。

――(Y) 人類学ならアメリカで今さかんだし、自分にはフランス語より英語のほうがずっと楽なのだし、どうしてアメリカへ行かないのかとよく聞かれる。答えはかんたんで、アメリカにはスカラシップがないから。それだけ。

――(私) でも、アメリカではいくつもの大学がスカラシップを出しているようだし、東京の私の友人も何人か行っているけれど。

――(Y) そう。でもそれにはアメリカ側からの条件がある。家族が、つまり両親が台湾に住んでいる人に限る、ということ。私の場合は、私は台湾に、家族(両親)は中国本土に住んでいる、まさに正反対の条件にあるの。台湾政府のほうは、文部省・外務省などの選考と手続きを経て試験に受かればそれでOK。ただアメリカ側の要求が問題。私はアメリカへ行って勉強しようとは思わない……。

何年ごろから「今のような不自由な時代」になったのか、フランス留学が終わったら中国本土へ帰るつもりか、この先の職業について、研究について、どう予想しているか、など、また聞いてみようと思う、詩の話のほかにも。

第十一信（つづき） 九月二十七日（水）夜、紅海上で。

今日は船のお祭りとかで、昼間は水泳のコンクールや、リセの女生徒による古典劇ラシーヌの『ベレニス』の一節の朗誦とか、仮装コンクールとかがありました。上甲板では今もダンスパーティが続いています。昼間の仮装を見にゆきましたが、白髪のおばあちゃんが可憐な花売り娘になったり、ピエロみたいなのが出てきたり、たいしてどうというほどのこともありません。なかで留学生の東京勢男子は、建築美術のDさん、彫刻専攻の芸大生Eさんに日本画のF夫人も加わって腕をふるって大騒ぎで作ったという（CさんFさんあたりが音頭取りだったようですがいつの間に作ったのか）秋祭りのお御輿《みこし》、それもずいぶん凝ったものを、浴衣に鉢巻きで、片肌脱ぎになると金時や張飛（凧の絵によくあるでしょう）が胸にも背中にも描いてある、念の入ったいでたちで、ワッショイワッショイとすごい勢いで甲板を所狭しとかつぎまわって大喝采を博し、投票の結果、「グループの部」一等でシャンペン一本をもらいました。Cさんなど、「今日はさわぎますよ」とすごくはりきって、いいごきげんです。京都勢男子は背広に蝶ネクタイで一等船客の何々令嬢に並ぶ席を占めて、たいそうよいサービスにあずかっている、というのも、もちろんいろいろ偶然の結果も例外もありますが、ある程度東西の性格の違いをあらわしているといえるかもしれません。ダンスというのは何がおもしろいのか、まったくわからないいしろものですね、狭いところでごちゃごちゃしているだけみたいで。

明後日（二十九日）朝スエズへ入ります。エジプト見物は、船からの団体旅行に参加を申し込みました。車だと二十五ドルと聞いていましたが、大型貸切バスにすれば十七・五ドルです。もちろん仲間はたいていそれです。あさ七時ごろ下船して、砂漠を通り、ピラミッドを見、ラクダの背に乗って（安全そうならやってみましょう）みたりしてから、カイロへ行き、古代博物館を急ぎ足で見物（通り抜け）、船（運河を通って二十九日の夜ポートサイドに達して待っているわけ）に帰るのが真夜中の十二時です。朝食は船で、あとは「町の第一級のホテルで」とのこと。チップもいれて十八・五ドルとすると、六千三、四百円というところでしょうか。船旅中、第一の多額出費です。カイロの博物館をゆっくり見られたらどんなにかいいのですが、団体ではそれは叶わないでしょう。

あした荷物送出の手続きを終えるとあとは、三十日からキャビンの整理と上陸準備、いよいよ海の上ともおわかれとなります。まだ地中海があるので楽しみですが。一ヵ月のまとめの報告は地中海からでもするつもりですが、お金はまだ十分ありますから、事務長のボックスに預けたままの百八十ドルはかなりそのまま残るでしょう。今勘定してみたら六十ドルと二百四十フラン身についていました。これが約四万円。ドルはなるべく残しておきたいと思っていますが。切手代がばかにならない出費です。でもこのエジプトの切手、とくに赤いのはきれいでしょう。青と緑の二枚で葉書用になります。同封したのは元くんのため。今までの使用済みので同種のものはまこちゃんにもあげて下さい。

（追伸）台風のニュース、皆からも聞いていましたが、大変でしたね。東京が無事だったのは不幸中の幸いでした。ベルリンはどうなったでしょう？

淳ちゃんへ。

東工大の人にきいてみましたら、かれは大学を出てから一年（研究生の由）で、一級建築士はまだ受験資格なし、土木構造応用力学的な面の専攻で、パリのそういう大学（名前は覚えられなかった）に入り、できれば研究室に所属したいのだそうです。専門の面ではよい先生がいる由。フランス語は大学で少しと横浜の仏領事館にあるアリアンス・フランセーズ（日仏学院のようなところ）に半年、その後日仏学院で一週二回くらい語学中・上級程度にでて約一年半やった、試験はらくだから二年間やれば十分と思うと言っています。話すのはあまりうまくはないらしく、船ではもっぱらヴェトナム人のフランス語のうまい女の子たちの指導をうけているようです。私くらいの学年のときにどこか外国へゆく、という予定を漠然とたてておいて、いまのところはなるべく暇をつくって日仏でも順々にやっていけばまず大丈夫なんじゃないでしょうか。外的条件など予測できない変化で制度その他ががらりと変わることがあれば話は別ですが、それは今から心配してもしかたがないから……。

熱っぽいのはこの頃は何ともありませんから、ご安心ください。元くんの言ったとおり紅海は「青い大陸」で、波もしずかですし（風があるので今日は小ゆれがありますが）、今までになく生きものが多い。つまり、海面にとびだし、とびこんでゆく魚のひとむれ、低く高く旋回してゆくカモメたち、そしていかにも石油の宝庫らしく、ゆきかう石油輸送船（タンカー）……青く光る海の上で、ヴェトナム号と同じあるいはそれよりもっと大きい堂々たる各国のタンカーが時には平行して走り、あるときは三隻も→←→互い違いにゆきかったりするのは、壮大で実に気持ちよい眺めです。トラックやバス、タクシーが連なり、その間をミゼットがちょろちょろ、ガーガー行き、ブーブーと毒ガスを吐いて疾走してゆく東京の陸上交通とはとうていくらべものにもならない……同じ「交通路」でもね。

ジブチは、ものすごくものすごーく暑かった。あさ六時ごろキャビンの窓から射し込む日の出の光さえ、目があかないくらい強く、二十四年間にこんなに汗をかいたことはないくらい、日中、停泊中の船の中でも汗をかきました。やはりアフリカの灼熱の砂漠に連なっているからでしょう。海へ出ると、海峡がせばまっているところでは、同時に右手にアラビアの灯台や石の家、左手にアフリカの崖が見られたりしました。ともかくどちらがわも、高津先生のお話どおり、木一本、草一本ない岩地で、海の上から見ると、あれでも人が住むのかなあと思うと、なにかぞっとするようでさえありました。誰かが言っていた、紅海へ入ると涼しくなるという話は、ちょっと違うのではないでしょうか？ マクリーヴェ夫人の話では、ジブチ、アデンは世界でもっとも暑いところの一つの由、紅海は真夏、地中海は晩秋というのが今頃の季節の定番らしいです。

船の食事は、肉でも野菜でも、出るものがみな同じ味なのはふしぎなくらいで、だいぶ飽きてきました。……と思っていたら、今日のお昼は、お祭りのご馳走らしく驚きのメニューでした。前菜と主菜の間に出されたのが、仏英両語のメニューによれば、〈Cervelles au Beurre Noir ＝ Lamb-Brains Black Butter〉「羊の脳・黒バター風味」というもの！ もとの形をそのまま保って茹でてあるのです。私のテーブルでは、「気味が悪い」と言いながらきれいに平らげた人もいますが、私はとうてい手をつけられず、お皿がそのまま下げられるまで、つとめて目をそむけるようにしていました。少し離れたテーブルのほうでは、顔がだんだん蒼ざめてきてとうとう泣き出してしまった女子留学生もいました。

航海が終わりに近づいて、人種差別的待遇すなわち西洋人優先の原則（もちろんこんな原則はどこにも書いてないけれど実際これは船会社の不文律であると思いたくなります）は、ますますあらわになってきた感じです。いろいろ思い合わせると、帰りも船なら日本船にしようと思います。これは何人かの留学生の話ですが、毎年の留学生間の定評で、抗議文を手渡すことが慣例のようになっている由です。船の旅は楽しい、船員や食事がどうであろうと――これはもういうまでもないことなのです。しかしそれと同時に、白人種（今の場合は船会社の船員ですから黒人もいますが、かれらは自分で意識しているというより、もう当たり前と思っているんでしょう、ともかく西洋人の客を優先する、と）の頑迷な優越意識というか、西洋人への意識的無意識的な媚びには、私たちからみれば腹立たしいとか自分たちが惨めだとかではなく、かれらを冷笑してやりたいほど時代おくれなものがあるように思います。ともかく、こういった問題も、フランスで一年くらい暮らしてみる中で、よく考えてみたいと思うことのひとつになりました。

この次はマルセイユからの投函になると思います。船がポートサイドを出るのが三十日の真夜中、午前三時の予定ですから。お元気で。

第十二信　九月二十八日（木）夜十一時。

明日は五時か六時頃にブーブーいう電話（各室ごとにある）で起こされて丸一日のエジプト見物に出かけるので、はやく寝ようと思ったのですが、ジブチでいただいた手紙をまたくりかえして読んでいるうちに、この間書き忘れていたことを思い出し、それだけでも書いておこうと腹這いで書いています。エジプトの赤、茶のきれいな切手を貼った三頁の手紙はさっき投函してしまったので。

まず第一は、お母さんのガン研の検診結果が良かったこと、読んだときとても嬉しく、安心しました。それを書くつもりでいながら先便にも忘れてしまって……。出発までのごたごたですっかり疲れさせてしまったから――と気になっていたのです。同室のAさんはお母さんが郷里から神戸、横浜と出ていらして、帰られた由、どちらも家の人は皆さぞかし、のびちゃったに違いない、といろいろ話し合っていたのです。そしてお父さんの「笑い事ではない」こと。これも九月二日までのごたごたさわぎと関連あるんじゃないでしょうか？　どうぞくれぐれもおだいじになさって下さい。重荷をもつのがいちばんいけないそうですね。法政も一橋も冬学期へのきりかえで何やかやとお忙しいことと思いますが、どうかご自愛下さいますように。

今夜（二十八日）は紅海最後の夜でしたが、なんと美しい夜だったでしょう！　風は強かったですが大気は涼しく、快晴で、数知れずしろくきらめく星はアラビアとアフリカとにかかる大きなアーチをつくっていました。そしてアフリカの灯はより近く、黄色のきらきらする首飾りをひとすじ置いたように、黒い海の上に町が現われ、またたちまち流れ去って水平線はまっくらになります。と思うとぐっと手前に、黄、赤、緑のイルミネーションの城があらわれる――大きな客船です。息をのんでみとれているうちにそれもまた、目の前をゆきすぎて闇の中へ……しばらくすると、今度は右手、アラビア側の灯が点々と見え始める。ひときわ目立って高い灯は灯台。そしてまた、底知れない闇。私はこんなに美しい夜をみたことがありません。何かずっと昔に、夢の中でみたような遠い記憶があるだけでした……。

九月三十日（土）朝。

エジプトの報告をしようと書きかけたら、隣のテーブルにフランス人のご夫婦が三組、子ども三人が集まり、おしゃべりを始めました。かれらのおしゃべりはちょっと考えられないほど、けんけんごうごうたるもので（といっても声がとくに大きいわけではないのですが）、ひとがしゃべっていてもどんどん重ねてゆき、互いに機銃掃射みたいにしゃべりながら同時にひとの言うこともちゃんときいて「討論」しているのだから、まったく驚きます。それと、かれらにかんして驚くことは、手と目がなくてはかれらはしゃべれないということです。隣のテーブルにいてはとてもおちついてものを考えることなどできません。その上、小さい子を叱りつける、ピシャッとおしりをひっぱたく、――泣いている子も、どんなにすねている子も、お母さんにピシャリとやられるとパッと泣きやんで神妙にだまりこんでしまうのは、みごと、といいたいくらいです。

昨日から船は冬支度。ボーイ長はじめスタッフは黒い制服となり、食堂の冷房はけさからとまったとのこと。というのは、昨日が遅かったせいで、今朝はAさんと二人、寝すごしてしまい、九時までの朝食に五分遅れたら、食堂の鍵がもう閉まっていたのです。私のほうは時計も遅れてとまっていたのに気づかなかったからでもあります。部屋へ帰って、その代わりに熱い日本茶をいれ、クラッカーを食べ、貞子叔母さんから四本もらった羊羹の二本目をあけました。甘党のAさんはそれをうすく切ってクラッカーにはさんで食べます。先日一本目をあけたときはいつのまにか二人だけで食べてしまったのですが、今日は四人ともいたのでお茶といっしょに皆で食べ、とてもとてもおいしいと大喜びでした。

九月三十日夜。

ポートサイドへの書類と写真、お手紙と新聞のきりぬき等、どうもありがとうございました。どんなに嬉しく見て、読んでいるか――うまく伝えられたらいいのにと思います。どれも、何度も何度も出してはまた見ているのです。夜寝る前には必ず、少なくとも一度は総ざらいみたいに前のほうから読んだり見直したりするのですが、この時間が楽しみです。写真もよくできていますね。残りが待ち遠しい。同室の四人の中、ひとりは家に寄港地の連絡をしてこなかった由で全然手紙をうけとりませんが、あとの三人は毎回必ず、二、三通づつくらいもらっています。ポートサイドまではAさんがトップだったのじゃないかと思いますが、ポートサイドでは私のところへボンベイ、コロンボなどから回送されてきたものもあってごっそり来たので、こんどは私がぐっと差をつけました。家からのはまだ一度も出帆に遅れていません。ポートサイドあてに十日に出して下さったもの（十一日午前の中野局）は、十三日九時にカイロ・エアポートを経て十三日午後四時半にポートサイド、もうひとつゴム印でSEMCO（その意味はよくわかりませんが）という消印が十四日です。二十日午後中野局発のほうは、二十三日四時カイロ空港、二十三日十六時ポートサイド、そして前者と同じくSEMCOの消印が同日の午後八時半。そしてこの両方とも、私はポートサイドでなくスエズで、二十九日朝六時頃、エジプト見学に出る直前に、受け取っています。二通とも、スエズでヴィエトナム号を待っていたんですね。

同室の仲間では、いろいろ受け取った手紙の一部を紹介しあったりします。四人に関係あること、例えば先日の台風のニュースとか、パリにいる留学生からの、または日本にいる元留学生からの、寄港地における注意、経験談、船の中での心得など――を。それでも、家族のことなど多少プライヴェートなことも、やはり話題にはなります。そして私の家は「いつもすごく楽しそうでよいお家」と羨ましがられています。手紙を書く役はお母さんだけとか、きょうだいが皆独立していて両親からはさびしいさびしいと言ってくるとか、のひともいて、家の全員からの寄せ書きが来るのは私ひとりなのです。もうずっと前にシロ・チャイのこともよく知れ渡っているし、パリからの書類が回送されてきたこともわかっているので、お家でそんなによくして下さるなんて――と。出発直前の写真がきたので今日見せましたら、うちは「五人家族で数もちょうどいいし、きょうだいの年もちょうどよくはなれているし、見ただけでもとても楽しそうなおうち」だそうです。「皆さんよく似てらっしゃるのねえ」と、出る朝の一家五人一列横隊の写真を見てBさんが感心していましたが、そうかなあ——あしからず！　地中海へ入って急に涼しくなり、夜寒かったという話から思い出して、あとで彼女に、「チャイさんサイン入り」の「ぼくらはもうフトンをしいてねています、すずしいので」というのを話したら、おとなしいBさんはおかしくて顔もあげられないで声も出せないで笑うばかりでした。私も、皆さんの書いて下さることの中で、何度読んでも吹き出してしまうところがいくつもあります。チャイさんのは最近の傑作の一つと思っています。

地中海から（エジプトのことなど）

第十三信　九月三十日朝。

エジプトの興奮がまだ続いているようなねむりからさめたらもう地中海、快晴でまっさおな、しかしどこか穏やかな色合いの海になりました。

九月三十日正午、船は〈39°32′N, 29°02′E; 198 miles from Port-Said, 1319 miles to Marseille〉の位置にあり、気温は二十三度です。予想に反して船はシシリー島の南岸を通ることになりました。あとはコルシカとサルディニアの間をぬけてマルセイユです。

第十三信（つづき）　十月一日（日）。

お母さんのいわれるように、家へ書く手紙は日記の代わりという意味でなるべくこまかに、できるだけ順を追って書いています。こういうやり方がいいのか、もっと、前によく書いた作文のようにとくに心に残ったことだけを中心においてきわだたせる方がいいのか、わかりませんが、断片的な印象ならエハガキにもかけるでしょうから。

今まで寄港地の町々からおのおのに強い、新しいおどろきをお伝えしてきましたが、それらとても何か色あせてしまうほどに、一昨日（九月二十九日）のエジプトの印象は強いものでした。

電話で起こされたのが朝五時半、エジプト見学旅行参加者は皆、多少の差はあっても緊張して集まりました。船はスエズ湾に停泊しているので、船から連絡用のランチに乗り移り、すずしい朝風の中をゆられて出発したのが六時四十分か五十分だったでしょう。その時、まっかな朝日が昇ってきました。皆、いっせいにオーオーと叫んでカメラを取りだす、露出も調べずにパチパチジージーとまわしています。朝日をうけた高い砂山、岩山が青い朝の空に陰ふかくみえました。行き交うランチ、遠く近くに停泊している大きな外国船、黒人の漕ぐ小さい渡し舟などで海はおおにぎわいです。ランチは快速のモーターボート、私は屋根のない後尾の席にこしかけて、息をつめるように緊張していそがしく自分の右手を、左手をながめて、ぐるぐるめぐりながら私の視界を去ってゆくその景色を、風を、波のしぶきを、心に焼きつけておこうとしました。

ランチは十分足らずで、緑樹の茂ったりっぱな自動車路にそった小さい船着場に到着。アラビア文字の奇妙な標識がまず目に入ります。そこにはお土産物屋、両替所などが少しまとまってあるだけで、町というものではなく、海岸に面した住宅がいくつか建っているだけ、つまり町の通りの裏側だったわけです。通りへ出ると、三十人乗りくらいの貸切りバス二台や、三、四台の自動車がもう並んで待っており、私は二台目の右手窓側まん中あたりにすわりました。この団体旅行は、MM（フランス郵船会社）がトマス・クック社に依頼したもので、全部クック社の案内人がつきます。トマス・クック社というのは日本の交通公社のような旅行業者で、世界一といえるような規模で世界中のあらゆる旅行のことをひきうけています。バスの運転手の頭上には、スエズ運河の国有化を達成したナセル大統領の写真。

七時半頃、車をつらねて出発。しずかで瀟洒な市街地をぬけて、トウモロコシ畑とヤシの林のある田舎に出て、西（内陸）の方向に二十分も走るともう砂漠に入りました。快晴です。砂漠——私には予想もできなかった世界があらわれます。右も左も砂原、そして砂の小山、丘、ぐるりを遠く近くかこむのは茶色のぎざぎざした山なみ……でもホウキグサのような草や二メートルくらいの高さの、松にちょっと似た灌木もところどころに生えていて、そのオリーヴがかった緑が、やはりここにも水があるんだなあと思わせます。こういう植物の根はどんなに深いことだろうと思いました。車は時速八十キロに近い勢いで砂漠を貫通する広いアスファルトの道路をとばします。砂丘、山脈、そしてその上に投げられた雲の影が、日の光が、ぐるぐるぐるぐると回転しながらとび来たりとび去ってゆきました。日がまだ高くないので山の襞《ひだ》が刻々に変容しつつ、くっきりとみられます。私はただもう息をのみ、窓に顔を押しつけるようにして見入るばかり。隣に腰掛けたジムというイエール大学の学生が〈Exciting, isn't it?〉と話しかけてきましたがこちらはそれどころではありません。生まれてはじめてみる世界、二度とみることがないかもしれない世界を身体中で感じとっておきたいと思うばかりでした。道路はとても立派ですが（黒かったからアスファルトでしょう）、家など一軒もありません。二時間くらいの間に途中、中継所のような、四角い石造りの小さい建物が二箇所にあっただけでした。乗客の頼みでそういう中継所の一つの前で車が五分ばかり停車したとき、私も何人かの乗客といっしょに砂漠の空気を吸ってみようと急いで降りてみました。フランス人の奥さんが驚いて「あら、涼しい!」と大きな声をあげたくらい、日はさんさんと照っているのに涼しくさわやかでした。

二時間くらい走ると、九時十五分ころ、街が見えはじめました。そのころには道に沿って砂漠の中に工場が建てられています。トラックも置いてあり、人もいくらかみえます。カーキ色の服を着た労働者たちです。また行くと緑の木々にかこまれたしゃれた家々、低い屋根のきれいな集団住宅街があらわれてきました。郊外にあたるのでしょう。そしてネムのような花の咲いた並木が美しい市内……円屋根の寺院、役所、黒い服を着てヴェールをかぶった女たち(顔は出していません)が頭に籠をのせてゆく……どこでも変わらない子どもたち、白人種の娘たち……「ヘリオポリス!」と運転手が言ったとき、私ははっとしました。古代の遺跡のある都で、ギリシャ語で、City of Sun(太陽の都)です。見たいと思っていたところ。ここを通るとは思っていなかったので嬉しかった。バスから市街を眺めるだけですが。

やがて右手に大きなカイロ停車場。駅前には大噴水のある広場、にぎやかな町です。コンティネンタル・ホテルの前で降りて、そこで朝のお茶とお菓子。ちょっとでも通りへ出ると物売りがうるさくてうるさくてどうにもなりません。バスへやっと逃げこんで窓をしめ、車道のほうを見ているよりほかないのです。どこへいってもこれはものすごい。なるほど日本へ旅行した外国人が、日本はおちついて、いいところだというのも、むりはありません。車はそれから古代博物館へ。

パピルスとロータスの生える池が前庭にあり、大きな立派な博物館。エジプト人の案内人(クック社のガイド）が、一行を英語グループと仏語グループに分けて、引率してまわります。私は十人ほどといっしょに英語グループに入りました。一階は大きな大きな石の像、オベリスクなどばかり。ここで初めて、石に大文字ばかりで区切りなしに刻まれたギリシャ文字にさわってみました。グレコローマン時代のものでしたが「―王がいつこれを建てた」という式のもので、象形文字、楔形文字、ギリシャ文字と三段に刻まれています。こまかくぎっしりと書き込まれているので、ざっと眺めて単語をいくつか見分けた程度ですが、やはり目で見、手で触れるという感覚はとくべつで、感慨ふかいものでした。しかし、何という大きさ、石のもつおそろしさでしょう。どの像もみな、紀元前十四世紀ころのもので、その厚みに圧倒されそうでした。写真でしか見たことのない浮彫にも手のひらを押しつけ、指でその凹凸を追い、たしかめることができるのです。

二階にはこの博物館の圧巻、「トゥトアンクアメンの宝物」一切が陳列されています。その部屋はどれもすべて人数制限があり、入口には鉄格子がつき、番兵がいて、厳重にしてあります。いずれ絵はがきをお送りしますが、あの、私たちが興奮して読んだ『埋もれた世界』の王者が文字通り金色燦然として青、赤の装飾の塗りもあざやかに、ガラスのケースに横たわってここにいるのです。あちこちに鏡が配置されてできるだけ多くの部分が見えるようになっています。私はほんとうに、あの「ツタンカーメン」を見ているのだろうか、となんだか信じられないような気持で目をみはるばかりでした。そして、もう一度見たい、必ずもう一度来よう、と心にくりかえしたことでした。

二組の絵はがき（あとで送ります）にあるようなピラミッドの宝物に酔わされ、大急ぎの一巡を終え、皆がロビーで休んでいる間にも私は、そばについていないと怒る案内人の目をかすめて逃げ出し、また一階の石、石、石の部屋部屋を一つでも多く、少しでも長く、と歩き回りました。

正午、閉館のベルで外へ出て、二組の絵はがきを買い、バスに戻って郊外ギザのピラミッドの見えるホテルへ。途中、ナイル河の上の橋を渡りましたが、河は水が少ないように見えました。昼食はフランス料理ですが、船のと味が変わっておいしかった。コーヒーがお汁粉みたいなのにはおどろきました。ここで二米ドルをエジプトのピアストルに替えて貰いました。一米ドル＝四十一ピアストルですから、一ピアストル＝約九円。こういう大きいホテルには両替所が必ずあり、これはちゃんとレートも明示してあるし、心配なく替えられます。絵はがきはごらんのようにとてもきれいなのですが、一枚七ピアストルくらいですから、とても高い。ここのテラスからはギゼーのピラミッドが二つ、目の前に、ヤシの木の間から大きな姿をみせています。

三時十五分前にここを出て、二分くらい歩いてそのピラミッドのふもとに行きました。ラクダかロバか、あるいはロバの曳く二人乗りの車か、そのどれか一つに乗るのですが、私は、高津先生も言っていらしたように、エジプトではピラミッドに登るか、ラクダに乗るか、しようと思っていたので、そのためにはスカートじゃないほうがいいと思って、膝下丈の黒いキュロットスカートをはいてゆきましたから、気軽に安心してラクダに乗ることができました。スカートではみっともないと言って乗らない人もいましたが、スカートで乗った人たちは、けっこう苦労したようです。一列になって出発。ラクダは足をぺちゃんと折って坐っているので、すぐ乗れます。手綱もありますが、つかまるための棒もついていますし、ゆっくり歩きますからこわくはありません。タダ、スコシ、クサイ。そして、話には聞いていたことですが、手綱引きがチップをねだるのはいやな感じです。それでも私は、あとであげる、と言っただけで、景色を見るほうに心をうばわれていたのがかえってよかったようです。皆、ことに女の人は始終びくびくしていると急に走らせたり、道をくねくね曲がってみたり、足をひっぱられたりしたひともいたそうです。そういえば私の手綱をとった男もちょっと走らせたりしましたが、私は、その底意に気づかなかったので、もう少しゆっくり、と言ったり、かえっておもしろいと思ったり、とても楽しかったです。途中で、写真をとってやるからカメラを渡せと言われて一度はためらい、断りましたが、皆がまわりでやっているので、まあやってみようと渡しましたら、承知しきった様子でパチリとやってから、フィルム一コマの巻き上げもして返してきました。もう、いつでもやっているのでしょう。でも空だけしか写っていないかもしれません。エジプトのは二十枚カラーで（いちばん最後は地中海、今日とりました）マルセイユから送ります（スライド式ですから焼き付けると高くつきますが、その必要もないでしょう。ただしバスの中からや、博物館の中でのなど、幾枚か失敗もあることと思います）。

二つのピラミッドの間を通る道路を行くとすぐ、一望のもとにギザの市街が見下ろせるすばらしい眺望で、スフィンクスのある地域は、手前の方で、目の下です。前記の写真はピラミッドを見下ろす道でとったもの、次に続いてとったのが、私がその場所でラクダの上からとりました。右手下方にダルマみたいな形の石が写っていればそれがスフィンクスの後ろ向きです。チップはラクダからスフィンクスの前の砂地へ安全に降りてから、二ピアストルやりました。ガイドが五くらいでよいと言っていましたが、そんなに持ってなかったので。スフィンクスは私たちが見たときは絵はがきほど足が出ていず、足のほうは砂に埋もれていましたが、周りの感じも昨日はちょうどこんなふうでした。もっとも茶色がこれより強いようでしたが。太陽の位置が少し、これと違っていましたから、顔立ちはこんなにはっきりとは見えず、真正面から眺めるとちょっと眠っているようにも見えました。左手や正面後方に杭がずっと打ってあるのが見えるでしょう。四囲には針金が渡してあって立入禁止なのです。そこの柵のところでも写真をとりました。そのときそこにあった石を拾ってきました。白い石灰岩のようなもの、スフィンクスと同じものではなさそうですが。このあたり一帯はこういう石とそれが砂になったものでできています。私の写真で柱廊の中にいるのは、スフィンクスの手前の（この絵はがきには入っていませんが）大きな石室でお墓になっている、その室の中です。上部に青空を入れてくれるように頼んでシャッターを切ってもらったのですが。つまりスフィンクスの時代にはこの辺一帯はぜんぶ、墓地だったわけで、王墓であるピラミッドには重要な宝物がおさめられていたのです。遠景に高い城跡のようなものが残り、前方にくずれた町のあるような写真は、スフィンクスの右手（エハガキでは向かって右）の方に見える、アラブ時代の町のあとです。エジプトについてはどうも勉強不足で、年表片手に、案内者の説明をききましたが、なにしろ英・仏ともひどくなまりのある発音で聞取りにくいし、ガイドのそばにつききりでは自分で見るひまも、写真をとるひまもないので、ともかく初めての印象を、できるだけはっきりと心におぼえておこうとするだけで精いっぱいでした。ルーヴルのエジプト部門にはとてもよいものが集まっているようですから、パリでよく調べ直すつもりです。『埋もれた世界』は、淳ちゃんも試験でもすんだら一休みに、ツタンカーメンのことなど、また読んでおいてください。ピラミッドは高さ百三十メートルとか言っていましたが、そんなに高いと感じないくらいだったのは、まわりが広いせいでしょう。ともかくこういう砂の丘で、絵はがきの右手からスフィンクスの前を通って降りてゆく自動車道路の先、目の下はずーっとギゼー（ギザ）の町がのぞめます。

案内人にせきたてられてまた、バスで道をもどります。さっきのホテルのところで、だれか女の人がセーターを置き忘れたのですみませんがしばらくお待ちください、とガイド（もちろんみんな男、中年のエジプト人です）が言い、十分くらい待たされました。

バスはカイロに入り、回教の大きな寺院を見学、回教では金曜日が休みで正午にはここでカリフのお説教があったようですが、午後はしんとしています。大学もお休み。ジョホールで見たのよりはまた格段にどっしりとしていて、絢爛豪華な寺院でした。ホールの中の写真を、（露出）五・六と（シャッタースピード）一秒で台の上にカメラを置いて撮りましたが、うまくいっているかしら。壁面はぜんぶアラバスター（雪花石膏）です。アラビアンナイトの物語で耳に親しいものですが、肌色に白の縞模様が入り、半透明の美しい石です。寺院の庭のお土産売りのところで皆きそっていろんなものを買いました。あとで私は、そこで「小さいピラミッド」（底が四センチ四方くらいのアラバスターづくり）を、元君にと思って買いました。石をピラミッド型に切っただけのものですが、エジプトで買ったものだからちょっとめずらしいし、薄い紙や切手などが飛ばないように一時的に押さえておくには使えるかもしれません。どうやって送ったらよいか、考え中です。エハガキなどは一部、マルセイユからでも船便にしましょう。少しいろいろたまって（主に食堂のメニューです）荷物にもなるので。

エジプトをもう少し続けましょう。

回教寺院の見物、その裏庭からのカイロ市のパノラマ（夕方の光のなかに遠くにピラミッドが三つかすんで見えました）で見物の予定は終り、バスは市内へ出て買物。ラクダの革の手提げ（二米ドル）や銀製の腕輪その他、買物に忙しい人も多く、私はさっき買いそびれたエハガキが偶然一枚あったのでそれを買いました。町は物売りや、汚い子どもたちなどで大騒ぎです。それでも人々の顔がインドほど黒くなく、目が大きくて彫りが深いのでなかなか立派です。その町のきれいなレストランでお茶が出て、七時ちかくにバスに戻りました。これから町をはずれて、往路とは別の道を東へ進みます。ナイルの支流に沿って二時間近くもとばしました。その間に太陽は左手後方のトウモロコシ畑の中に沈み、やがて満天の星空となりました。道はすばらしいし、快速、車の中は暗くしてあるので眠りだすお客も多くなりましたが、私は河を眺め（水量はあまり多くない河ですが、岸にはパピルスが茂り、ススキに似た穂をまっしろく風にかすかに動かしているカヤのような植物もつづいていました。黒い服の女たちが洗濯をし、裸の男たちが黒い牛といっしょに水浴をし、向こう岸の木陰の小さい家のほうへ、母親について帰ってゆく子どももみられました。河の両岸には幹の白い、大きい並木がどこまでもつづいています）――また星空をながめ、どこか北海道を思わせるような風景がだんだん闇の中に沈んでしまうのを眺めながら、どうしてもやはり、家のこと、みんなのことを、とりとめもなく考えつづけていました。

八時半をすぎて、イスマリア（Ismarya）という湖のほとりに出て、その小さい町のホテルで夕食です。それが一時間。九時半に出発。こんどはポートサイドに向けて、スエズ運河に沿う道路を時速七十五キロでちょうど一時間、まっすぐに北上します。もう真っ暗で運河の面も黒いのですが、車はひた走りに走って、三十分もするとすぐ近く、運河上の船が次々と見えるようになってきました。そして十時二十五分、思いがけず近くに大きな、光の城のような白い船体――バスは停車し、車内が明るくなります。船はヴィエトナム号だったのです。入口や甲板に人が出て手をふっています。私たちの二台のバスもブーブーとクラクションを鳴らし、お客はおおさわぎで口々に叫びながらオーオーと皆、手をふりました。バスが止まったら、船は走っているのだということがわかりました。まだポートサイドには入っていなかったのです。私たちが港のランチ乗り場に着いたのが十時三十五分、沖合でランチを待っているヴィエトナム号へ帰ったのが十一時四十分頃でした。
とにかくすべてに圧倒され、おどろきました。古い古い紀元前の世紀のものも、ギリシャもローマも、マホメット教もそこにあるのです。そしてかつては威張っていた白人種も、ファルーク王もそこに生きており、ナセルのアラブ連合共和国もそこにあるのです。人一人、家一軒ない砂漠にもりっぱな自動車道路が貫通し、建設工事がすすめられています。私たちは道でカーキ色の制服を着た兵隊さんを満載したトラックを、あちこちで何台も追い抜きましたが、かれらはすごく人のよさそうな顔をして、私たちのバスを見送っていました。エジプトの切手のなかに、遺跡の絵があるのを先日貼って出しましたが、あの中に、空のところに飛行機の影があるでしょう。私は一日中おおいそぎの駆け足見物をしながら、あの切手の絵（ほかにもまだ、遺跡と飛行機というのがあります）が、なにかとても意味深いもののように思われてなりませんでした。豊かな古代遺跡をもち地理的な好条件もあって、長い歴史の間さまざまな列強勢力の支配下に置かれてきた国が、今なんとかして自分を守ろうとしている、そんな印象をもちましたが……。もちろん小田実さんの書いているような暗い面はいくらもあるわけですが、それでもかれらには未来があると思うのは、アラブの政治的な動きに興味を感じ始めた私の単純な希望的観測にすぎないでしょうか？ これはまだなんとも判断をつけるべきものではないのかもしれませんが。

第十四信　十月一日（日）　夜十時十分すぎ。

今、シシリー島の南沖を通っています。イタリア本土との間のメッシーナ海峡は通らずにこちらの路になりました。ずいぶん岸に近いらしく、灯台の光が回転するのがはっきりと見え、島影が黒く、その上空がほ

決算報告

(A) 携帯額　200 USD　＋　50,000円（携帯額合計：日本円換算で約122,000円）

(B) 両替　2,000円（船で）→ 25.6NF

45,000円（香港で）→ 65 USD + 257 NF

(C) 使用額　38 USD + 27.6 NF + 200円（使用額合計：円換算で約16,000円）

(D) 残額　227 USD ＋ 2,800円 ＋ 255 NF（残額合計：円換算で約106,000円）

んのりと白んでいます。クレタ島の南沖は朝のうちに通りました。この辺でライフボートでも下ろしてこっそりと逃げ出し、シシリー島あたりに流れついてギリシャへでも行きたいところです。今日正午の位置は、〈35°25' N, 19°04' E, from Port-Said 673 miles, to Marseille 844 miles〉（気温二十四度）です。昨日正午から走った距離から割り出すと、だいたい二十ノットの速力とわかります。この大きさの船（約一万二千二百トン）としてはかなり速いほうとのことです。昨夜一時間、今夜一時間、時計を遅らせますので、これで東京との時差が八時間となります。パリでもそうです。三越でもらった「トラヴェラーズ・マニュアル」というパンフレットには各地の時差がわかるような表がついていますが、今夜の十二時に東京では十月二日あさ八時のわけです。気候もよくなり、月曜日で朝の忙しいひとときでしょう。この手紙がつくのはもっと遅れるわけですけれど。

船へのチップはひとり三十フランということに決まり、留学生全員の分をCさんがまとめて届けにいきました。お金の計算をすませたら十一時になりました。出かけるとき銀貨をもらったのとか、マラヤ、セイロンの硬貨が少し残ったとかいうのは百円にも足りないので省いて、決算報告をいたします。

C欄の日本円は、香港で、財布を買ったとき香港ドル不足分の補充に。

D欄の日本円はスイスに行けば両替できるのでそのときの費用に残しておく。船での両替は、香港をすぎるとレートが低くなるので、しなかったのです。

D欄にみるように、まだふところは、ずいぶんあたたかい。汽車賃が八十フラン、荷物着払いが七十フランほどで、パリに着いたらすぐいくらか必要な分だけドルをフランにするつもりです。一ドルは約四・九フランで、十一月開始の給費・月額四百フランは、約八十ドル（日本円換算で約三万円）のわけです。

あさっての朝はマルセイユ！　フランスに上陸です。おかげさまで楽しい一カ月の船旅でした。

皆さんどうもありがとうございました。どうぞお元気で。荷物整理、準備は今日すみました。

一九六一年十月一日

敦子

第2章

神話への窓

エンコミ出土のミケーネ時代の壺。図柄は出陣する戦士と運命の秤（本書p.130参照）。所蔵館Department of Antiquities, Cyprus Museum［キプロス博物館古代部門］提供

初めてのギリシャ

旅の計画　（家への便り　パリ　1962・3・13）

先の手紙でもお話ししたように、春休みが約三週間あるのでギリシャへ行きたいと思っていたところ、参加できそうな企画をみつけました。CO.P.AR「パリ地区大学生協連合（仮訳）」が学生対象に企画と参加者募集をするもので、復活祭（「移動祝日」で今年は四月二十二日）の休暇（Vacances de Pâques, Easter Holidays）の期間に合わせてあります。出発地はヴェネツィアで、四月十四日ヴェネツィアから乗船、アドリア海を南下してギリシャに入り、アテネの外港ピレフスで下船。ギリシャ内はこの団体専用のバスで、アテネ、デルフィ、その後北上してトリカラ、メテオラ、次いで南下してアテネ、それからペロポンネソス半島に入ってコリント、ミケーネ、ナウプリオン、オリンピア、パトラス、ここから乗船してイオニア海に入って、イタカ島とコルフ島に短時間の寄港、イタリアの長靴の踵にある港ブリンディジで下船。あとは鉄道でミラノ乗換え、パリ帰着は四月二十七日夜の予定。最初の乗船から最後の下船までの費用は、食事宿泊移動全て含めて五百六十フランです。

集合地のヴェネツィアまでのルートは参加者各自が決めてよいので、せっかくヴェネツィアまで行くなら北イタリアも見たいし、どうするか思案中です。

旅の計画（つづき）　（家への便り　パリ　1962・4・6）

クリスマス（Noël）、復活祭、夏休みなど大学の長い休暇が近づくと毎年のことだそうですが、ここ大学都市（Cité Universitaire）の中央食堂入口の掲示板に、「＊＊方面行きの車に空席あり」とか、「＊＊方面行きに二つ席を求む」とかの貼り紙がぎっしりと並びます。この方式、利用者が多くてちょっと面白そうなので、私も試しに出してみましたら、さっそく、理工科大《ポリテクニク》の学生から、「三人でグルノーブルに行くが、一つ空席がある」と連絡がきました。車を出すほうは、満席にすればガソリン代は割勘で一人当たりの負担が減るし、乗せてもらうほうも、列車よりもそのほうが安い（パリ―リヨン間、列車だと約五十フランのところが、四人の車でガソリン代一人分なら十五フラン程度ですむ由、荷物の点でも好都合）ということなのです。それで、事前の打合せをして、パリ出発は四月七日昼十二時半、私はリヨンまで同乗してリヨン到着は夕方七時頃を予定、となりました。リヨンでは昨年お世話になった先生（Madame Gros）が、またお宅に泊めてくださいます。そこから北イタリアへ入って、途中、以前からの文通相手でマントヴァ在住のシモネッタ（Simonetta R.）が招いてくれるのでそこに二、三日、『ロミオとジュリエット』の舞台ヴェローナにも寄って、ヴェネツィアへ行こうと思います。列車で国境を越えるというのも初めてで、とてもたのしみです。

ヴェネツィアでは、まずサンマルコ図書館（Biblioteca Marciana）に行って、ホメロスの、あの有名な『イリアス』写本（私が初めて、ほんもので見る写本！）を眺めるつもりです。もちろんシャントレーヌ（Pierre Chantraine）先生にもご相談しましたが、先生もこのギリシャ旅行には「大賛成」と言われて、ヴェネツィアでの写本閲覧のことでもいろいろ便宜を考えてくださって、そのおかげでギリシャ古写本学の権威ダン（Alfred Dain）先生から、サンマルコ図書館館長宛の紹介状をいただくことができました。

ヴェネツィア着　（家への便り　ヴェネツィア　62・4・11）

マントヴァからはシモネッタやその友人たちといっしょにガルダ湖にも行き、ヴェローナでは「ジュリエットのお墓」（！）まで見て、今日昼過ぎにヴェネツィアに着きました。こちらはあまりお天気が良くなくて薄日が洩れる程度で、暖房はないし、寒いのに閉口しています。しかし、なんといっても驚くべき町だと思います。鉄道でロンバルディア平原と続いてはいますが、町全体がアドリア海に突き出た浮島のようなもので、大通りにあたるものが大運河、バスや都電にあたるのが、大運河を行き交うヴァポレットという蒸気船、タクシーは、しゃれた快速のモーターボートです。いたるところに入りこむ小運河にかけられた橋はすべて太鼓橋で、自動車は、街なかでは全く見かけません。観光客も多いし、なにしろ水上交通がにぎやかで、人々も陽気で、なんだか運河の水といっしょに、すべてが絶え間なくゆらめき、動いているような感じをうけます。シモネッタたちは、私の泊まるところ（駅に近く小さいが安くて清潔でわりと感じの良い宿）を決めるのを手伝ってくれてから、夕方マントヴァに帰りました。

ホメロス『イリアス』の写本　（家への便り　ヴェネツィア　62・4・12）

今朝（十二日）は、あさ九時少し過ぎに図書館（Biblioteca Nazionale Marciana）に行き、ダン先生の紹介状を出して入館し、写本（*Venetus Marcianus 454*, 通称 *Venetus A*）を見せてもらいました。紹介状に何と書いてあったか知りませんが、司書らしい人が「あいにく館長は所用で不在のためご挨拶できませんが」と丁重に応対してくれて、生まれて初めて写本の本物を見に来た学生としては、恐縮至極でした。

ともかく、『イリアス』を伝える最古最良の写本（十世紀の筆写）として知られる本が、木製の大きな書見台に載せられて、目の前にあるのです。羊皮紙というものがかなり厚くしっかりしているのにまず驚きました。そして、本文と、その余白や行間に少し小さめにぎっしりと記された注との、いずれも細身で端正な、それでいて速さのある文字……私も、もし中世に生まれていたら、修道院に入って写字生を志願して、こんな字を書けるように修業したかもしれない……などと夢想してしまって……専門的な研究調査などからは程遠い、印刷本の『イリアス』を傍に置いての「写本嘆賞」でした。

また、写本には図書館が用意した閲覧者リスト〈Elenco dei Lettori〉が付いていて、私が記入するように指示された欄の一つ前の欄にあったのは、今私が見ているオックスフォード版ホメロスを校訂した大学者の署名〈T. W. Allen, 1888, Oxford〉だったのです。この校訂版は初版が一九〇二年ですから、校訂者はその準備で、ここへ来てこの写本を調べたのですね。係員に促されて、おそるおそる自分の名前と日付を書き入れてきました。図書館を出たのは午後三時でした。

「アドリアティキADRIATIKI号」の船上から　（家への便り　62・4・16）

ヴェネツィアの最終日はだいぶひどく雨が降りましたが、美術館をまわって、ジョルジオーネ、ティントレット、ベリーニなどの絵で十分目を楽しませることができました。昨日は、天気はよかったのですが海がひどく波立って午前中はだいぶ船酔い気味、でも午後からは波もおさまりました。

私たちの学生グループは多国籍で二十人ほど、三分の二は女の子です。リーダーは、オデオン座（ジャン＝ルイ・バロー劇団）の関係者（演出家？）、ギリシャ好きで、団体旅行の引率者としても何度か来ているという男性。ギリシャのことをとてもよく知っています。船のキャビンの同室者は、アメリカ人ふたりとフランス人ひとり、皆たいそう気持ちのいいひとたちです。

船は、名前のとおりアドリア海の南北をつなぐギリシャの船。船員の中には、トウキョウ・オオサカ・モジなどへ来たことのある人も数人いて、船客中ただ一人の東洋人である（らしい）私をみると、おや日本人だ、と、片言の英語や日本語で、日本はよかった、と話しかけてきます。のんきな船でキャビンの鍵もないし、船員が勤務時間中に女の子たちとおしゃべりに来たりします。でもとても親切で、フランスの船の少し威張ったようなところは全くなく、愉快です。昨夜は真夜中にブリンディジにちょっと寄港、今朝は凪の、よい日和です。今しがたギリシャ圏内へ入って時計が一時間すすみ、いま午前十時。カモメの群が白い澪を追ってきます。

夜九時半。今、月夜のコリント地峡を通過。明日朝、アテネの外港ピレフスに着いて船を降ります。

デルフィから（62・4・18）

雪をいただくパルナッソスの峰が春の青い空にくっきりとその岩肌を描きだし、はるか下方のイテア湾へと降ってゆくところ、地理的にも古代ギリシャ世界の中心「臍」（附設の博物館にその大理石像がある）にあたるこのデルフィが、私には初めてのギリシャの旅、その初めての宿泊地となったのは、ほんとに幸いでした。昨日朝ピレフスで船を降り、専用バスで、アテネは後回し、ダフニでビザンツ様式の修道院を見学した後、ここまでずっと山を登ってきたのです。昨夜は十一時過ぎに旅の仲間数人で、冴々と白い月光にひたされた海抜七百メートルのアポロンの神殿に来て何か恐ろしいような静寂に圧倒されていましたが、今、朝の十時、一人でまたここに登ってきました。大気に青くかすむ山なみとこの岩山との間にひらける谷は、銀色

デルフィでの昼食時。手前右端（後ろ向き）がリーダー、その左、空席の隣が筆者

に波うつオリーヴ（数百万本あるとのガイドの話）でずっと下方の光った海まで、おおわれています。糸杉、松もみどりの色をあらたに濃くしはじめ、そしていたるところ、まっかなひなげし、白い野菊、たんぽぽと、赤、白、紫、青、黄の野生の花々――神アポロンがこの地をえらんで予言の座としたというピンダロスの詩が、いっそう真実に感じられてきます。

壮大な遺跡全体が山の斜面に在り、登ってゆくと、ボイオティア、アテネほかギリシャ本土の、そして島々と小アジアの各地からの奉納物を納めた宝庫の趾（ほとんどが礎石と円柱のみ）がつづき、そしてアポロンの神殿、劇場、いちばん高いところに、徒競走用の長方形（178×26m）のスタディオンがあります。古代のデルフィは、前八―七世紀頃から、植民や戦争など大きな企ての際に、事前には神託や予言を求め、事後にはお礼詣りに、と全土から使者たちが集まる、いわば門前町、「国際交流情報センター」の役割もしていた場所だったのですね。復元図からもその賑わいが想像できるような気がします。

風がさーっと吹きすぎ、小鳥たちが高い声で遠く近く鳴きだしました。今日は午後からテッサリアの北に向かいます。

【初出】東京大学ギリシャ悲劇研究会第5回公演パンフレット（1962年5月）

トリカラにて（62・4・19）

デルフィから北上をつづけ、すばらしいパノラマを十分楽しみながらオトリコス山脈を横断してテッサリアに入ると、急に風景が変わってゆくのにおどろかされました。広い広い麦の畑、まっ白にこぼれるように咲く杏や梨などの果樹、そして羊、牛、馬の放牧。――『イリアス』第十八巻の有名な「アキレウスの盾」の場面が蘇ってくるようで、アキレウスの望郷の夢もわかるような気がします。

つづく快晴に恵まれて、今日は一日かけてメテオラへ行きました。ピンドス山脈を望み、『ファウスト』第二部の「古典のヴァルプルギスの夜」に出る、ペネイオス河の谷（夏季にはほとんど水が涸れて砂地が多い）とひろい平原の一角にビザンツ時代――ギリシャ中世から十五、六世紀までの修道院（女子修道院もある由）が五つほど在るのですが、それぞれ三百メートルほどの奇妙な異様な岩のてっぺんに建てられているのです（左ページの写真）。中には岩の面積ぎりぎりに載っているものもあり、つい近年までは垂直に木のはしごをつるして、修道僧たちが登り降りしていたとか。今でもつるべのようなもので食料を運び上げたり雨水をためて飲料水にしたりしながら、一人またはごく少数しか住んでいない由です。急な崖では、首の鈴を鳴らしながら、山羊の群が年老いた牧者に追われて草をはんでおり、雲一つない青空のもと、ちょっと形容の言葉のない風景です。あすは朝早くにアテネへむけて発ちます。

【初出】東京大学ギリシャ悲劇研究会第5回公演パンフレット（1962年5月）

アテネから（62・4・22）

守衛に追いたてられるようにして今しがた国立博物館から帰ってきたところです。目をみひらいて見るというのを初めて実感したような気がします。四時間のあいだ自分の目が全く最大限に大きくあいていたのを、ふらふらになって出て来て気がつきました。しばらく階段にすわってぼうっとしていました。今でも目の前にあのマラトンの戦士の浮彫（なんと美しい大理石の質感でしょう！）があらわれ、白地レキュトス（香油壺）に描かれた人間像（「目の盾」を持つ戦士とその妻）の線が茶色に光って（ほんとうにちらちら光るのです）いるのがうかびます。またあのミケーネの宝物！ミケーネの墳墓群からのものを中心として、アッティカ、ティリンスの出土品をも見事に陳列した大きい一室では、またたくまに二時間がすぎてしまいました。有名な紫水晶の印形など直径一センチにも足りないような小さなものなのでびっくりしましたが、これらの出土品は、考古学への驚嘆をも、あらためてつよく呼びおこします。そして

メテオラ。高い崖岩の上の僧院（筆者写す）

これらミケーネの宝に見入っていたとき、私は何か胸の底から「私はやはりギリシャの勉強をつづけてゆこう」という気持が湧きあがってくるのを感じました。これからも自分の非力さなどで迷うことが何度もあるでしょう。でも今までとはちがいます。今日は（今日も）、良い日でした。

【初出】東京大学ギリシャ悲劇研究会第5回公演パンフレット（1962年5月）

ペロポンネソス半島（62・4・23・日記から）

アテネを朝八時半に出発。コリント地峡では高い吊橋の上を歩いて渡ってペロポンネソス半島に入り、ミケーネに向かう。人家などひとつもない平野の中に、聖イリアス山を背景に王城の城壁が見えてくる。バスを降りると、風がさーっと吹いて花の強い香りを運んできた。アテネの博物館でここから出た数々の宝物を見た後ではいっそう「荒城」の感じがつよい。それにここはやはり、昨年六月に日比谷でわたしたち東大ギリシャ悲劇研究会が上演したアイスキュロス作『アガメムノーン』の、「ほんとうの舞台」。トロイア陥落を伝える王妃の「炬火の伝令演説」が反響してくるような気がする。「トロイアはどの方角でしょうか?」とリーダーにきいたら、かれは一瞬けげんな顔をしたが、すぐ質問の意味がわかったようだった。たしかに、あの演説は地理的には問題が多いだろう。でも作者の頭の中には、あきらかなトポグラフィがあったのだ、それは事実よりはむしろ真実に近いものかもしれない。……ミケーネのあとナウプリオンでお昼と水泳、午後はエピダウロスの壮大な円形劇場、夕方ティリンスの遺跡を見学。夜トリポリス泊。

ペロポンネソス半島・つづき（家への便り　62・4・25・〈KERKYRA 26.IV.62〉の消印）

アイスキュロス作『アガメムノーン』の舞台、「王の帰還」場面（1961年6月3日、日比谷公園野外大音楽堂、東大ギリシャ悲劇研究会公演）

灌木ばかりの岩がちなアルゴス地方から西へ進んで、緑の多いランガディア地方に入り、静謐そのもののオリンピアの神域と博物館を見学し、昨夜（四月二十四日）パトラスの港から「アンゲリカ号」に乗船して帰途につきました。今日明日は海の上。こんどはイタリア半島の長靴の踵部分にあるブリンディジの港まで、イオニア海を北西に向かいます。今日二十五日、オデュッセウスの島イタケにちょっと寄港し、夕方、コルフ島（トゥキュディデスの第三巻に出るケルキュラ）に寄りました。寄港時間が思ったより短くて忙しく、海水浴には道路端で着替えるという条件付きだったので、男の子二人が泳ぎましたが私はあきらめました。でもナウプリオンでは泳げたし、毎日好天続きでほんとうにすばらしい旅でした。昨夜、グループのリーダーから、私は、この旅行をいちばん有益にすごしたひとりだ、と言われました。自分でもそう思います。みなさんに心から感謝しています。

パリに戻る　（家への便り　パリ　62・4・28）

元気で、日焼けしてまっくろになって、今朝早くパリへ戻ってきました。十数通の手紙が待っていてくれて、家からのは、どれも封を開くのももどかしく読みました。嬉しかった。やっと家へ帰ってきたというような、落ち着いた気持ちになりました。他には、ドラ・ド・ヨング夫人から、「五月十日頃パリへ行く、会えれば嬉しい」という知らせもありました。ド・ヨング夫人の『あらしの前』『あらしのあと』（吉野源三郎訳岩波少年文庫版）に、英語の読後感想文を書き送って、夫人から長い返事をもらったのはもう十年も前、私が高校一年生のときでしたね。その後も折に触れて文通はしていましたが、直接会うのはもちろん初めてですから楽しみです。

ギリシャの旅の帰途は、皆とパリまでずっといっしょでした。ブリンディジからの列車が遅延したため、ミラノで乗換えの時に一列車のがし、三時間ほど途中下車。お昼のあと、何人かで同封の絵葉書のダ・ヴィンチ『最後の晩餐』を見に行きましたが、絵は全体に色がぼんやりしてよく見えない感じでした。

ミラノ—パリ間は、イタリア、スイス（ローザンヌ）、フランスを通る、ベオグラード発ロンドン行き、ふつうの急行列車でした。

ある夏休み

フランスの大学では、といっても一九六〇年代前半のことになるが、年度末は六月末日で、次の新学年が始まる十一月二日（十一月一日は万聖節で祭日）までたっぷり四か月の夏休みがあった。留学して最初に学生寮の同室（学生言葉でco-turne）となって以来とても気が合っていたジャンヌ＝マリ（Jeanne-Marie）に誘われて、彼女の父の故郷であるイタリア国境に近いアルプス地方のサヴォワに行ったのは、一九六三年の九月初旬。私は日本の友人と二人でシチリア島のギリシャ遺跡を訪ねての帰途で、まっすぐにパリへ戻る友人とは国境近くのシャンベリー駅で別れた後であった。

私たちの「宿」は、ムゥチエの町から車で登って標高千八百五十メートルのところにある、十八世紀初期にできたという小さな教会「ノートルダム・デ・ヴェルネット（Notre-Dame des Vernettes）で、その季節には、司祭は週に一度ミサを挙げに村から登ってくるだけだった。食料調達のためいちばん近い村まで歩いて下るのに一時間半、教会のすぐ裏手は、切り立った高い山の斜面が氷河となって夕日を遮り、冷たい流れが下って私たちの水汲み場に達していた。朝になると、ふかい霧の中から、首の大きな鈴をカランカラン鳴らしながら赤茶色の牛の群が登って来て、一日中その辺りの草を食べ、夕方には一匹の黒い犬と年老いた一人の牛飼いとに追われて帰ってゆく。私たちは司祭の生活にあてられた台所兼居間で大きな暖炉に薪を燃やして食事をつくり、夜は屋根裏のわら束の上に、持参の寝袋をのせてもぐりこんだ。台所の一隅の半地下室から古いワインが何本も出てきた時、ジャンヌ＝マリは「やっぱり僧侶というのは古来その道の通なのね」と肩をすくめて喜び、二人で、滞在を終えて帰る時に精算しようと話し合ってその一本を頂戴し、焼きたての厚いビフテキとチーズの塊とともに夕食のテーブルに並べた。彼女は「私の愛国心はおいしいワインとチーズだけ」といつもの口癖を繰返しながら。

村の僧院で知り合いの尼僧からここへ泊まる許可をもらった時には女の子二人だったが、三日ほどして彼女の遠縁にあたる画家が加わった。うす青い目に、どこかフラ・アンジェリコの描いたキリストを思わせるような顔立ちのこの青年は、リュックを背にフランス、スペイン、イタリアと山の中ばかりさまよっている変わり者で、私のした花の写生を熱心に見てくれるかと思うと一日中口もきかなかったり、急に途方もない声で笑いだしたりする。日曜の朝のんびりと顔を洗っているところを、ミサを挙げに来て窓の外を通りかかった司祭とばったり目が合い、する必要も理由もない弁解をしたあげく自らミサの奉仕を申し出て、とんでもないときに鈴を振ったり祭壇につまづいたりして私たちをはらはらさせた。

私がさらにびっくりしたのは、彼がブレーキのない特殊な自転車でここまで登って来たことだったが、山を降りる日にジャンヌ＝マリは、彼が自転車の後ろに曳きずってきた小さいリヤカーも、油絵の道具一式やテントとともに自分の愛車２ＣＶに積み込んでやらねばならなかった。身軽になった彼は自転車で山道を下り、五時間後に麓の小さな町で私たちと合流、にこにこと手を振ってまた放浪の旅に出て行った。

その年の冬だったか、ジャンヌ＝マリは、信じられないという表情で、彼が「おしゃべりで親切で

山を降りる日、アルプスの牛と（筆者写す）

プチ・ブルジョワの典型みたいな女の子」と婚約したことを私に告げたが、次の夏がきてサヴォアの思い出話がでたとき、彼女は「そうそう、あの婚約は、けっきょくとりやめになったの」と言った。

【初出】成蹊大学文学部『文学部ニュース』第１６号（１９６８年６月）

【付記】ジャンヌ＝マリは、当時パリ大学のEcole des Langues Orientales（東洋語学校）の中国語専攻の学生。「日本語も履修しようと思ったのに、S教授から新入生全員への第一声で、中国語と日本語を二ついっしょに登録する者は必ずどちらか一つで落第する、と言われて登録しなかった」と残念がっていた。六四年に中国政府の奨学生として北京へ留学し、のちにフランス国立図書館の東洋写本部門の司書となった。

Jeanne-Marie Puyraimond-Boch, *Catalogue du Fonds Mandchou*, Bibliothèque Nationale, Paris 1979（『フランス国立図書館蔵　満州語写本目録』）の著者である。

ギリシャ再訪

カール・ブレーゲン博士の授業

ギリシャを再訪したのは一九六五年二月中旬から三月下旬。三年半ちかく滞在したパリを二月一日に離れて、寒くて暗い東西ベルリンと、何百年ぶりかという大雪に見舞われたローマに寄ったあと、アテネから南周りの航空機で日本に帰国する途中の一か月ほどの滞在であった。アテネの国立考古学博物館をぜひもっとていねいに見たかったし、市内の博物館や遺跡巡りだけでなくダフニ、サラミスなど近郊を、ひとり気の向くままに歩き回る時間もほしかった。それに、パリを出る直前になって、朝日新聞社パリ支局からの話で、「世界名作の旅・ホメーロス」の取材の手伝いで、二月下旬から三週間ほど「トロイ戦争の古戦場と関連各地の現在」を見に行くというアルバイトが舞い込んだためもあった。ホメロスの二大叙事詩『イリアス』と『オデュッセイア』について物語の舞台とされるところへ行くとなると、とくに遺跡関連の事柄や現地の最近の状況など、仕事の準備としてもまだいろいろと調べる必要があったので、この機会に、在アテネのフランスやアメリカの考古学研究所も訪れてみたいと思ったのである。

アテネ市北東部リュカベットス山のふもと、静かな住宅街の一画にあるアメリカの研究所は、アテネについたその日（二月十二日）の夕方に訪ねた。あらかじめ手紙で連絡してあった、オックスフォード出身カリフォルニア大学在籍で考古学専攻の女子学生ジェーンが、ロビーにいた友人たちや図書室の司書にもひきあわせてくれて、さっそく同年代の学生たちと顔見知りになり、その日から、充実していてしかも使いやすい図書室に自由に出入りできただけでなく、学生の何人かとお茶や夕食を共にしたり、また土曜日の夜はジェーンの発案で数人いっしょに街の映画館へ、フランス・レジスタンスの名画（ルネ・クレマン監督一九四六年作の『鉄路の闘い』）を見に行ったり、とても忙しく楽しい十日間であった。

そんなある日、研究所の掲示板に「Prof. Karl Blegen（ブレーゲン先生）・先史時代ギリシャ・二月十七日水曜日午前九時三十分―十一時」を見かけた。場所は国立博物館のミケーネ室。当日朝、急いでバスで行くと、学生たちの一団のほか、年配の講師か教授らしい人々も来ていて聴衆は十数人、ミケーネからの出土品が並ぶ室のひとつで、まもなくみえたブレーゲン先生をとりまく形で、展示ケース26番を前に、「石室式墳墓、竪穴式墳墓」などの墳墓、円形墓域とその出土品に関しての説明に、発掘時のエピソードなどもまじえながらの授業であった。

第二次世界大戦をはさんで、一九三九年と一九五〇年代にトロイ、ミケーネやピュロスを精力的に発掘された先史考古学の世界的権威だからと、背の高い屈強な感じの人をなんとなく想像していたのだが、目の前の先生は、中背白髪、低い声で、うつむきがちといいたいくらいの姿勢で静かに、しかしはっきりと話される、温厚そのものの学者。肩や体つきはがっしりしていて、顔を上げられると、青い、そんなに大きくない目から額にかけて堂々たる威厳が感じられる。説明なさる時以外はいつも、左手でオーヴァのボタンをいじる動作が、くせらしい。そして気がつくと、垂れたままの右腕は、まったく無いらしいのだ。ちょうど、以前ロンドン大学でお目にかかったウェブスター（T.B.L.Webster）教授のように、やはり大戦の傷痕なのだろうか。

誇張や声を大にしての強調がまったく無い、淡々とした静かな口調で〈it's very interesting〉〈that's worth studying〉をしばしば繰り返される。ここに陳列してあるものは、ほんとうに数多い発掘品の中からセレクトされたものばかりです、とも。

今日はこれで終わるというところで、プリンストンの大学院生ジョーが、「線文字Bのことについても話してくださいませんか」と頼んだら、まずミケーネ出土の粘土板文書について話され、話がピュロスに及んだら、「ではピュロスのものも見ましょうか?」とおっしゃる。先生ご自身の発掘でいちばん重要なものにちがいない粘土板文書だから、聴いている皆からも、賛成の意が微笑で表され、先生も微笑される。そこには、得意になるとか我が意を得たりとかいう感じはまったく無く、それでいて自分がおそらく全エネルギーを傾けたものをいとおしむような、深い理解と共感の気持ちがにじみでていて、またその感じがその場の全員にもすぐ伝わってゆくのが感じられた。

有名なピュロス粘土板文書「三脚鼎の文書・Ta 641」が、一九五二年のマイケル・ヴェントリスによる「線文字Bはギリシャ語である」、という解読の正しさを立証する切札であることを、はっきりと強調されたが、「Ta 641」をめぐっては少し前に大論争があったことを、その日の夕方、図書室で*L.R.Palmer, The Interpretation of Mycenaean Greek Texts*(Oxford 1963)の関連箇所を読んで知り、なるほどと思ったことであった。

(一九六五年二月十七日水曜日の日記から)

ピュロスにて　(三月一日　月曜日)

アテネ発十四時。藍碧で硬く澄んだサロニカ湾に赤茶色に光って点在する島々を両窓に見、エピダウロスの劇場を右にしてさらに南下、雪をいただくタイゲトス山塊の上では激しい上下揺れをくり返しながら、乗客は新聞記者一人と助手の私をいれてもわずか六人のDC3機は、十五時にペロポンネソス半島南端の飛行場に着く。外はすぐ放牧地で羊が一群。今空から見てきたタイゲトスが目の前に迫っている。見惚れていてふと気づくと、すでに機の窓の下を、私たちの手荷物を載せたカートが、小さい空港建物の方に向かっている。あわてて、開いたままだった搭乗口から地上に降りた。

桑の木にふちどられた道を連絡バスで一時間行くとカラマタの町。日暮れ前にここから五十キロほどのピュロスに着きたいので、車を呼んですぐ出発する。道はよく、うねりながら海辺のピュロスへと下ってゆく。大きな樹々こそないが、なだらかな起伏をもつ土地は灌木におおわれ、オリーヴや桑畑があり、エニシダがこぼれるように咲いて大気までもしっとりと甘く、アルゴス地方の白茶けた石ばかりのところとはずいぶん感じが違う。そして海が、ナヴァリノ湾が前方に見下ろされてひろがってくると、まもなくピュロスである。

通りも広場も、底まで澄みきった海に面して、なんとひっそりしているのだろう。南北に半円形をなす湾は、ちょうどその入口に長く横たうスファクテリア島によって外海への眺めをさえぎられている。十六世紀後半に隆盛を誇ったオスマン・トルコによって造られた城砦へと松林をぬけて登って行くと、城址は草原になっているが銃眼のある城壁が岬南端の断崖を守り、さらに背後の山へ延びている。ここに立てば、湾とスファクテリアと外海の全景、トゥキュディデスが『戦史』第四巻に記した前四二五年のピュロス攻防戦の舞台「天然要害の地」を目に収めることができる。湾の北側はアテナイ（アテネの古代名）船隊が嵐を避けて寄港してそのまま占領することになった場所であり、海から奪回にやってきたラケダイモン（スパルタ）側は湾の水路を塞ぎ、兵をスファクテリアに渡らせて陸からのアテナイ勢と戦うが、結局惨敗を喫して四百人を超える守備兵がこの島に二か月以上も閉じこめられることになる。彼らが降伏したことはギリシャ人にとっては剛勇無比なラケダイモンという通念が根本的にくつがえされた大事件だったが、史家自身はここでも彼の終始一貫した主題である力と正義とのからみあいを追究している。ピュロスからアテナイへ派遣されたラケダイモンの使節は、武力報復による解決でなく、今優勢にあるアテナイが道義的勝利を選ぶことによって両国に益する和平への途が開けると説くが、アテナイの強硬派は和平交渉ならより有利な条件でなければと考えて譲らない。武力よりも正義をとってこそ強国は真の強国になりうる、という和平の提案は、つづく第五巻のあのメロス島会談におけるメロス側の訴えに似ているのだが、ピュロス戦のときのアテナイが僥倖にたよって危うい勝利をねらっていたのと反対に、メロス会談にさいしてのアテナイは己の力をすなわち正義として、相手が希望や神慮にすがるのを冷酷に嘲笑する。ピュロスの戦いからメロス島侵略に至る九年間に、「アテナイ帝国主義」は精密な計算の上にたって極限まで昇りつめていったのであろう。

湾の南端の水路に太陽が沈む。海は、遠くは朱金に光り、目の下では断崖に打ち寄せてますます青く冴える。島が黒々と浮きあがり、風が出てくる。急に、「日没閉門」とあった木戸口の掲示を思い出して、背丈をこすサボテンと野あざみと「冥界の花」アスフォデロスの咲き残る小径をひきかえした。

明日はさらに北へ向かい、ネストルの宮殿址を見に行く。テレマコスが父オデュッセウスの消息をたずねていったところであり、そして、先週アテネの博物館で講義を聴いた、あのギリシャ先史考古学の権威ブレーゲン博士によって、線文字Bの粘土板文書が数多く発掘された「古代のピュロス」へ。開け放した窓の下に波の音が一晩中しずかに規則正しく寄せては返して、私をなかなか眠らせなかった。

【初出】高津春繁『世界の文学史1　ギリシャ・ローマ』「月報」第5号（明治書院1967年3月）

サラミスゆき　（三月十七日　水曜日）

ギリシャ滞在もおわりに近づいた三月十七日の午後、私は、アテネからバスでペラマという海辺の村へゆき、そこから渡し船でサラミス島のパルウキアへわたり、帰りは船でアテネの外港ピレフスへもどる日帰りの遠足を思いたった。対ペルシャの戦争でアテネの勝利を決定づけた「サラミスの海戦」（前四八〇年）の舞台を、アッティカ本土とサラミス島東岸との間の狭い水道をはさんでペラマとパルウキアの間とする説と、ピレフスとアンベラキ（パルウキアより南）の間とする説と、二つがあるので、それらいずれの場所も見てこようと、アイスキュロス『ペルサイ』のあの使者の報告の部分を写したメモをもって。

アテネから四十分で「ペラマの渡し」に着く。バスに連絡して渡し船が出る。このあたりをペルシャ勢の停泊していたところとするなら、この三十人乗りくらいの小船は、ギリシャ人たちが船を集めておいた港にむかってゆくことになる。海に出てまず驚くのは、サラミスがすぐ目の前に見えること、当然ながら地図からはとうてい想像もできないほど地形が入り組んでいること。ペラマの湾の右手はアッティカ本土がずっと海につきだして、こちらから見るとサラミス島との境がわからないし、島につくすぐ手前には聖ゲオルゴス島というお盆のように平たくて小さい島がある。『ペルサイ』（四四七行）に出る島と同定する説もある島で、そこには同じような形の建物が幾棟か並んでいるのが見えるだけ。隣にいたギリシャ人の水兵が、「あの建物はキチガイビョウインなのですよ」と片言の日本語をまぜて教えてくれた。

その小島をすぎる、と思うまもなくサラミス島の裸の高い岩山がぐんぐん近づいてくる。ペルシャ方にとってはたしかに、ギリシャ方の船勢の出現は、「息つくまもなく……目の前に浮かび出た」という感じだろうし、それだけでかれらは、慌てふためいてしまったのだろう。それに、本土側から近づくときのサラミス島は海岸線がとくに複雑で、またどこからギリシャ勢が現れてくるかもしれないから。

ペラマから十五分でパルウキアに着く。たくさんの船がとまっていて、渡し船がつくとひとしきりにぎわう。スマートな水兵たちが目立つと思ったら、この船着場から北へ少しいったところに軍港があるのだ。軍港への道はすぐ通行止になるので、大きな灰色の軍艦を眺めたあとは、アスフォデロスの咲き続く岩山の中腹に登る。そこから湾を見下ろすと、聖ゲオルゴス島とサラミス島との間の海面を石垣で区切って南側の民港、北側の軍港に分けてあるのがよくわかる。サラミスにその精鋭の兵力を集結したテミストクレスの知恵が今に生かされているのだろうか。本土を目前にしながらしかも独立を保てるこの位置も、軍港には好適なのだろう。岩山づたいに歩いてサラミス水道の北のほうをもっとよく見たかったが、軍港の真上になるからここも通行止。しかし、軍港の奥が北側エレウシス湾へぬける「入江の出口」で、逆にここから南の方へ岬をこえて行くところが「波さわぐ船路」に違いない。

帰途の船はパルウキアから南へ向かい、シレニアイの浜を回ったところでアンペラキの船着場に寄り、そこからピレフスに向かったが、キュノシュラの（らしい）岬をはずれたら急に海がひらけて、フィラキの灯台を回るあたりから大きく波立ちはじめた。パルウキアからピレフスまでは四十五分。ピレフスの埠頭からふりかえって見るサラミスの海は、午後四時の太陽にきらきらしていた。

【初出】東京大学ギリシャ悲劇研究会第8回公演パンフレット（1965年6月）

トロイア遠征記

一九六五年二月二十六日（金）（イスタンブール投函、家への便り）

月曜日にアテネを出てから五日間にわたったトロイア遠征を終えて、今日午後イスタンブールに帰ってきました。トロイアの遺跡から三十五キロくらい北にあるチェナカレという小さい町で、冬でも開いている中では一番よいというホテルに泊まったのですが、暖房はロビーの薪ストーヴだけで、バスはなく、トイレも、あってなきが如き（？）ありさまで、三晩いたら昼間の強行軍その他でくたくたになり、ここイスタンブールではヒルトンホテル泊まりということに相成りました。

チェナカレの宿は、シングル二室・朝食付・三泊の支払いが総計十ドル（USD）でしたが、ここは、シングル一室一泊の値段が百五トルコ・リラすなわち十一米ドル位。しかしさすがに設備がよくきれいで、正直のところほっとして休めるのがありがたいと話しあっています。私が「取材の下調べ兼通訳」で今度ついている朝日新聞の記者は、「十五年くらい社会部にいて、一年半ほど前から論説委員室というところにいる」疋田桂一郎氏で、なかなかおもしろい、よい人です。職業柄しょっちゅうメモをとっているし、大きな本（筑摩版世界文学全集のホメロス）を持ち歩いて熱心に読んでいるので、つきあいやすいこともあります。新聞日曜版の「世界名作の旅」で、二月七日からのロシア編をずっと担当して、今、このギリシャ編は五月はじめから三回にわけて載せる由、私たちはその第一回分の取材をトロイアでやってきたわけです。

トロイアはダーダネルス海峡のアジア側で、北は黒海、南は地中海への門戸ともいうべき要衝の位置にあり、つい先月まで軍事基地の中にあったため、いろいろ許可を必要とするということで、私たちも現地に着くまでは確かなところはほとんどわかっていませんでした。私は今月十二日にアテネに着いてすぐ、パリを発つ前にシャントレーヌ先生が書いて下さった紹介状をもって在アテネ・フランス研究所（Ecole française d'Athènes）へ行ってたずねたのですが、「トロイは軍事基地の中にあるから、見学には特別な許可が必要。しかしその取得にどのくらい時間がかかるかわからないし、まだこちらでも試みたことがない」とのこと。在アテネのトルコ領事館に行って聞いた時にさえ、許可証のことは現地の警察署へ行かないと分からない、との返事だったのです。

イスタンブールからＤＣ３の小さい飛行機で五十五分ほど飛んで海峡沿岸のバンディルマという町に到着。そこから小型の乗合バスに、全然言葉の通じない（しかし、「話」はけっこうしたのですよ！）トルコ人たちと、それこそ座席ぎっしりにつめこまれて、えんえん四時間かかって（途中バスがパンク一回）チェナカレに着いたのですが、そこでこの地域で唯一の案内所へ来てやっと、出る直前にアテネのトルコ新聞事務所（Turkish Press Bureau, Philelinou Str.20. 新聞社というより、閑散とした観光案内所という感じ）で聞いてきた情報「つい二、三日前に通達が来て、今年はトルコでは観光宣伝の大キャンペーンを始めるので、軍事基地区域の立入禁止を廃止し、いっさいの許可手続き等も廃止、自由に見られるようになった」が事実なのを確かめることができた次第でした。観光シーズンにはまだ少し早いのと、日本人は三笠宮夫妻以来だということで、皆たいそう親切にしてくれて、また新聞社があまり出費を惜しまなかった（ようにみえました）そのせいもあってか、「遠征」拠点のホテルのひどさを別にすれば、交通手段などなかなかぜいたくな旅でした。着いた晩は観光案内所の所長（Hussein Uruaslan）氏が私たちを自宅によんで三笠宮来訪時の八ミリを映写して見せてくれたり、彼自身がほんとうの馬車を御して私たちをホテルまで送ってくれたり、翌日（第一日目）のトロイア遺跡見学も、自分で長い筒型の望遠鏡持参で案内してくれたり……英語がとても達者で助かりました。

第一日目は、すこし曇り空だったのが残念でしたがあたたかく、『イリアス』の舞台であるトロイアの土地に入り、シュリーマンの「プリアモス王の宝物発掘」で広く知られるようになったトロイアの城跡を見ました。ホメロスに歌われたと考えられる「トロイア第六市」では、アキレウスがヘクトルを追ってめぐった石の城壁に触れ、スカイア門のところでは高い塔のくずれた上に登って、プリアモスやヘレネーのように、そこで合戦の行われた茫々たるトロイアの平原を見渡し、それから、アテネで買ってきた小さい磁石で方角を見ながら遺跡の西北端のあたりまで歩き回った後、小さいアネモネの咲き始めた南面で昼寝してきました。古代ペルシャのクセルクセス王や前四世紀のアレクサンドロス大王が遠征にさいして勝利祈願をしたとされる祭壇周辺の神域も、ほとんど一面、早春の青草に埋もれ、遺跡はどこをどう歩き回ってもよいことになっていたのです。静かで静かで、聞こえるものは遠くの、灌漑用モーターの単調な、ポン、ポンという音と、風と、牛や羊の群れが、前に降った雨のせいで少し水に浸った平原を渡る足音と、それを追う牛飼のかけ声のみでした（本書 p.127 写真参照）。

それで、トロイアの自然は柔和だ、なんて言っていたら、第二日目（昨日）はたいへんな強行軍になってしまいました。というのは、その平原を北へ横切って、「トロイ戦争でギリシャ軍が陣をはった砂浜」まで行き、そこへ流れ込むスカマンドロス河を眺める、という目的で、前記の社長氏から海近くのクムカレという小さい村の小学校の先生あてに用件を書いた手紙をもらって、曇り空のもと朝九時に彼が手配してくれた車で出発。小学校に着いたのが十時少し前。小学校の教員室で、大会議（それもほとんどトルコ語ばかりで、ごく片言のフランス語を話す若い先生をまんなかに）となりましたが、どうやら浸水で平原は歩けない、河川も増水云々。ともかく、まずは平原と河と海とを見渡そうということで、先生二人の後について、学校の向かいの回教寺院のほそい尖塔に登る。狭い狭い螺旋《らせん》階段を一段づつ、肩を壁に擦りつけながら登り、上に出ると風が強く、スカマンドロス河は、西方向の勾配の緩い丘の麓を、大きく曲がって流れている。空も海も、ただ茫々として――。

十一時に小学校に戻り、やはり浜辺まで行きたいと言うと、けっきょく先生方が、膝の上までくるような長靴を私たちに貸してくれて、三人の漁師を先導にともかくどこか海の方へ行かれるようにしてくれるらしい。こうなったらもう成り行きに任せよう、と漁師たちのあとをついてゆくことにして、村中総出の見送りをうけて、水浸しの平原（綿や大麦や胡麻の畑）を、泥の中を歩くこと一時間。やっと海辺に出、Leafの地図で「アカイア軍の上陸港」の東端となっている（と思われる）あたりで小さい舟に乗り込みました。漁師二人がオールで漕ぎ、我々を真ん中に、もう一人の漁師が船尾にのって、「アカイア軍（ギリシャ軍）が船をつけた湾」を、岸に沿って東から西へと横断、着いた先は海に突き出た灯台で、そこは、なんと今世紀は第一次世界大戦時のトルコ軍の要塞。灯台守の二人の男と茶色の大きいやさしい牝犬とは、我々がその要塞を見学に来たと解釈して、大砲の残骸やら、英仏軍爆撃の跡やらを連れ回って熱心にトルコ語で説明してくれ、三人の漁師がそれをそばから易しいトルコ語に直してくれて（いるらしい）、それに疋田さんのカンと、私がわずかだけ習い覚えていたトルコ語とで、ともかく言わんとするところは分かりました。

一巡を終え、昼食は灯台守たちの生活の場らしいタテアナ住居で、社長氏が用意してもたせてくれた我々二人分のお弁当を、漁師三人と計五人（と一匹）で分けて食べ（パン、チーズ、卵、ソーセージ、羊肉などの他に生のニンジン、生のネギなどがそのまま入っていて、とてもおいしく食べました）、もう食事はすんだという灯台守がみんなにトルコらしく濃い濃い紅茶を出してくれ、時々会話（?!）もやり（こうなると、なまじ他の外国語に慣れているつもりの私より疋田さんのほうが、ガゼン、ツヨカッタです）……みんなで笑い出すようなこともあって、とても楽しかったのですが、さて、と腰をあげたら外は雨。さきほどの小学校の教員室のバロメーターが、一、二時間後には雨と予告していたのも誤りではなかった。しかし待っても晴れる見込みもないとの判断で、また舟を出しました。

曇り空の下でみどり色が美しかった海も今は白っぽくなり、アキレウスの母なる女神テティスが「霧のように白い海面から立ち上がった」のは、やはりこういう天気の時に違いないと見ながら、小舟は走る波頭をよぎりましたが、荒涼ともなんともいいようのない岸を見やり、茶色っぽい濁流となって緑色が残る海へ流れ込むスカマンドロスの河口の印象ともあわせての実感は、武具のきらめく合戦よりも、『イリアス』第七巻の終わりや第十二巻冒頭の、「トロイ戦争ももうすっかり昔の話となってしまったときに、ポセイドンとアポロンは、アカイア軍の造った陣営の壁を壊すことを考え、九日のあいだ、ゼウスが絶え間なく雨を降らせてすべてを海へと流し去り、また砂でおおってしまった……」という叙述そのままでした。

プリアモスの城（トロイアの遺跡）だけに満足しなかった我々のヒュブリス（思い上がり）に対する大神

ゼウスの罰かどうか、海の上の小舟でまむかいからの雨とにがい潮水と強風とに堪えようとしているわたしたちの上へ、ゼウスはその上に雷を轟かせ、さすがの漁師もふうふう言って進まぬ舟に手をやいていました。あとで疋田さんは、「あのときは、あなたはここで死んでも本望というような顔で平気でいたが、ぼくはしばらくの間、これはたいへんなことになった、と非常に不安だった」と言っていました。じっさい私は、舟がはたして進んでいるのか、とか、にがい海水が目にも入ってしみるのを拭くわけにもゆかなくてつらい、とかは思いましたが、こわいとか、みじめな気持ちには少しもなりませんでした。死んでもいい、とも思いませんでしたが。しかし、そういう難所もどうやらきりぬけ、けっきょく漂うこと一時間で、もとの枯れ葦の生える砂浜に小舟をつなぐことができ、少しやみそうな雨に急ぎ足でまたまた大平原のぬかるみを歩きに歩き……ところがゼウスの試練はまだつづいて、一瞬、空の明るんだのもつかのま、また轟然たる横なぐりの雨、向かい風に私など飛ばされそうになるところへもってきて今度は大粒の雹が雷とともに吹きつけ、とうとう一行は皆、歩けなくなって、平原の真ん中にあった小屋の軒下で雹のやむのを待ち、またその止み間をみて道路へ逃れ出、そこも濁流となった中を村外れまで辿りつくと、村の入口では心配そうな人たちが、また総出で出迎え、漁師の説明にみな頭をふりふり私たちを見送るのでした。

さっきの小学校では、先生方がストーヴを燃やしスリッパを貸してくれるなど気遣ってくれて、けっきょくまだぬれたまま車でチェナカレへ帰り、暖房のないあのホテルで、ロビーのストーヴにがんがん薪を投げ込み、空いている部屋部屋の椅子をそのまわりに持ち出して、靴下からオーヴァまで拡げて乾かすのにおおわらわ。疋田さんは社長氏の貸してくれたズボンをはいて、二人で夜十一時まで、裏返し表返しして干しましたが、塩水に浸かった私のオーヴァはどうにもしめっぽく（ヒルトンで「至急」のクリーニングに出しました）、しかし二人とも満足して、ホテルさえもう少しよければ、いっしょにもう一度『イリアス』を全部読み直すまでここにいてもいい、と話しあいながら、トロイア遠征を了えました。

明日昼にアテネへ飛んで帰り、一日半アテネで休んで月曜から三、四日の予定で、ペロポンネソス半島南西部のピュロスに（アテネ―カラマタ間飛行機、そこから車）、ネストルの宮殿遺跡を見に行きます。帰途は車を予約して半島を東北に向かい、スパルタまで行けるかどうか、多分カラマタで一泊。その後は、取材の重要テーマのひとつ「羊飼いと羊の群」を追ってアルカディアを通り、トリポリスで一泊し、ティリンスやアガメムノン王のミケーネなどにも寄りながらアテネに戻ります。三月五日から一週間は、エーゲ海一周（クレタ島、ロドス島など）の観光船に乗り、十二日にアテネに帰って、取材助手の仕事は終わる予定です。

当初の話では、この旅の計画は、予約済みの観光船以外は、いっさい私に任せるとのことだったのですが、それで私が計画案を提出したら、宿泊先がいつもユースホステルとなっていたのであちらがびっくりして、「旅程は任せるが、会計関係はこっちでやります」となったのです。

ではまた。みなさんお元気で。

ホメロスとトロイア

二つの英雄叙事詩

一万六千行に近い『イリアス』と一万二千行を超える『オデュッセイア』、この二つの長大な叙事詩の作者ホメロスについては古代から今にいたるまで諸説あるが、その中では、小アジア西南のエーゲ海沿岸地方をその出身地ないしは活動の拠点とした吟誦詩人であったとする考え方が、おそらく最も説得力をもつ説であろう。

『イリアス』は「トロイ戦争」を背景としているが、戦争の原因・経過・結末を述べる物語ではない。第一の原因を黄金のりんごをめぐるパリスの審判であるとする神話も、トロイアを陥落させた木馬の計も『イリアス』の詩人の興味の対象とはなっていない。詩人は、一方に森を焼き尽くす火にも似た槍のきらめきのうちに誉《ほま》れをもとめて大地を轟かせる戦士たち、一方に迫り来る滅亡の予感におしひしがれながら戦うすべもなく戦場にある身内を気づかい嘆くしかないトロイアの老人と女たち、という二つの人間群像によって、あるときは舞台全面をおおい、あるときは背景を構成しながら、ひとりの英雄の悲劇をえがきつくすのである。「足速き」英雄アキレウスは海の女神を母に、人間の男を父にもつ。ホメロスにおいては、彼が女神によって踵の部分以外は不死身にされたという伝説はとりあげられず、母の神性は、アキレウスと最高神ゼウスとを他の英雄たちには決して望みえないような絆で結ぶという点においてのみ意味をもっている。「白銀の足もて女神」テティスの息子だけが、人間の全き生を写した、オリュンポスからの賜物なる楯をもってオリオン星の光芒を放ちながらヘクトルとの戦いに出ることができる。しかしアキレウスの心はあくまでも人間界にあり、彼にとっては父ペレウスの領するテッサリアの沃野フティエこそ、まことに幸の地、常にこがれてやまぬ故郷なのである。英雄たちの中で彼ひとりが北方テッサリアの出であることは、歴史的にも叙事詩の伝承の上からも興味ふかい。

ギリシャ軍中ならびない勇者アキレウスは、実戦上の功績は劣るのに総指揮官の地位ゆえにいつも最上の分け前をとるミケーネの王アガメムノンに対して屈辱と憤りを感じていたが、自分の戦利品でありかつ愛している乙女まで奪われたことでそれが爆発し、王杖を棄てて陣営にひきこもってしまう。ギリシャ方の旗色が悪くなると、アガメムノンは知将オデュッセウス、最も力の強いアイアス、アキレウスを育てた老人フォイニクスの三人を使節にたてて和を申し入れる。三人の説得に返答するうちに、アキレウスのもとめているものは自分の働きに相応な分け前というよりもむしろ傷つけられた名誉の償いであることがあきらかになり、それがアガメムノンの申し出た物質的な償いによっては得られないゆえに、人間は己を制してゼウスの娘たる「祈願の女神たち」を尊ぶべきだとするフォイニクスの勧めも受けいれず、アイアスからの友情の訴えに心は動かされながらも和解を拒み、ひきこもりを続ける。

しかし、このように追い求めた名誉も、自分の代わりに出陣した親友パトロクロスの死によって突然、全く意味を失う。アキレウスは頭から灰をかぶって倒れ、埃の中を転げ回って泣くばかりであり、パトロクロスを殺した敵、トロイアの唯一の守り手なるヘクトルを討ち取って、屍を戦車の後ろに結んで城壁の周りをひきずりまわしても心は少しも休まらない。ところが、パトロクロスを焼く炎がきらめく酒によって消され、

「ふかぶかと灰が崩れ落ちた」とき、はじめて彼の心の中でも何かが崩れ、沈んだのである。彼は帰ろうとする戦士たちをひきとめ、盛大な葬礼の競技を行う。堂々たる戦車競走に始まるこの長い場面では、訓戒・若い気負い・名誉心・企み・諍い・偽りなど人間のあらゆる心象が、衆人環視の中で力を競うという英雄的な尺度にかけられて、いったんむきだしにされ、それらが一つ一つ譲歩と和解によって見事な秩序の中へかえってゆくさまが克明に描き出される。そしてその中心に今は微笑むことをも知ったアキレウスがいて、皆に、最後にはアガメムノンにさえ、価高い賞品を与えるのである。

しかしアキレウスが人に与える最大のもの、それは最終巻におけるヘクトルの屍の返還であろう。しかも、屍に対する侮辱をやめそれを老王プリアモスに返すという行為は、ゼウスからアキレウスに授けられる「名誉」なのである。母なる女神がそれをとりつぎ、アキレウスは「ゼウス自身が命ずることなら」と従う。あれほど激しく名誉を求め失われたものの代償を求めてきた彼が、ヘクトルの屍という、最大の名誉でも償いでもあるものを今自ら抱き上げて、闇夜に訪れたプリアモスの車に乗せてやる。こうして「ゼウスの意思は果たされてゆき」、「名誉」の追求と「祈願」による和解とは、人間界から神界に拡大されて完成するが、しかしそこで人間たちはどうなるのか。アキレウスに残されたものは嘆きと自らの死の予感であり、『イリアス』は、トロイアの人々のヘクトルを悼む哀号と葬儀のうちに終わる。

『イリアス』は英雄アキレウスを余すところなく歌いあげた。この周囲には同じくトロイ戦争に関係しながら『イリアス』には出ない伝説を歌う叙事詩も出てきたらしい。英雄たちのトロイアからの帰国を題材とするものもあった。『オデュッセイア』も、枠組みとしてはオデュッセウスの帰還物語である。最後の滞在をしたアルキノオス王の宮廷でオデュッセウス自身が物語ったところでは、かれは三年間地中海を漂流してエジプトの「蓮《はす》の実食い人種」に出あい、冥界の亡霊とも対話し、イタリア西岸では一つ目の巨人や海の怪物に苦しめられる。ついに神々のはからいで西の果てジブラルタル海峡の緑深い島を後にしたときには、トロイアを出て十年の月日が流れ去っていた。故郷イタケ島に帰ったかれは、立派に成人した息子テレマコスや忠実な召使いとともに、留守中かれの妃に求婚して家を荒らしていた貴族たちに復讐して王位をたてなおす。

トロイアの滅亡後に生き残った英雄たちの運命はそれぞれに興味ふかく、古典期アテナイの悲劇詩人たちもしばしばそれをとりあげている。しかしホメロスにとっては、オデュッセウスこそ誰よりも追究しなければならない人間だったのであろう。戦場の英雄に混じっては背丈も目立つほど高くはなく、会議の場では立ち上がりざま、目は地面をみつめたままで身動きもせずにいるが、ひとたび話を始めると「大声は胸の奥から」「言葉は冬の日の吹雪のように」湧いてつきない。困難に遭うごとに繰り返す我と我が心への語りかけ（独白）にもみられるように、「すべてに耐え」常に己の知に頼り己を制することによって状況をきりぬけてゆく、アキレウスとは正反対の英雄である。オデュッセウスは時に応じて自分をどのようにも偽ることができ、人を試して思いのままに動かすことができた。ただ一度、二十年ぶりに聡明で貞淑な妻ペネロペイアと再会したとき以外には。

テクストの伝承

口承で伝えられてきたホメロスの詩が、どのようにして書かれたテクストになったのかは議論が多いが、ここでアテナイが重要な役割を果たしたことは確かである。前六世紀にはテクスト整備の試みがなされたこと、ホメロスの朗誦がパンアテナイア祭のプログラムに入れられたことが伝えられている。朗誦者たちのテクストがどのような状態であったのか、全部を朗誦したものかどうか疑わしい。プルタルコスの『アルキビアデス伝』には、読み書きの教師が自分で訂正したホメロスを持っているという話がある。いわば自家製改訂版の形でホメロスの本が所有されたことはテクストの混乱につながることではあるが、それはまた、作品がくり返し愛読され、記憶に刻み込まれてポリス社会に根を深くおろしていたこと、ホメロスはまことに「ギリシャの教育者」であったことをも意味するであろう。

このような数多い異本を集めて整理し批判検討してテクストを確立するのは、前三世紀前半から前二世紀前半に至るアレクサンドレイアの文献学者たちの仕事になり、なかでもアリスタルコスの業績は大きかった。かれの校訂記号つきの『イリアス』は、パピルス断片「ハワラ・パピルス」（紀元二世紀）にも、さらに『イリアス』のもっとも立派な写本であるビザンツ時代十世紀書写の『ヴェネツィアA本』（*Marcianus 454*）に、こちらでは欄外の古注も合わせて伝えられている（部分的には十五世紀に補充された紙葉もある）。『オデュッセイア』のほうも、古くは前一世紀のものも含めて多数のパピルス断片があり、中世写本も十世紀に遡るフィレンツェ本（*Laurentianus 32.24*）をはじめとする十点ほどが現存している。なお断片的にではあるが、紀元後五世紀制作、絵入りの皮紙冊子（大文字）本『イリアス』がミラノのアンブロシウス図書館にある。

ホメロスの初版本は、一四八八年フィレンツェのギリシャ人学者で写本制作者かつ印刷者であったデメトリオス・カルコンデュラスによって刊行されたが、古注は付いていなかった。十六世紀に入るとヴェネツィア（アルド一五〇四年、一七年、二四年）のほか、フィレンツェ、ルーヴァン、シュトラスブルク、バーゼル（伝ディディデュモスの注釈をふくむ）など各地で刊行が続いたが、ヴェネツィアA本の古注が初めて活字になったのは、フランスのヴィロワゾン（J.P.G.d'Ansse de Villoison, Paris 1788）によってであった。

遺跡トロイアとトロイア人の言葉

トロイアは小アジア北西の端、現在のダーダネルス海峡（古代のヘレスポントス）の入口に位置している。この狭い海峡は、南はエーゲ海から地中海へ、北はマルマラ海を経て黒海（その沿岸地方は豊富な穀物や鉱物資源で古代から知られていた）へ到る「水続き」の海峡であり、イリオスともよばれた「風吹きすさむ」トロイアの都の遺跡があるヒッサルリクの丘へは、海岸から南へ四―五キロほど、平原の大部分が今は綿畑になっているが、シモエイス河とスカマンドロス河に潤される湿地で、春先の激しい雨にあうと一面ぬかるみになってしまう。

平原に立つとその名のとおり城砦のように見えるこのヒッサルリクの丘が「ホメロスのトロイア」であるとの説は、十九世紀半ばから出ており、最初の試掘は一八六五年にイギリス人のF・カルヴァートによってなされた。広く知られているシュリーマンによる発掘は一八七〇年に始まり、そしてその協力者デルプフェルトにひきつがれ、さらにアメリカ・シンシナティ大学のブレーゲン博士によって第二次大戦勃発まで続けられた。

最下層には前二千年代の住居跡が発見され、途中断絶はあるが最上層にはローマ時代の遺構が見られる。デルプフェルトが発見したトロイア第六市の塔のある立派な城壁が遺跡外郭の大部分（北面を除く）をなしており、広さは、東西二百メートル、南北百五十メートルほどでアテナイのアクロポリスよりも狭い。このように小規模なのは、この時代の城壁がミケーネなどの場合と同じく、攻撃よりも防備を目的として、内部に王家の富を蔵し、戦時の包囲にも耐えるべく造られたものであるためと考えられている。トロイア第六市にはミケーネやティリンスの玉座の間にも似た型式をもつ住居跡が見られ、土器・財宝などの出土品も、ギリシャ本土ミケーネ文明との交流を物語る。ホメーロスにはトロイアの豪華な織物が驚嘆をもって謳われており、また「馬を馴らす」、「良い馬をもつ」などの形容詞の用法からみると、良い馬もトロイアの富の重要な部分をなしていたのであろう。第六市は前十三世紀初頭に地震で壊されたらしいが、この第六市とこれに修復や新建造を加えてできた第七市の初期の部分との間には、出土品の点でもほとんど相違はなく、文明の断絶は見られないとされている。

古代の学者たちが計算した「トロイア陥落」の年代は、前十四世紀後半から前十二世紀後半までの間で諸説ある。ブレーゲン博士は、トロイア第七市初期の部分が破壊された年代を前一二六〇年頃とみて、ホメロスのトロイアは、この部分とそれに先立つ第六市時代のトロイアに関する伝承が融合して出来上がったものとする。ホメロスでは、トロイアを攻めたギリシャ方の船勢のカタログにミケーネ時代に栄えた都の名がいくつか残されており、一方、植民活動など前十世紀あるいはそれ以後ホメロスまでの時代を歌ったとみられるところもあって、やはり詩人が長い伝承を負っていることが考えられる。

トロイアの遺跡からは、古代の文字史料は発見されていない。そのためにトロイアの人々がどのような言語を使っていたのか確証はない。古典期のギリシャにおいては、トロイアとギリシャでは別の言語が使われていたという一般的な了解があったらしく、それは、弁論家ゴルギアスの『パラメデスの弁明』に、トロイ戦争で敵方への内通を責められた男が「ギリシャ人である私がトロイア方に内通するには通訳（hermeneus）

トロイアの埋もれた神域でガイドの説明を聞く：1965年2月（疋田桂一郎氏写す）

同じ神域の半世紀後：2011年10月（見学路から篠宮丈夫氏写す）

が必要。しかし通訳を介したら第三者が入ることになって内通など成り立たない」という論法で無実の弁明をしている、という話があることからも肯けよう。しかしホメロスにはこの話は無く、また、トロイア王家のプリアモス王やヘクトルと、攻めるギリシャ方のアキレウスとの間に通訳は必要とされていない。さらにトロイア方の援軍として活躍する武将たちの中には、サルペドンやグラウコスのように、ギリシャ本土とリュキア（小アジアの地中海沿岸の地方）両方の血をひく者もいる。

ホメロスの出身地ないしは吟誦詩人としての活動の拠点であったと考えられるこの沿岸地方には、今日まで古代ギリシャの遺跡が数多く残っており、その一例であるリュキア地方の碑文には現地のリュキア語とギリシャ語とが併記された頌徳碑文（前五世紀末）や、それに当時（前四世紀）の公用語であったアラム語（非印欧語系）も加えた三言語併用の行政碑文もある。さらに時代が降ってコンスタンチノープル（現代のイスタンブール）を首都とするビザンツ時代になれば、皇帝アナスタシオス一世（四九一―五一八在位）によるギリシャ語（公用語）の勅令を記した大理石碑文（海峡を通過する船舶・人・商品に対する関税の規定）がこの地から出土して、イスタンブールの考古学博物館に展示されている。ギリシャ語は、統治者一族やその周辺の人々（吟誦詩人などもそこに入るが）の言語として、また役人、貿易商人、碑を刻む石工などにとっては職業上必要な言葉として、長い間使われていたのである。黒海方面にも地中海方面にも通じていてヨーロッパ大陸とアジア大陸との接点ともいえるこの地域には、ホメロス以前の時代から、系統や方言の違いの有無もふくめてさまざまな言葉を話す人々の往来あるいは来住があったと思われる。トロイアの人々も、「原住民」の言葉がどのようなものであったにせよ、その多くが、それぞれの出自と必要とに応じて熟達程度に差のある「ギリシャ語をふくむバイリンガルないしはマルチリンガル」だったと考えられるのではないだろうか。

【初出】『世界歴史シリーズ2　古代ギリシア』（世界文化社1968年）

【付記】 第二次世界大戦の後、一九五二年にトルコはNATO加盟国となり、トロイア遺跡のある地域は軍事基地に入っていて、一九六五年二月まで立入禁止となっていた（本書「トロイア遠征記」参照）。

アメリカ、ドイツ（チュービンゲン大学）など国際的な調査チームが組織されたのは一九八八年。今世紀に入って地元トルコの大学も積極的に参加して、地中海沿岸の小アジア各地に残るギリシャ・ローマ遺跡でと同様トロイアでも盛んな発掘活動が展開されることになる。二〇一一年秋に川島重成氏（国際基督教大学引率の小アジア地方へのグループ旅行に参加して私がトロイアを再訪した時には、遺跡全体の発掘が進んでいて、「前四八〇年にペルシャのクセルクセス王が、そしてその百五十年後にアレクサンドロス大王が、戦勝祈願した祭壇」も、その神域もすっかり掘り出され、以前にはまったく無かった「見学路」まで整備されていて、一九六五年から半世紀を経ての変貌に目をみはった。考古学・歴史学のあらたな知見も積み重ねられているに違いない。

本稿中、トロイア発掘の始まりについては、D・トレイル『シュリーマン　黄金と偽りのトロイ』（周藤芳幸・澤田典子・北村陽子訳、青木書店1999年）とくに第三章、第七章を参照した。また「トロイア人の言葉」関連では、拙稿「『イリアス』におけるトロイア方援軍の言葉—小アジア沿岸の旅から」『フィロロギカ』第Ⅷ号（古典文献学研究会2013年5月）にやや詳しい研究ノートがある。（二〇二〇年十二月記）

ギリシャ神話の世界

叙事詩の神々　「ギリシャ人のために神々の系譜をつくり、神々に呼び名を与えてその支配領域と仕事を配分し、神々の姿を示したのは、ヘシオドス、ホメロスの両詩人が最初である。」これは紀元前五世紀のギリシャの歴史家ヘロドトスの言葉です（『歴史』第二巻五十三節）。もちろんヘロドトスは、ギリシャ神話がすべて両詩人の独創であるといっているのではありません。かれは、ギリシャの神々にはエジプトから伝来したものが多い、と考えていました。一方、両詩人以前の時代からギリシャ各地に伝わっていた伝説や個々の神の社《やしろ》や祭りについても、わたしたちより多くのことを知っていたはずです。そのうえでなお、このような言葉を残しているのです。ギリシャ神話の骨格は詩人たちの作品によってできている、というヘロドトスの主張は、わたしたちにギリシャ神話の世界について考えるときの出発点を示している、といってよいでしょう。

一例ですが、本章扉（91頁）にある写真は、両手付き混酒器（クラテール）で、キプロス島最古の都市エンコミにあるミケーネ時代の墓から出土した紀元前十四世紀初期のものです。この壺が名高いのは、何よりまず、戦車に乗って出陣する戦士たち（画面左）の前に一人の男が天秤を差し出している（画面右端）という図柄が、見る人に『イリアス』の一場面を思い出させるからでしょう。アキレウスに追われて逃げるヘクトルが城壁を三周したところで、天上の最高神ゼウスが黄金の天秤を取り出して二人の英雄の運命を秤にかける、するとヘクトルの方が下がってその死が決定する、という『イリアス』二十二巻のあの場面（22.209）です。戦没者への哀悼と、人は死すべきものという自覚とを基底にもつ古い古い神話を、陶工は壺絵の形に、叙事詩人は『イリアス』の形にして、それが現代にまで届いているのだと思います。

前七〇〇年ごろの人といわれる両詩人の作品は、ヘシオドスが『神々の誕生』と『仕事と日々』(『農事暦』とも訳される)、ホメロスが『イリアス』と『オデュッセイア』で、いずれも形式は叙事詩です。叙事詩は口誦に適した特有の韻律と言葉遣いによっており、職業的な吟誦詩人であった作者が、人々の集まる祭典の場で歌いきかせたものです。そしてその後も各地でくりかえし歌い継がれるなかで、いっそうみがかれたものになり、ひろめられてゆきました。それが文字化された本となったのは、おそらく前六世紀より後ではないかと考えられています。

ヘシオドス、ホメロスの詩に登場する神々は数百にもおよぶのですが、わたしたちの目からみれば、だいたい次のように分けられます。

まず、おそらく先史時代から特定の祭りと職能をもっていたと考えられる神々で、なかでもオリュンポスの十二神がとくに有名です。一般的に知られたローマ名も併記しますと、主神は天空と正義の神ゼウス(ユピテル)で、その妃で婚姻を司るヘラ(ユノ)、ゼウスの兄弟で海を支配し大地をゆるがすポセイドン(ネプトゥヌス)、姉妹で農作物栽培を司るデメテル(ケレス)、ゼウスの頭から生まれて町の守護と軍事と手仕事とを司る女神アテナ(ミネルヴァ)、竪琴と銀の弓をもつ光と秩序の神アポロン(アポロ)、その妹で狩猟と動物保護に関わる処女神アルテミス(ディアナ)、性的な愛と美の女神アフロディテ(ヴェヌス)、火と鍛冶の神ヘファイストス(ヴルカヌス)、混乱と戦いの神アレス(マルス)、神々から人間への使者で旅の道案内や商取引の守護をするヘルメス(メルクリウス)、ぶどうからワインが造れることを人間に教えたディオニュソス/バッコスらが一族を構成して、支配領域を分担しています。また、この系列では、アフロディテの息子エロス（クピド）や、アポロンの息子で蛇の巻きついた杖をもつ医術の神アスクレピオスなどもいます。祭神としてよりも神話の登場人物として知られる巨神たちもいます。かれらはオリュンポスの神々よりも古い世代に属しています。大地ガイアと天空ウーラノスとの結合から生まれてゼウスの父となるクロノス、ゼウスの火を盗んで人間に与えたプロメテウス、天を支えるアトラスなどです。

自然現象をさす名詞がそのまま神の系譜に連なっている場合もあります。大地ガイアは自分にふさわしい相手として最初に天空（ウーラノス）を生みました。夜（ニュクス）、大気（アイテール）、昼（ヘーメラー）、などは空間（カオス）から生じたものです。バラ色の指をもつ暁（エーオース）は、太陽（ヘーリオス）や月（セレーネー）と並んで巨神族に入っており、河川や大洋（オーケアノス）も同様です。

人間の営みに関わる名詞が神の名になっている例もあります。勝利（ニーケー）、判断の惑い（アーテー）、正義の怒り・神罰（ネメシス）、死（タナトス）、眠り（ヒュプノス）、つつしみ（アイドース）、正義（ディケー）、記憶（ムネーモシュネー）、説得（ペイトー）、うわさ（フェーメー）など、あらゆる分野にわたっています。ヘシオドスの『神々の誕生』によれば、死、眠り、争い（エリス）などは夜から生まれたもの、ついで、争い（エリス）からは苦労（ポノス）、戦い（マケー）、飢え（リーモス）などがでてきたとされています。こうした系譜は、現実の社会に対する、詩人の鋭い観察と批判を表しているともいえるでしょう。

このようにさまざまのものがみな神として理解され、系譜の中におさめられている、というのは、一見奇異な感じがするかもしれません。しかしそれはわたしたちが、自分のもっている「神」という考えをここでもあてはめてみるために、そう感じられるのではないでしょうか。古代ギリシャの人々は、絶対的服従を要求する唯一神に帰依したのではなく、かといって人間となんのかかわりもない個々の物体の中にまで、つねに神が宿っていると信じたのでもありません。かれらは、自然の姿であれ、人の世の出来事であれ、心の動きであれ、何ものかが人間に強く働きかけてくるのを感じたとき、あるいは人間がそれに向かってよびかけずにはいられないとき、その力を神と認め、そのものの名で呼んだのです。

母神としての大地ガイア　宇宙生成にかんするギリシャ神話が他民族の神話と大きく異なる点は、母神としての大地ガイアをもっていることだといわれます[1]。穀物の豊作をつかさどる農業の女神はギリシャ以外にも見られますが、それはオリュンポス神のうちのデメテルの役割です。ギリシャ神話の大地ガイアは、より広い範囲にわたる重要な役割を与えられています。

ギリシャ神話の神々の系譜でみると、ガイアは空間カオスなどと並んでまず最初に生じてきたものであり、天空ウーラノスでさえ、ガイアひとりから生まれたものとされています。そして父神ウーラノスと母神ガイアとの間にさまざまの巨神たちが誕生し、そのひとりである力の強いクロノスが、父ウーラノスを倒して支配権を手に入れます。そのクロノスもまた、自分の息子であるゼウスとの戦いに敗れて闇の底に閉じこめられ、ゼウスを主神とするオリュンポスの神々の世代となります。三代にわたる支配者の交替があるわけですが、その原動力となっているのがガイアです。ガイアはウーラノスの横暴な行動に怒って、息子に知恵を授けてかれを倒させました。次の代では、父クロノスに飲み込まれそうになっていたゼウスを受け入れて育ててやりました。しかも三代の支配者たちにおこる事件を、すべて見通して予言していたのもガイアだったの

1 ── 久保正彰『ギリシア思想の素地─ヘシオドスと叙事詩』(岩波新書1973年)とくに第3章の「大地のちから」参照。

です。そして、世界の初めから存在し、多くのものを生み育ててきたガイアは、ゼウスの時代にあっても変わることなくその地位を保ち、ゼウスの支配を確かなものとするため助言をしています。

ホメロスの詩では、ガイアはオリュンポスの神々のはなやかな活動のかげに隠れがちではありますが、巨神族を産んだ母神としての名も忘れられてはいません。また、英雄アキレウスは、自分が倒した敵将ヘクトルの死体を戦車につけて引き回しますが、神アポロンは、その行為は大地ガイアを汚すものだ、と言ってやめさせています。大地は人間が汚してはならないもの、聖なるもの、すなわち神だからです。人間が誓いをするときに、ガイアによびかけて立ち会いを頼むのもそのためです。はげしい戦いの場にあっては、「戦士たちの足もとでガイアはうめき声をあげ、黒いガイアは血で流れた」とホメロスはうたっています。そして、麦のみのりをもたらし、人や家畜、すべてのものを養う大地ガイアはまた、生命の絶えたものをその広やかな胸にだきとめてくれる母神でもありました。ゼウスとその兄弟が世界を三つに分けて支配領域をきめたとき、ガイアはオリュンポスと同様に、だれの支配もうけない、神々の共有の場とされました。神々と人間の活動のすべてにわたって、それを文字通り根底においてささえる力としての地位を、ギリシャ神話のガイアはもっているのです。

神々のはたらき　オリュンポスの神々は、系譜の上では巨神族につづく世代とされています。不老不死の身で、いつも晴れわたったオリュンポス山の高みから、人間たちの動きをよく見ています。そして人間が何かその場に応じた行動をとる必要とするとき、神はその姿を人間界に現します。

『イリアス』では総指揮官に腹をたてたアキレウスが、剣に手をかけて、切りかかろうか、それとも思いとどまろうかと思案したとき、女神アテナは空から降りてきて英雄の髪をつかんで制止し、英雄もそれに従います。この場面をみてもわかるように、わたしたちなら人間が決断したのだ、と考えるようなところは、神が出現したのだ、とうたわれています。

『オデュッセイア』で、帰還した主人公が敵たちを倒す準備をするところをみましょう。オデュッセウスとその息子とが、楯や槍を庫に運びこむ間、女神アテナは黄金のランプをかかげて、なみはずれて明るい光を投げてやります。女神の姿は見えないので、息子は声をあげ、「父上、なんとふしぎな光景でしょう。広間の壁も高い柱も、輝く火がついたように目に映ります。きっと大空の神々のだれかがこの家の中にいるにちがいない」と言います。思慮ぶかいオデュッセウスは、「静かに。それはおまえの心におさめて、口には出すな。これがオリュンポスの神々のやり方なのだ」と答えます。オデュッセウスは女神アテナをさえ驚かせたことがあるほど知恵にたけた英雄でしたから、このときも女神の存在をよく知っていたのです。しかも『オデュッセイア』のこの場面をくわしく読んでみると、仕事の責任者は息子で、あかりをもつのはオデュッセウスのはず、という設定になっているのがわかります。ですからオデュッセウスの行為として述べられるはずのところですが、それが神のなしたこととして歌われる点にギリシャ的な特色があります。つまり、神はたんなる助け手ではなく、本来の行為者なのであって、人間の重要な行為があるところには、必ず生き生きとした神の存在が知られるのです。

さきにも少し触れましたが、わたしたちならば人間の心の中のこと、抽象概念と考えるものも、やはり人間に対して外からせまってくる力とされていました。スパルタ王妃でありながら、トロイの王子に連れ去られたヘレネーは、自分がトロイ戦争という災いをもたらした女として非難されるのを嘆いています。しかし彼女は、自分の行動の原因が、女神アフロディテから送られた「惑い（アーテー）」にあると知っています。「惑い」は足の速い女神ですから、ヘレネーは逃れられなかったのです。彼女は自分を責めますが、卑屈になったり絶望したりすることはありません。ヘレネーは、トロイにあってもスパルタへ帰国してからも、いつも優雅で聡明な女として描かれています。そこには、人間の意志よりもはるかに強い力の存在を知った者のもつ、明るさとおおらかさが感じられます。

叙事詩から悲劇へ　叙事詩人のうたった神々と人間の世界は、前五世紀のギリシャ悲劇の作者たちにひきつがれました。英雄たちは叙事詩の時代さながらに、善悪の判断をこえた堂々たる姿で、悲劇の舞台に登場してきます。しかしそこには合唱団（コロス）が出ていて、英雄たちと言葉を交わし、問題は、ほんとうにそれでかたづいたのだろうか、と疑問をなげかけます。――たしかにヘレネーは、エロスとアフロディテからきた力、人間では抵抗できない力に動かされたのだ。アガメムノンは、トロイの王子によってふみにじられた名誉と正義をとりもどすためにギリシャ全土の男たちを率いて戦い、トロイを滅ぼした。しかし、それでは戦いに苦しむ人々の嘆き、流された血のつぐないはどうなるのか。最終的な正義はどこにもとめたらよいのか。

最初の偉大な悲劇詩人であるアイスキュロスは、『オレステイア』三部作で、そのような問題にとりくみました。遠征から凱旋した、アルゴスの王でヘレネーの義兄にあたるアガメムノンは、戦争の悲惨と、自分の娘を船出祈願のための犠牲（いけにえ）にしたこととの償いとして、王妃の手で殺されます。王妃自身は、第二部で自分の息子の報復をうけて倒れ、息子オレステスは、つづく第三部で母殺しの罪人として、血の正義をとなえる復讐の女神たちに追われることになります。舞台は最後にはアテネの法廷にうつり、国の守護神としての女神アテナが審判にたちます。その結果、オレステスは無罪になり、アルゴスとアテネの間に平和が約されます。復讐の女神たちも、人間の繁栄になくてはならない「恵みの女神たち」の位を与えられて末長く敬われる、という条件で怒りをしずめ、和解して悲劇は終わります。

アイスキュロスは、大地に流れた血の問題は、もはや英雄個人の問題としてでは解決できないと考え、新しい社会の構想をうたうことによって、仇討ちに終止符をうちます。この社会秩序の基盤としておかれるのが恵みの女神たちですが、その前身である復讐の女神たちは、じつはすでにヘシオドスのたてた神々の系譜の中で、大地ガイアの娘として位置づけられていたものです。このように、ギリシャ神話の世界は、叙事詩によってつくられた骨格を保ちながら、悲劇によってさらにふかい考察を加えられ、ひろい展望をえて、豊かになってゆきます。

【初出】『少年少女世界の文学1　ギリシア・ローマ神話』（暁教育図書1979年）

【付記】本書では、ギリシャ語固有名詞の音引きは原則として省略しているが、自然現象や人間の営みに関わる普通名詞（太陽＝ヘーリオス、戦い＝マケーなど）がそのまま神の名でもある場合に音引きを残した。

黒海のほとり

国際女性建築家会議（ＵＩＦＡ）の皆様が、ブカレスト大会の関連行事で黒海のクルーズをなさったと聞いて、古代西洋の古典を勉強している者としてはとても羨ましく思っていました。前四世紀ギリシャの哲学者プラトンが『ファイドン』（109B）（『パイドン』とも表記される）の中で、人々は「池の周りの蛙やアリのように」水の溜まり場（湖とか海とか）を求めて住みつく、と書いたように、この沿岸一帯には古代ギリシャが前七世紀以来植民して建設した町が多いからです。

ご存じのように、黒海は、イスタンブール南面のマルマラ海を継ぎ手にして、エーゲ海から地中海へと「水つづき」になっており、黒海の沿岸地域は古代からすでに、穀物や鉱物（ブロンズの原料である錫など）の資源が豊かなことで知られていました。パルテノン神殿など輝かしい文化を誇ったギリシャのアテネも、食糧はこの地方からの海路による輸入に大きく依存していたのです。前五世紀末、都市国家間の戦争でアテネの食糧事情が悪くなると、穀物商人たちが「黒海にいる船が難破した」、「取引所の閉鎖も近い」などとデマを流して穀物価格のつり上げを狙うこともあったようで、それを告発する弁論作品が今日まで伝存しています。

クルーズはコンスタンツァの港から出航とのことでしたが、この町にもまたとくべつな興味をそそられます。映画好きの人なら、一九九五年にテオ・アンゲロプゥロス監督の『ユリシーズの瞳』（下敷きはギリシャ古典の、ホメロス作『オデュッセイア』です）という映画があって、主人公の生家のある軍港の町がコンスタンツァで、主人公はそこからベオグラードへ密航するため貨物船に乗込むという場面があったのを記憶しているでしょう。コンスタンツァの西に延びる運河はドナウ川につながり、貨物船は川を遡ってドイツまで行く。コンスタンツァは東部中部ヨーロッパの大動脈と黒海とを結ぶ、まさに要の位置にあるわけです。

一方、古典に関心をもつ者には、コンスタンツァ（古名はトミスといいました）は、何といっても『変身物語』（*Metamorphoses*）の作者、紀元前後のローマの詩人オウィディウス（Ovidius）が、皇帝アウグストゥスから流刑を命じられてそこで没した、その地として知られています。町の広場には、この詩人の像、な

ベルニーニ作「アポロとダフネ」、1622―25年。ローマ、ボルゲーゼ美術館蔵

J. L. ジェローム作「ピグマリオンとガラテア」、1890年頃。ニューヨーク、メトロポリタン美術館蔵

かなか立派な像があるのですね。なぜ流刑になったのか、詩人自身は「詩と過ちにより」、と記していて、「詩」のほうは『恋の技法』という作品が皇帝の綱紀粛正方針に触れたためらしいですが、「過ち」のほうは研究者の間でも諸説紛々、けっきょく真相は不明のようです。現地のルーマニア人は「皇帝の妃を好きになったから」と言っているんですって？　妃の入浴を覗き見したから、という説の「上品ヴァージョン」でしょうか。

『変身物語』そのものは、岩波文庫に翻訳もありますが、一般にギリシャ・ローマ神話といわれている話の、いわば「元ネタ」のひとつです。青年神アポロの初恋の相手である娘ダフネが、神との結婚を拒んで逃げ、まさに追いつかれようとする瞬間に月桂樹に変身する。神が真新しい樹皮に触れるとその下に娘の心臓の鼓動が聞こえる……。ベルニーニの彫像（前頁上図）は変身の瞬間をとらえています。また、自分の作品に恋した彫刻師ピグマリオンの話（この話はミュージカル『マイ・フェア・レディ』の原形としても知られます）。象牙彫りの乙女の像を造ってその美しさに魅せられ、愛の女神に祈願してから像に口づけしたら、像がなんだかあたたかいように感じられて、そこには恥じらいをふくんだ生身の乙女が……。もとの話に比べるところのジェロームの油彩画（前頁下図）は、かなり通俗化され、粗っぽい形になってはいますが、『変身物語』が西洋の文化に残した影響の大きさをあらためて感じさせられる一例です。

そんなオウィディウスゆかりの地、黒海のほとりの町、そして海。いつか私もぜひ行ってみたいと思っています。

【初出】『国際女性建築家会議　第１５回ブカレスト大会（ルーマニア・２００７年１０月）報告書』（２００９年３月）

セイレンの誘惑——叙事詩『オデュッセイア』から

成蹊大学文学部のカリキュラムに「ギリシャ・ローマ文化」という科目が加えられたのは、今から二十数年前だったと記憶しています。私もその担当者の一人として、古代ギリシャ文学関係の話をしましたが、とくに、古代ギリシャの二つの叙事詩『イリアス』と『オデュッセイア』とを度々とりあげました。詩人ホメロスに帰せられるこの二つの作品は、西洋文化との接触のなかで育った人ならだれでも、多少の差はあれ知っている、世界の文学の中では、もっとも古い、そして「メジャー中のメジャー」といえるような作品です。幸いに文庫版で日本語訳もありますから、それを使って、学生の皆さんにはぜひ全体を通読してもらいたかったのです。『イリアス』も『オデュッセイア』も今から二千数百年も昔にできた話なのに、今日の目で読み直すと、そこにはいつも必ず、何か現代の私たちが抱えるさまざまな問題につながるものが見出せるので、私の講義はそれを考えるきっかけを作る、いわば読書案内でした。今日の話も、二十分という制限時間の中ですが、その一つの例になればと願っています。

ホメロス作とされる二つの叙事詩はともに、ギリシャからの軍勢（ギリシャ全土からそれぞれの地方の領主に率いられて来た、船の総数千二百隻ほど、人数にしてざっと十万人ほどの大規模な連合艦隊です）[1]が海を渡って、現在のトルコのダーダネルス海峡の入口にあたるトロイの都（イリオン／イリオスとも呼ばれる）を攻めて陥落させた「トロイ戦争」を背景にしています。『イリアス』は、このトロイを舞台として、攻める方守る方、双方の英雄たちの生と死を語る叙事詩です。今日ここでとりあげる『オデュッセイア』のほうは、『イリアス』の後日談というか、トロイが陥落したあとの話で、主人公はオデュッセウス、[2]勝利したギリシャ方の英雄の一人です。かれは、ほかの領主たちの多くがそれぞれの故郷へ帰還したあとも、十年間も漂流して、怪物や魔物の住む、人間世界とは異なる「異界」を地下の冥府まで行き、その間に仲間たちを失いながらも知恵と策略で数々の苦難を切り抜けて、やっと一人故郷へ帰り着くのです。オデュッセウスはイタケという、エーゲ海の小さい島の領主で、ギリシャ方の英雄たちの中でもとくに知恵にたけた人物として描かれています。木馬の内部に多数の兵士を隠して城内に引き入れさせてトロイを滅ぼした、あの「トロイの木馬」(コンピュータに侵入してその内部から機能の安全を脅かすソフトウェアの名称にもなりました)の計略も彼の考えによるものとされています(『オデュッセイア』8.469参照)。

今日とりあげるのは、このオデュッセウスが漂流中に海の怪物セイレン[3]に出あったときの話で、『オデュッセイア』の第十二巻(文庫版では上巻の最後)にでています。「セイレン」というのはギリシャ語で、ご存じのように、すでに日本語になっている(救急車やパトカーの)「サイレン」は「セイレン」を英語読みしたところからきています。[4]

この、オデュッセウスとセイレンの話は、ギリシャ神話の一齣としてご存じの方も多いと思います。ホメロスでは、オデュッセウスの冒険はどれも、オデュッセウス自身が語る体験談の形をとっているのですが、そのひとつで、ごくおおまかに言うと次のようになるでしょう。

オデュッセウスの船はセイレンたちのいる島の近くを通らねばならない。セイレンというのは、甘い声で歌を歌って人を魔法にかけて誘惑する女で、海を行く船乗りがその歌声に惹きつけられて船を島に寄せるとそれきり、故郷へ帰ることができなくなって、けっきょくそこで死んでしまう。セイレンたちのいる野原には花が咲いていて、その周りにはまた、死んで干涸びてゆく人間たちの骨がうずたかく積もってもいる。このような、セイレンの歌声がもつ魅力とおそろしさとの両面を、オデュッセウスは、あらかじめキルケーという魔女から知らされていたので、船の仲間たちに、キルケーからの指示として、セイレンたちとその歌声

---

1 ―『イリアス』第二巻の「軍船のカタログ」(*Il.*2.484-760)や前五世紀の歴史家トゥキュディデス第一巻、久保正彰訳『戦史』上(岩波文庫1971年)p.63以下の記述を基に、船一艘の乗員を平均八十五名として計算した概数。

2 ― Odysseus.この英雄の名は、FriskやChantraineの語源辞典によれば、古代ギリシャ語においては、Ὀδυσσεύς Odysseusという、-d-をもつ形は広義の文学の言語に限られ、壺絵などに刻まれたかれの名としては、Ὀλυσσεύς, Ὀλυσσεύς, その他 -λ- をもつ別形のみが残存する。また紀元後二世紀の著作者ではΟὐλιξεύςやΟὐλίξηςもあり、ラテン語名 Ulixesはこれらの借用と考えられている。δとλの混同に関しては、大文字表記ではΔとΛは混同誤写され易い字形であることも考慮すべきであろう。英語名Ulysses(ユリシーズ)ほか仏伊語などラテン語名に由来する場合でも、近年の文献では、より原語に近いOdysseusとすることが多い。

3 ―「セイレン」(Σειρήν, Lat. Siren, Engl. Siren, Fr. Sirène, Germ. Sirene. ギリシャ語の語源には定説がない。

4 ― 古代において「美しい声で人を魅惑する、女面有翼の怪物」であった「セイレン」から現代の各種の警報や信号音に用いられる「サイレン」への意味の変遷については、フランスの音響学者が一八二〇年に、水中での音の振動数を測定する装置を考案して « Sirène » と命名したことに由来し、その名称の適用範囲が広がって現代に至った、とされる(Chantraine in *Comptes rendus des séances*… vol.98-4, 1954, pp.451-452)。

を避けねばならないこと、および歌を聴くのは自分一人、つまりオデュッセウス一人に限ることを伝え、ただし、自分の身体は帆柱に固く縛りつけてもらいたい、もし万一自分が縛りをほどいてくれと合図をしてもそれには従わず、かえっていっそう強く縛りつけてもらいたい、と命令する。船が順風に送られてセイレンの島の近くまで来ると、急に風が止まってあたり一帯、静かな凪になる。仲間が船の帆布を片付けている間にオデュッセウスは、大きな蜜蠟の塊を小さく刻み、手でこねて太陽の熱で軟らかくして、それを、船の漕ぎ手たち全員の耳に、順々に詰めて、セイレンの歌声を聞けないようにし、それから自分を帆柱に縛りつけさせて、その状態で船を漕ぎ進めさせ、自分だけは歌を聞きながらも、船はなんとか無事にそこを通り過ぎることができた。[5]

ざっとこういうところがひろく知られている話で、「オデュッセウスとセイレンたち」というテーマは、古代から現代に至るまで、西洋文化（哲学、文学、絵画、彫刻、音楽、映画など）の全般にわたって繰り返しとりあげられてきました。[6] このテーマをインターネットで検索しますと、絵画や彫刻などの造形表現だけをとっても、おびただしい数の例がでてきますが、ここでは、とくに有名なもので、時代の異なる三点の画像を、ごくかんたんにご紹介します。

「図1」は、大英博物館にある、紀元前五世紀前半のアテネで作られた、ワインを入れておく壺に描かれています。帆布を巻き上げたオデュッセウスの船があり、かれの手がマストに縛りつけられているのが見えます。両端の岩の上や空中にいるのがセイレンたちです。[7]

「図2」は紀元後三世紀のモザイクで、北アフリカ、チュニスの近くにあるローマ時代の邸宅の遺跡から出たものです。モザイクで飾った床か壁かの一部と思われます。真中にオデュッセウスの船があり、オデュッセウスは後ろ手にマストに縛られて、セイレンの方を見ていますが、丸い盾をもった乗組員たちは、セイレンたちから顔をそむけて、逆方向を見ています。セイレンは三人いて、左端のセイレンはアウロスという管楽器を持っており、右端のセイレンはリュラという竪琴を持っています。真中のセイレンは楽器を持たず、口

5 ― この場面でホメロスが、オデュッセウスを語り手として、私たちに残しているのは、以下に訳出する呼びかけの言葉（184-191）とそれに対する主人公の反応とだけであって、船を寄せた者が聞くはずの歌そのものは残されていない。この先の物語の中でも、歌に関連する言及は、帰国後に妻に漂流中の話をする主人公を描いた場面（第二十三巻、ここでは語り手はホメロス自身である）で、「それから（オデュッセウスは）セイレンたちのとめどなく続く声を聞いたことも（語った）」（326）という一行でなされるのみであり、歌本体の内容は、聴き手や読者の想像ないし推定に委ねられている。

6 ― ギリシャ・ローマの古典古代からビザンツ時代までを視野にいれた、倫理思想面での「ホメロスのセイレン場面」への古注やアレゴリーとしての諸解釈については、F. Buffière, *Les mythes d' Homère et la pensée grecque*, Paris 1956を参照。Davidson Reid, *The Oxford Guide to Classical Mythology in the Arts, 1300-1990s.* のSIRENSの項には、ギリシャ・ラテンの典拠紹介につづいて、ダンテの『神曲』（煉獄編 19.1-33）からFelice Lesser の舞踊（1989年ニューヨークで上演）に至る、西洋文化の多様なジャンルにおけるセイレン再現の例が多数挙げられている。

7 ― 空中にいるセイレン（三人目か、それとも岩上の二人のいづれかを異時同図としたか）は、目を閉じているので、死んだ状態を描いたものとする解釈もある（*LIMC*, vol.6, Odysseus ほか）。セイレンには、誘惑が成功せずに船が通り過ぎたら死ぬという予言があって、それがオデュッセウスの通過で実現したという伝説および三人のセイレンの役割については（Apollodorus, *Epit.* 7.18-19, 高津春繁訳『ギリシア神話』岩波文庫１９７８年６月改版 pp.205-206）を参照。古代美術史面での関連文献は、*LIMC*, vol.6, Odysseus – G, No. 167にある。

を少しあけているので、歌を歌っているのだと解釈されています。

「図3」はずっと新しいもの、十九世紀末イギリスの画家による油絵で、この絵ではセイレンは数も多く、七人もいます。しかも自分の方から近づいて船を取り囲んで男たちを誘惑しているように描かれていて、漕ぎ手にぴったり寄り添っているセイレンもいます。

図1:「セイレンの壺」:アッティカ赤像式ワイン用の壺(H35cm)ヴルチ出土、前480-470年頃。ロンドン、大英博物館蔵

図2: 列柱郭モザイク、ドゥッガ出土、ローマ帝政期。チュニス、国立バルド博物館蔵
出典: https://commons.wikimedia.org/wiki/File:Boat_Mosaic_(2680232163).jpg

図3: J. W. ウォーターハウス作「オデュッセウスとセイレンたち」1891年制作。メルボルン、国立ヴィクトリア美術館蔵。National Gallery of Victoria, Melbourne Purchased, 1891

これらのセイレンは、いづれも顔は若い女で、身体は鳥（羽とか足とかで分かるように）、つまり「半人半鳥」の怪物として描かれています。この形が、造形芸術においては、古代から近代に至るまで、セイレンの定型表現の主流となっているのが分かります。

ではホメロスの叙事詩におけるセイレンはどうか、というと、これはだいぶ違います。『オデュッセイア』のテクストでセイレンが出てくる箇所をすべて挙げてみると、[8] そこではホメロスは、セイレンの歌声の魅力についてては語っていますが、「半人半鳥」に関しては何の言及もしていないですし、[9] 歌声以外の魅力、とくに若く美しい女としての容姿やセクシュアルな魅力のことは何も言っていない、つまりホメロスは、そういう魅力を問題にしては、いないのです。[10] ホメロスがオデュッセウスに語らせているところによれば、帆柱に縛りつけられたオデュッセウスは、セイレンたちの甘く鋭い声の呼びかけを耳にするとたちまち、その歌を聴

8 ― キルケーの予告と助言（*Od.* 12.38-54）、オデュッセウスから仲間への命令（158-164）、セイレンの島の付近での出来事（165-200）、帰国後の主人公から妻ペネロペイアへの話の中での短い言及（23.326）の四箇所。

9 ― 当時「半人半鳥」が周知のことであったからとくに言及していない、とも考えられる。なお「セイレンたち」の数については、二人のセイレンの（声）」など「二人」を指す例が三例（12.52, 167, 185）あり、一方でただ複数としか指示されない例も六例ある。この場面では文字通り二人が歌うと解して訳す。

10 ― Harrisonはこの箇所について、"It is strange and beautiful that Homer should make the Sirens appeal to the spirit, not to the flesh."と述べている（Harrison, *Prolegomena to the Study of Greek Religion*, Cambridge repr. N.Y. 1955, p. 198）。

きたくてたまらなくなり、漕ぎ手たちに向かって（声を出しても仲間たちは耳に蠟をつめられていて、聞こえませんから）眉毛を動かして合図をして、縛りを解くように促します。しかし漕ぎ手たちは、そういう事態になったらますます固く縛りつけるように、とあらかじめオデュッセウス自身から命令されていましたから、その命令どおりにして船を漕ぎ続けて、その場をきりぬけたのです。

でもどうして、オデュッセウスは、それほどセイレンの歌を聞きたくなったのでしょうか？　オデュッセウスはギリシャ軍第一の知恵者で、あらゆる事態に対処する策略に富み、つねに沈着冷静な人ですし、とくに今は、今まで吹いていた順風が急に止まり、真昼の太陽のもとで海がとつぜん眠りに落ちて鏡のような凪ぎになり、ふしぎな静けさがあたりを支配している。[11]そこへセイレンの歌声が聞こえてきたのですから、かれは自分たちが今、大きな危険にさらされていることはよく分かっていました。そういうときに歌声の美しさだけに誘われたとは思えません。かれを誘ったのはセイレンたちの歌の内容、つまり最初の呼びかけの言葉そのものだったにちがいないと思われるのです。ではセイレンたちはどんな言葉で呼びかけてオデュッセウスを誘惑したのでしょうか？　その疑問に答えてくれるのは、やはり、漠然とした神話伝説ではなくて、言葉で伝えられたもの、文字として残されたホメロスのテクストだけだと私は思います。つまり、オデュッセウスに呼びかけたセイレンの言葉そのものは、おそらく伝説には無かったもので、詩人ホメロスが創りだした、かれの創作だと考えられるのです。それは第十二巻の一八四行から一九一行までで、私の試訳を読んでみますと――

184 こちらへどうぞ、誉れ高いオデュッセウス、ギリシャ軍[12]の誇りよ、

185 船をとめ、わたしたち二人の声を聴くように。
186 黒い船でここを通りかかって、聴かずに行き過ぎた者など一人もいない、
187 わたしたちの口から出る、蜜のように甘い声を。
188 みんな、その声を楽しんで、前よりも物知りになって帰って行く。
189 わたしたちは知っている、広いトロイの地で、神々の望みのままに、
190 ギリシャ方もトロイ方も苦しんだ、その苦難のすべてを。
191 わたしたちは知っている、[13] 万物を養う大地の上で起こるようなことなら、[14] そのすべてを。

---

11 — オデュッセウス自身「なにか、人間を超えた神霊の力（ダイモン）が波を眠らせた」（12.169）と語っている。

12 — 「ギリシャ軍／方」と訳した語は、原文では「アカイア軍／方」（184）・「アルゴス軍／方」（190）である。本講演では、対立する攻守双方（ギリシャ対トロイ）を説明ぬきで明示する必要から、上記の訳語を使用した。歴史家トゥキュディデスが指摘しているように（Thuc.1.3,『戦史』上 p.57）、ホメロスには、ギリシャ方全体をまとめて一つの名称で（「ギリシャ軍」のように）指す例は無い。

13 — この「わたしたちは知っている」の反復は、ホメロスとほぼ同時代の詩人ヘシオドスの『神統記』にある（27-28）、人間のあらゆる知的活動を司る九人の女神の言葉を想起させる。

14 — 物語の展開の中では、オデュッセウスはすでに冥府（第十一巻）において、予言者や母の亡霊から自分およびその周囲の現況と今後についてはある程度の情報を得たが、総大将アガメムノンの亡霊からその息子の現在の消息を聞かれたときには答えられなかった、という経緯があり、それも「知りたい情報」の一つであろう。アガメムノン一家の話は、『オデュッセイア』全編を通してつねにオデュッセウス一家の話と二重写しになっているのであるから（久保『「オデュッセイア」伝説と叙事詩』岩波セミナーブックス 1983年 pp. 244-253参照）。

ホメロスの描くセイレンたちは、ただ美しい声で人を惹きつけるだけではなく、「わたしたちの歌を聴くと知識が増える、わたしたちは過去のことも、現在のことも、この地上で起こるようなことは何でも知っているのだから、立ち寄って聴きなさい」と言っているのです。十年間も外地での戦争に明け暮れて、それが終ったあとも怪物の住む島々、黄泉の国、と異界をさまよっているオデュッセウスですから、過去に自分が重要な役割を担った戦争の全貌を確かめ、そしてこれから帰って行くべき人間世界の現在と近未来の状況を知っておきたい、という知的な好奇心をかきたてられるのは当然でしょう。[15] とくに、最後の一九一行「万物を養う大地の上」という表現は叙事詩特有の定型句／決まり文句ですが、ここは、いまふうの言い方なら「グローバルな」に当たりますし、「万物を養う大地の上で起こるようなこと」は、キイワードにすれば「今日の世界情勢」と言い換えられるでしょう。要するにセイレンたちは、「過去の戦争に関するあらゆる情報でも、今日の世界情勢についてのグローバルな情報でも、何でも教えてあげますよ」と言って誘っているのです。そう考えると、このセイレンの神話も、私には、にわかに現実味をおびて来るように思われます。私たちの身近にも、ここへ来れば物知りになれる、この地上で起こった、あるいは起こるようなことなら、こちらはなんでも知っているのだから、と私たちを誘うものは、いるではありませんか。私たちにとってのセイレン、それは、おそらくこの会場でもすでに多くの方が考えておられると思いますが、それは「インターネット」ではないでしょうか。オデュッセウスの場合は、キルケーという魔女が事前に助言してくれて、セイレンの魅力とそれに溺れた場合の危険とを予告してくれたばかりでなく、その歌声は楽しみながらもその誘惑に負けてしまうことがないように、そのための対策までも前もって教えてくれていました。オデュッセウスはそれを実行して、難局をきりぬけたのです。[16] ところで現代の私たちのほうは、助言してくれる魔女がいてもいなくても、インターネットが提供する、この情報の大海原を小船でわたって行くことを余儀なくされています。耳に蠟をつめられて、あるいは自分からすすんで耳に蠟を詰めてただひたすら船を漕ぐだけ、というのもひとつの立場ではあるでしょう、が、あまり面白くないかもしれません。そういう立場はとりたくないとする

15― 前一世紀ローマの哲学者で政治家のキケロは、人間は生得のつよい知識欲をもっていて、利得がなくても知ることへの好奇心と探究心に動かされて行動すると述べ、その好例としてオデュッセウスのこの話をひいている（Cic. *Fin*.V.48-49, 岩崎務訳「善と悪の究極について」(『キケロー全集10』岩波書店2000年pp.299-300)。またセイレンの誘惑は、『旧約聖書創世記』の、楽園における「善悪の知識の木」の誘惑と比べられることもある（J. Harrison, *Prolegomena*, repr.1955, p.198）。

16― アポロニオス・ロディオス（前三世紀）の叙事詩『アルゴー号航海記』（*Argonautica*）によれば、アルゴー号の場合（*Arg*. 4.891-921）は、船がセイレンの島の近くに来ると、乗組んでいた楽人オルフェウスが竪琴をかき鳴らしたので「竪琴が乙女たちの歌声を圧倒して」（4.909）船は通過することができた。また、アポロドロス（Apollodorus前掲注7）も、オルフェウスがセイレンに対抗する音楽によって仲間をひきとめた（*Bibl*. 1.9.25, 高津訳p.63）という。しかしいづれの伝承でも、アルゴー号では乗組員の一人が誘惑に負け、海にとびこんで泳ぎ去っている。誘惑への対処法として、「オデュッセウス方式」との比較は興味深い。

17― 小林 公「自己パターナリズムと法」（『創文』378号 1996年）によれば、このオデュッセウスの話は、「合理的選択論においてしばしば引用される」話で、ごく身近なところに例をとれば、「ダイエットをするとき（好きなものを全面的に拒否するのではなく）日曜日だけは好きなものを食べてウィークデイは節食に徹したり……等々のルールを自己立法的に定めること」があげられる、という。「オデュッセウス方式」は、欲望充足の最大限の追求と、そこに予想される危険の回避とのバランスをとりながら最善の結果を得る、合理的かつ自律的な対処法のよい事例ともいえるのであろう。

と、つまり、つよい知識欲と好奇心をもって「セイレン」の情報も享受しようとするなら、そこに潜む危険を十分に自覚して、そこに溺れてしまわないための対策を、自律的にたてることが必要になるでしょう。オデュッセウスは、自分の利益（歌を聴くこと）は最大限に追求しながらも、自分で自分に強い制約を課してその実行（帆柱に縛ること）を仲間に委ねることによって、破滅を免れました。[17] では、わたしたちは、どうすればよいのでしょうか。

セイレンの話を伝えるホメロスの叙事詩は、二千年以上も昔に語られ、その後、繰り返し繰り返し、文字に書き写され、印刷され、世界の数多くの言語に翻訳もされて読まれてきました。それは、私たちの今日の問題にもつながる、今もなお、わたしたちに語りかけ、問いかける力をもつのではないか、と私は考えています。

【初出】 成蹊大学文学部創立五十周年記念講演会（二〇一五年十一月十四日）における小講演。『人文学の沃野』成蹊大学人文叢書13（成蹊大学文学部学会編・風間書房、２０１７年）に収載。

詩人が夢見た黄金のロボット──叙事詩『イリアス』から

みなさまにご参加いただいている、この公開講座は、統一テーマとして、「知のフロンティア」という標語をかかげています。このテーマで何か話をするようにとの依頼があった時、「今現在の最先端の研究」のような、ちょっと華々しい感じの話をしないといけないのではないか、古代ギリシャのような、今から二千数百年も昔の話をするのは適切なのだろうか、と戸惑いました。しかし、「フロンティア」は、もとは「額、前面」を意味するラテン語 frons を語源としてそれがフランス語を経由して英語に入って来た語なのですが、それは「ふたつの地域の間の境、境界」あるいは「開拓地と未開拓地の境界地方」をいうことができるわけですから、「知のフロンティア」は、ひとつの「知」が到達したところとその先との境目（さかいめ）・境界である、その境目に来てみると、その向こうにはまだその先がある、何があるかは分からないけれど、まだなにかある、そういう話をすればよいのではないか、と思うようになりました。それで、私の知っている範囲でそのような例をと考えて、まず浮かんだのが、古代ギリシャの叙事詩人ホメロスの詩にでてくる黄金のロボットの話だったので、それをお話しすることにいたします。

ギリシャ神話とホメロスの叙事詩

現在、わたしたちの周りには、翻訳ものも含めて数多くの「ギリシャ神話」「ギリシャ・ローマ神話」の本があります。ですが、正統的にギリシャ神話を知ろうとすれば、よりどころとなるのは、ホメロスをはじめとする一連の文学作品しかない、と私は思っています。このことは、すでに、古代の歴史家ヘロドトスが言っていたことで（松平千秋訳『歴史（上）』197頁、岩波文庫1971年）、神話の骨格を作ったのは前八世紀末から前七世紀にかけての頃の詩人たち、とくにホメロスとヘシオドスである、という指摘は重要です。前八世紀末から前七世紀にかけて、というのは、歴史時代の古代ギリシャが形成されてくる時期で、神話の神々がはっきりした形をとって現れてくる、神々が、現在私たちに伝わっているような、各々のアイデンティティをもった形で出てくるのも、そのころ以降だと考えられるからです。そこでできあがった骨格に、古典期の悲劇作者たちの作品が肉付けとなり、ローマ時代に受け継がれて、そうして伝えられてきた物語すべてが「ギリシャ・ローマ神話」とよばれている、といえるでしょう。それは叙事詩や悲劇の作品の題材になると、子供相手のおとぎ話というよりは学校での教科書であり、おとなにも子どもにも、神々や英雄たちの姿をとおして人間の生き方全般についての典型・見本を示す、生き方の先例を伝えるものでした。

ご存知のように、ホメロスの作とされる『イリアス』と『オデュッセイア』は、世界文学のなかで最も古い位置をしめる二つの叙事詩で、いずれも一万数千行の長いものです。ホメロスの二つの詩は、紀元前八世紀末、七世紀ごろから口伝えによる詩として、つまり職業的な語り手が一定のリズムをもった言葉を、聴衆に語り聴かせる、という形で伝えられてきて、それがやがて文字として定着し、学者たちによって全体が整えられた。それはおそらくアレクサンドリア時代、つまり紀元前二世紀中頃から紀元前後一世紀にかけての頃で、そして、古代からパピルスや羊皮紙や紙に、手書きで繰り返し書き写され、研究され、その中で伝えられて残ったものがルネッサンス期十五世紀の印刷術の発明によって活字の本となりました。ホメロスが初めて印刷本になったのは、十五世紀末の一四八八年、フィレンツェのギリシャ人出版印刷者デメトリオス・カルコンデュラスによるもので、その後十六世紀に入ると、ヨーロッパ各地の印刷所からぞくぞくと出版されます。そこに、それまですでに連綿と続いていたテクストと古注の研究も加えられ、それ以後、多くの校訂版が出され、翻訳がなされて、時間空間を遠く隔てた私たちにまで届いたことになります。

鍛冶の神へファイストトスとその工房

今日のテクストであるホメロス作『イリアス』は、「トロイ戦争」を背景として、ギリシャ・トロイ攻守双方の英雄たちの生と死を歌う叙事詩です。今日とりあげる場面には、ギリシャ軍随一の英雄であり『イリアス』の主人公でもあるアキレウスが、自分の親友がトロイ方の総大将に討たれて死んでしまった、その敵討ちに出陣しようとしているという経緯があり、「黄金のロボット」は、そのアキレウスの武具を造る鍛冶の神へファイストスの工房の場面『イリアス』十八巻（18.369-617）に登場します。

なお、今日の話では、主なテクストとして岩波文庫旧版呉茂一訳下巻（１９５８年）を使います。呉訳は韻文形式で、万国共通の行分けに従って十行ごとに原文の行数が示してあるので（もちろん言語構造の違いによって行分けが僅かにずれることはありますが）何巻何行という検索や引用が容易であるためです。同文庫の現行版（松平千秋訳『イリアス』１９９２年）は散文訳で、内容に応じて段落をつけ行数をまとめて表示しています。

ヘファイストス（「ヘパイストス」とも表記）は、最高神ゼウスの息子で「オリュンポスの十二神」の一神。ローマ時代に入るとウルカヌス（Vulcanus）と呼ばれ、火を扱う鍛冶の神なので「火山」（volcano）の語源にもなりました。かれがどんな顔をしているか、まずご紹介しておきます。時代的にはギリシャより後、ローマ時代の浮彫り（左頁図、右）で、個人的な印象ですが、イメージとしては今日お話しするホメロスの『イリアス』から受ける印象に合っているように、私は思っています。これがヘファイストスだとわかるのは、造形表現におけるかれの特徴として「とくに美男子とはいえない髭面の中年男性で、職人の帽子とされる小さい丸い帽子をかぶっている」という目印があるからです。鍛冶の神としての仕事中のところを写したものは左頁の左側の図で、道具（槌）や小さい帽子もわかります。

鍛冶の神ヘファイストスのもうひとつの特徴は、ホメロスでは「枕詞」のようによく使われるのですが、「曲がり脚の神」ということです。どんなふうに曲がっていたのか、「曲がり脚」（両足／両脚が曲がっている）と訳されている原語の意味については、古代から議論のあるところで、様々な解釈がありますが、けっきょくは、脚／足の形が通常の一般的な形とは違うふうに曲がっている、そして、歩き方が、とくに前に進むとき苦労するらしい、というくらいしか、確かにはいえません。このような足の特徴を明瞭に表現している図像は少なく、大学図書館にある『*LIMC*（古典神話図像事典）』（Zürich & München, 1981-2009）で見ても、「Hephaistos」とされる三百点をこえる画像の中で、足の形が、あきらかに通常とは違う形で描かれているものは三点しか見つかりませんでした。そのうちの二点を見ておきますと、一つは前六世紀後半の壺絵

ウルカヌスの顔。浮彫断片。2世紀後期。イタリア国立アクィレイア考古学博物館蔵。出典：*Lexicon Iconographicum Mythologiae Classicae*（＝*LIMC*）,(Zürich & München,1981-2009)[古典神話図像事典], Vulcanus 30.

鍛冶仕事中のヘファイストス。アテネの赤像式混酒器、前5世紀初期。イタリア、カルタニセッタ州立考古学博物館蔵。出典：*LIMC*, Hephaistos 15.

（p.158, 上図）で、エトルリアのチスラ（ローマの北西約50km）で出土したもの。ロバに乗った子供がヘファイストスで、かれが、神々の住むオリュンポスから投げ落とされて九年間海底で過ごした後、オリュンポスに帰ってきたところとされます。「ヘファイストスのオリュンポスへの帰還」というテーマは、造形表現としてはかなり多数残っていますが、ホメロスにとっては興味あるテーマではなかったらしく、かれの作品中にはでてきません。もう一点は（p.158, 下図）、同じ時期の、やはりエトルリア出土のスカラベ形の印章指輪に彫られています。この図柄では、曲がり脚で髭面のヘファイストス（中央）がアキレウスに円い楯を渡そうとしていて、右が兜をかぶって脛当を着けるアキレウス、左はその母神テティスです。ヘファイストスのイメージとしては、だいたいこのような特徴を考えればよいでしょう。なおエトルリアは、イタリア半島中部のティレニア海側の地方で、前七世紀から前六世紀に栄え、のちにローマに併合されました。ギリ

幼い神ヘファイストスの帰還。チスラ（Cisra）の水甕、前525-520年頃。ウィーン、美術史美術館蔵。出典：*LIMC*, Hephaistos 103a.

曲がり脚の鍛冶神セスランス（「ヘファイストス」のエトルリア名）。エトルリアの印章指輪、前530-520年頃。カリフォルニア州マリブ、ゲッティ美術館蔵。出典：*LIMC*, Hephaistos-Sethlans 18a.

シャの影響を受け、美術面ではギリシャとローマの仲介的な役割をしたとされています。

これからとりあげる場面は、先に申しましたように、『イリアス』第十八巻の「アキレウスの武具づくり」として有名な場面の始まりのところです。アキレウスの父親は人間ですが、アキレウスの母は、テティスという名の海の女神で、ふだんは海の底に住んでいるのですが、アキレウスが親友の死をはげしく嘆くのをみて、敵討ちに出陣する息子のために立派な武具一式（兜、胸鎧、楯、剣など）を用意しようと、オリュンポスの神々の中でも名高い「ものづくり」の神、金属加工を主とする鍛冶職人の神であるヘファイストス神のところへ頼みに来るのです。

物語に入りますと、冒頭第一行目は『イリアス』18.369行で、「白銀の足をもつテティス」が、ヘファイストスの館にやって来ます。「白銀の足の」はテティスに特有の枕詞です（日本語でも、「青丹よし」といえば奈良、「茜さす」といえば紫、のような枕詞がありますが、それと同じような機能です）。館は青銅づくりの立派な館で、「脚の曲がった御神」つまりヘファイストス神自身が建てたとあります（370–371）。テティスはその館の、ちょうどヘファイストスの仕事場が見えるところに到着したらしく、372行の「見れば御神は汗をたらして、」とあるところから380行「熟練の工夫に仕事を進める最中」まで、十行ほどがその仕事場の様子を語っています。そこで製造されているのは、三本足のついた円形の鼎《かなえ》、つまり大きな釜で、下で火を焚いて物を煮たり湯を沸かしたりするもの。ヘファイストスは、そういう鼎を二十個も造っている最中なのですが、面白いのは、鼎の足にはそれぞれ車輪がついていて、自動的に神々の集まる宴会の席などへ入ってゆき、用が済めば戻ってくる仕掛けになっているということです。日本語訳で「人手を借りずに」となっているもとのギリシャ語はautomatoiで、いうまでもなくautomatic, automationなど一連の「自動何々―」を意味する語の元になった語です。鍛冶の神は、今その、「自動式のケータリング・サービス」をする鼎に把手を付けようとしている、そこへテティス女神がやって来ます。

この女神の来訪に、まず気づいたのはヘファイストスの妻のカリスです。彼女がテティスを出迎えて、仕事場にいるヘファイストスを呼びます。鍛冶の神は、女神テティスが来たと聞くと、「自分は生まれつき脚が変形していて、そのせいで母親（ゼウスの妃ヘラ）に疎まれて、オリュンポスから遠くへ投げ落とされた。そして海へ落ちたところを、海の女神たちがうけとめて海底の洞窟に迎え入れて育ててくれた、私はそこで九年の間、だれにも知られずに美しい見事な金属の装飾品を作っていた……その海の女神の来訪なら恩返しをしなければ」と、仕事を中断して立ち上がります（410行）。そして道具類を片付け、身体を拭き、シャツを着て、仕事場から戸口にむかいます。そのとき、ヘファイストスの大きな身体を下から支えて、不自由な歩行を助けるのが、それが今日の話のテーマである「黄金の乙女たち」なのです。

歩行介助用の「黄金製乙女型ロボット」

まず、呉先生の訳を読んでおきます（『イーリアス』18. 410–422　呉訳）。

410 こう言って、鉄砧台《かなしきだい》から　驚くばかりの巨《おお》きな姿《なり》に立ち上がった、
411 跛足《ちんば》を曳《ひ》き曳き、下には細《ほっ》そりした脛《すね》をせかせか動かし、
[412-415　省略]
416 胴着《どうぎ》を着ると、がっしりとした杖を手に執り、外へと跛足《ちんば》を
417 曳《ひ》き曳き出かけてゆけば、控えて、侍女《こしもと》どもも主人に従い
418 擦《す》り足でゆく、黄金づくりの（人形だったが）、生きた乙女《おとめ》に
419 そっくりで、胸には精神《こころ》をたもち、また人間の声や力を具《そな》えて、
420 不死にましまず神々よりの　いろんな技《わざ》をも心得ていた、
421 その（乙女ら）が手許《てもと》について　せかせかと歩いてゆけば、主人《あるじ》は
422 やっとテティスの居る近くへ辿《たど》りつき、輝く台座に腰を下《おろ》すと、[以下省略]

次に、私の、なるべく文字通りの訳をおいてみます（細井試訳）。

410　そう言って、巨きな身体で荒い息をしながら、金床《かなとこ》から立ち上がった、
411　よたよたしながら。下の方では、ほそい両脛が、すばやく動いていた。
［412-415　省略］
416　それから胴着を着て、がっしりした杖を持ち、戸口へと歩いて行く、
417　よたよたしながら。下の方では、侍女たちが主人のために　すばやく動いていた、
418　黄金造りの、生きている乙女たちにも似た（侍女たちが）。
419　その身には胸にわきまえが宿り、それに人の声も
420　また体力もあって、不死なる神々から受けた技も心得ている。
421　この侍女たちが下から主人を支えてせわしなく動いていた。そして神は、苦労して
422　近くへ、テティスのいるところまで来ると、輝く椅子に腰をおろして［以下省略］

ヘファイストス神の歩き方を「よたよたしながら」としたのは、私自身もこれが最適かどうか疑問なのですが、呉訳のようにしますと、「片方の足／脚」だけが曲がっている、一方の足だけが違う動き方をするようにとれるので、「両足が曲がっている」というのとは矛盾するのではないかと考えるからです。いずれにせよ、この鍛冶の神の足と歩き方という問題は、地中海世界の比較神話学では、座った姿勢で仕事をする鍛冶職人

ち入りません。

（神）の造形表現という面からも興味深い問題のようですが、かんたんではなさそうですので、これ以上は立ち入りません。

そして、そういう状態のヘファイストス神を支えるのが、今日のテーマの「黄金のロボット」です。ここ（417–421）で「侍女たち」と訳した言葉は、原語では「身の回りにつきそう者たち」という意味で、男女両方に使えますが、ここでは次の行の「黄金の」という形容詞が女性形なので「侍女たち」となります。仕事台から立ち上がったヘファイストスが怪物のような（巨きな）体だとありますから、それに比べて「下の方では」とある侍女達は、かなり背が低いのだろう、と読めます。この黄金の乙女たちは複数、つまり二人以上ですが、何人いるのか、書いてありません。そして418行で「黄金造り」で、「生きた乙女たちに似ている」とあるので、この侍女達が人間ではなくて「造りもの」だとわかるわけです。その人数は、となると、乙女たちが両脇からヘファイストス神を支えている、と理解して、二人だ、とする翻訳もあります。しかし「下の方で、すばやく動く」とか「せわしなく動いている」とかありますので、ロボットの一体一体はもっと小さくて、もっとおおぜいいる、と理解することもできそうです。が、そこは決められません。また、420行の「不死なる神々から受けた技」は、女神アテナが授ける機織りの技や女神アフロディテから贈られる美や魅惑を指すことから、この乙女たちが才色兼備であることも読みとれます。

じつは、この410行以下の場面については訳者呉先生の注があり、「黄金づくりの」は「いわゆるautomatonで、ひとりで動く人形、しかしこの行は作り物の語形や新語を含み、新しいものらしい」とあります。この注の結論、つまり、この「418行は新しいものらしい」というときの「新しいもの」の意味ですが、これはホメロス研究者のいわば「業界用語」のようなもので、ごくかんたんに言えば「ホメロスよりあとで、かつ紀元前二世紀末以前のもの」ということだ、とご理解ください。要するに「新しい」といっても、「紀元前」です。この行がホメロスのものであることは、アレクサンドリアの古典学者アリスタルコスも否定してはいませんし、それ以来二千年以上にわたってこのとおりに伝えられて来たものですから、私たちの基本的な態度は、そのようにして伝わってきたものはホメロス作として受けとめる、というものだからです。

黄金製耳飾り(部分)。ターラント出土、前4世紀。ターラント国立考古学博物館蔵。出典:青柳正規監修『ターラントの黄金展・カタログ』朝日新聞社 1987, p.94

ついでに、「黄金の乙女たち」ということでどんなイメージをもったらよいだろうか、というときのご参考までに、ホメロスより「新しい」ものですが、黄金の乙女の顔をご覧いただきます。もう三十年ほど前、東京で「ターラントの黄金」という展覧会があって、そこに出品されていたものの一つですが。上図は今お話しした意味での「新しい」もの、つまり紀元前四世紀の中頃の、南イタリアのターラントで出土した耳飾りの一部分です(全体の長さは六センチ)。耳飾りに女性の頭部分をつけた例は珍しいそうです。ヘレニズム時代のものですから、もちろん、今わたしたちが問題にしている「黄金製の乙女型ロボット」の姿はこれです、というつもりはありません。ただ、私たちの金のロボットがどんな顔をしていたのか、と想像する時に、ひとつの手がかりくらいには、なると思います。

さて、アキレウスの母で海の女神であるテティスが、ヘファイストスの館へ、息子のための武具造りを頼みに来る。館についたテティスが発見したのは、仕事場で仕事中のヘファイストス。そしてテティスが目にした、オートメーション式の仕事場の描写があり、そこにヘファイストスの妻が出て来て、テティスに気がつき、中へ招き入れてから、仕事場に声をかけて、ヘファイストスを呼び出す。するとヘファイストスは、むかし助けてくれた女神が来た、これは恩返しをしなくては、と仕事を中断して自分で道具類を片付け、身支度をととのえて、テティスのいるところへ行こうと、仕事場の戸口へ向かう、そのかれの歩行を、「生きている乙女たちによく似た」「黄金の侍女たち」が助ける……というのがこの場面なのですが、ここまで読んでくると、この「侍女たち」の登場（417行）は、私にはなんとなく唐突な感じがするのですが、どうでしょうか。つまり、さきほどの、テティス登場の場面と比べてみますと、テティス登場からカリス（ヘファイストスの妻）がヘファイストスを呼び出すまでの場面は、人物の動きにむりがなく、場面が自然に流れてゆく感じがあるのですが、それにつづく場面は、つまり「黄金の乙女たち」のほうは、この乙女たちが、なぜ、どういうきっかけで、どこから、出て来たのかわからない。ヘファイストス神が呼び出したとか何か命令したとかもありません。どうも、前からそこに待機していた、あるいは、待機していた、というと人間扱いの言い方ですから、むしろ、すでにそこに在った、そこに備え付けられていた、そこに道具として置いてあった、と読むほうが分かりやすいように思うのです。ちょうど、もうひとつの道具・装置のように、ということで、今の続きの場面を見ますと、テティスの頼みを引き受けたヘファイストスが仕事にかかるところ（468-473行）で、そこでは、神が二十個ある鞴《ふいご》（送風機）に、仕事にかかれと命令すると、鞴がそろって風を吹き込む、つまり送風機が働き始める。働き始めるとあとは自分で動いて、つまり自動的に、神の手伝いをする、と書かれています。

つまり二十個の送風機は、仕事場に必要な装置、設備として出されている。それと同様に、複数の黄金の乙女たちも、何人いるかは示されていないけれど、送風機と同じようなものとして、つまり道具ないしは設備として、ホメロスが提示しているのだ、と読めば、黄金の乙女たちの登場場面には、さきほどのテティス女神の場面にあったような、場面と登場人物との自然な流れがないことも理解できる、と思われるのです。

黄金製乙女型ロボットの「神工知能」

では、二十個の送風機と黄金の乙女たちとは、仕組みや働き方において全く同じか、というと、そうではない。決定的な違いは、テクスト419行にあります。逐語訳で読みますと、黄金の乙女たちは「その身には胸にわきまえが宿り、それに人の声も」ある、つまり、この乙女たちは、判断力があり、人の声も出せるのです。送風機はヘファイストスの命令をきっかけとして働き始めるけれど、乙女たちは、命令されなくても、きっかけを与えられなくても、おそらく「胸にあるわきまえ」のおかげで、ヘファイストス神の動きを感知して、神のそばへ来て、必要な仕事をするのです。それで、「わきまえ」と訳した語については、もう少し詳しくみる必要があります。

三通りの和訳を記してみます。今、重要なのは419行で、419行の切れ目は、細井の試訳で示してあるように、「人の声も」までで、「力、体力」のほうは、原文では420行です。で、いちばん問題だと思われる、「精神、こころ、わきまえ」について見てみることにします。

「胸には精神《こころ》をたもち、また人間の声や力を具《そな》えて、」（呉訳）
「侍女たちの胸中には心が宿り、言葉も話しまた力もあり、」（松平訳）
「その身には胸にわきまえがあり、それに人の声も／また体力もあって」（細井試訳）

私が「わきまえ」と訳した理由は、問題の場面で必要な役割といえば、情緒的というより知的なもの、判断力を考えるのが適当だと思って、「心」よりも「わきまえ」のほうがよいと考えたからです。また原文の「わきまえ、声、体力」は主格で「胸のうちに在る（be動詞）と書かれており、神が魔法を使って「わきまえを」吹き込んだとは書いてありません。「声と体力」のほうは「ある」ことが重要で、その「あり場所」は具体的な行動として分かるから書かれていないのでしょう。

ではその「わきまえ」／「こころ」の原語はというと、noos（ノオス）とnous（ヌゥス）の二通りがありますが、これは古代ギリシャ語の方言のちがいで、ホメロスはおもにイオニア方言を使うので、私たちの黄金の乙女たちの胸にあるのは「ノオス」です。ただ、古典期アテネの散文では、たとえば哲学者プラトンなどは「ヌゥス」を使うので、「ヌゥス」のほうが、とおりがいいかもしれません。どちらにせよ、「ノオス

／ヌゥス」は、意味を調べてみますと、文中の前後関係、文脈によってさまざまな意味にとることができる語だということがわかります。しかもフランス語の希仏辞書では、「ノオス」でまず取り上げられる訳語が〈Intelligence〉ですから、私たちの「黄金製の乙女たち」は、まさにAI（Intelligence Artificielle, 英語ならArtificial Intelligence）になるわけです。

では「ノオス／ヌゥス」は日本語ではどう訳せるか。古川晴風先生の『ギリシャ語辞典』（大学書林1989年）に並んでいる訳語を引用しますと、「心、わきまえ、分別、思慮、考え、つもり、思案、気、気持、意図」・「知性、理性、理法」・「意味」となっています。訳語は省略せずにすべてを引用してありますが、これを見ても分かるように「ノオス／ヌゥス」は、意味の範囲がたいそう広い。それで、訳語を決めるには、作品の時代と作者とを考慮する必要はいうまでもなく、全体の話、前後関係、文脈も考慮しなければなりません。今回の乙女たちの胸にある「ノオス」を考えると、さきほども述べましたが、乙女たちは、ヘファイストス神が立ち上がったのを察知して動き出す、という状況のわけですから、私は、「ものをはっきりと見て、それに対応する能力」の意味での「精神」「心」が問題であって、「思いやり、心遣い」というような情緒的な要素はここでは問題にはなっていないと考えて、「わきまえ」と訳しています。

こうして「曲がり足の神」の歩行を助けた黄金の乙女型ロボットは、この417行から421行までのたった五行にしか出てきません。422行でヘファイストス神がテティス女神のそばにたどりついて椅子に腰をおろすときには、もういなくなっている。自動的に仕事場の奥の方にでもひっこんでしまったのでしょうか。テティスの頼みを聞いたヘファイストスがそれを承諾して仕事に、さきほど見た自動式送風機のところに戻るときにも、もう出て来ません。ここはもう当然だから書いていないとも読めますが、むしろ、このロボットたちの役目は仕事場の戸口までかれの歩行を助けることである、と設計してあるからだと読むこともできそうです。そしてこのように読むと、ヘファイストス神が、『イリアス』第一巻の神々の宴の席で酌をして回るとき（584–600行）や、第二十巻で神々の戦闘介入に参加する時（36–37行）には、相変わらず「よたよたと」「ほそい脛をすばやく動かして」神々の笑いを誘いながらも、黄金製乙女型ロボットの介助なしで、ひとりで行動している、その理由（設計が違うから）が説明できるのではないかと考えます。

そのような、役目を明確に限定したロボットの設計、それをしたのは、もちろんヘファイストス、と私もそう思うのですが、でもホメロスは、この黄金の乙女たちはヘファイストスの作品である、と明言はしていないのです。ヘファイストスは神々の中でもとくに優れた技術をもった「火と鍛冶の神」ですから、『イリアス』と『オデュッセイア』には、精緻な装飾品や工芸品から、最高神ゼウスの不壊の大楯「アイギス」（英語読みなら「イージス」）や英雄たちの武具、オリュンポスの神々の壮麗な館、アルキノオス王の宮殿を守る金銀の番犬、姦通の現行犯を絡めとる細かで強靭な網など、さまざまな「驚くべきもの」があげられますが、それらはどれも、ヘファイストスが得意の技をふるって造った、とはっきりいわれています。制作者としてヘファイストスの名が明記されていないのは、私たちの「黄金の乙女型ロボット」と、もうひとつ、金銀の番犬のいるアルキノオス王の宮殿広間に立ち並んで松明を掲げている「黄金造りの若者たち」（『オデュッセイア』7.100–102）だけ、つまり『イリアス』『オデュッセイア』を通じてこの二つだけです。そしてこの二つに共通する点は、これらが、ヘファイストス神のほかの制作品とちがって、若く美しい人間の形をしている、ということでしょう。

その先は……

ホメロスは、工芸品や建築物の場合はいうまでもなく、さきに見た自動運転の三足鼎（宴席用ロボット）でも金製銀製の番犬（犬型ロボット）でも「ヘファイストスの作品」とはっきり歌っているのですが、人間型ロボットとなると、その作り手を明記せず、聞き手ないし読者が、物語の場面や話の前後関係から推測するのに委ねている。ということは、「おおもとのロボット設計制作者」ホメロスには、そのあたり、つまり「人間型ロボット」の制作が、かれの技術にとっては、まず最初のフロンティアだったのかもしれない、と私は思っています。そして、そのフロンティアに到達してみると、またその先がある。つまり、ヘファイストス神を介助する「黄金の乙女たち」の胸には「ノオス／わきまえ、心」が宿っていて（これは「松明を掲げる若者たち」の方には書かれていない）、この「ノオス」をもった「乙女たち」は仕事場から戸口までの歩行介助という役目はよく果たしてくれる。だが、もし、それが戸口を越えてさらに先へ、外へ出て行ったら、神々の宴の座に入っていったら、あるいは人間の戦闘に神々が介入するような場に入ったら、どうなるか。美しい黄金の乙女たちの「ノオス」は、周囲の状況によってどのようにはたらくのか、また、乙女たちは声もでるし体力もあるのだから、どうなるだろうか、これまでどおり「歩行介助ロボット」であり続けるだろうか、それとも……？と考えた時、つまり、このような乙女たちが、戸口という境目・境界線・フロンティアをこえる、そのさらに先を見つめた時、ヘファイストスは、ホメロスは、自分が夢見た「人間の心をもつ黄金の乙女型ロボット」は、やはり、「工房内直進歩行の介助」という、自分の仕事場の中でのきわめて限定的な役割にとどめておくほうがよい、広間で松明を掲げて立ち並ぶ黄金製の青年たちには「ノオス」をもたせないほうがよい、と判断したのではないか、と私には思えてきます。

それから二千数百年の時が流れ、技術は進化しました。「人間の心と声と体力」をもつロボットは、現在、オリュンポス山にあるヘファイストス神の工房から、もう私たちのすぐ近くにまで来ているようにさえ思われます。その造り手や直接の関係者はもとより、技術に関係しない人たちでさえ、それと全く無縁では暮らせない時代になっているような気がします。技術が、技術を造りだした人間を越えることはあるのだろうか、という問いを、その不安をふくんだ問いの意味とひろがりを、ホメロスは、「黄金の乙女型ロボット」を通して、私たちに問いかけているのではないでしょうか。

成蹊大学二〇一八年秋季公開講座における講演（二〇一八年十一月十日）

第3章

古典への窓

パピルスの巻物をもつ青年（左）・尖筆と書板をもつ若い女性（通称「サッフォー」）（右）。ポンペイ出土の一対の肖像画、紀元後1世紀第3四半期、ナポリ国立考古学博物館蔵。提供：ユニフォトプレス

典型としての直訳

星はあきらかな　月のあたりに
かがやいた　姿をひそめる、
十五夜の　銀のひかりが
陸《をか》にあまねく　照りわたるとき。

呉茂一先生の訳詩集『花冠』（紀伊国屋書店1973年）[1]に収められた数多い詩の中でも、この紀元前六世紀ギリシャの抒情詩人サッフォーの日本語訳はことに見事なもののひとつであろう。ギリシャ語で十五語ほどから成る原詩がほとんど一語対一語といってもよいほどの正確さで訳出されており、語順も日本文の許容範囲において原文に忠実である。また、ア音の多い原詩のひびきが、「あきらかな」「あたりに」「あまねく」及びいくつかのア段音の使用によって、読む者に何の抵抗も感じさせない形で日本語に移しかえられている。意味内容の面でも、原詩のもつ叙景の輪郭は余すところなく再現され、さらにその叙景に託された人間たちの存在（たとえば、美しい乙女たちの中にまたひときわ美しい一人の乙女が立ち現れるさま）が、言葉にならない映像として、訳詩を読む者にも伝えられる。そして文法上すでに原詩の冒頭部分では予見されておりながら実際には欠落して現存しない部分についても、冒頭の「星は」に対比されるものとしてこの四行のあとに「──は」という動作主・主格がくるであろうことを読者は予期しうる。

これは理想的な直訳である、と私は思う。原文の一語一語に正確に即していて、再現すべきものは残りなく余分な付加もなくそこに再現されている。外国語から翻訳をする場合に目ざすべきはこうした理想的な直訳、典型としての直訳なのだ、と思う。

これが、訳者、原作品をとわずどんな場合にも求めれば得られるものかどうか、それは議論してもあまり意味がないであろう。訳者としては、対象をきめればあとは技術の精確さをたよりに仕事をしてゆくほかはないのだから。原文の一語一語の形と意味、文構造の把握から、最終的に訳文として定着させるための日本語の検討選択まですべて技術であり、技術は学びうるもの・知性によって到達しうるものである。自らの知性の限界まで技術の精確さを追求してゆくことがいかに困難かを思えば、翻訳は技術だけではない、というような主張は安易にはなされないはずである。また技術以外に（あえて以上にとはいわない）何かがあるとすればそれは、学びえないもの・生得天賦のものであって、求めて得られるものではない。原作品との出逢いにおいて訳者が原文に対してもつ直観がこれにあたるかもしれない。その働きを技術との関わりにおいて確定することは興味ある問題であるが今は手に余る。ただ、その直観が倖せにも正当でそして訳者の技術が完璧への距離をいくらかでも縮めえたとき、そこに典型としての直訳に多少とも近いものがつくられるのではないか、と考えている。

【初出】 日本翻訳家養成センター発行・月刊『翻訳の世界』（1977年5月号）「翻流」

1 ― 現在では、『ギリシア・ローマ抒情詩選―花冠―』（岩波文庫1991年）に収載。

エウリピデス『ヘレネー』の翻訳

――今回は、先生が最近訳されたエウリピデス（紀元前五世紀、古代ギリシャの悲劇詩人。神話や伝説に人間的解釈を加えて作劇した）の『ヘレネー』（岩波書店『ギリシア悲劇全集8』1990年所収）の女性像を中心にお伺いします。〔聞き手＝*ZELKOVA* 編集室・田村光太郎氏〕

細井　ヘレネーは、みなさんご存じのトロイ戦争をひきおこしたとされる「絶世の美女、トロイのヘレン」です。ギリシャ神話の中でも中心的存在ですが、女神ではありません。父は最高神ゼウス、母は人間という「半神半人」なのです。ヘレネーは出生の周辺を含めて、古くから人々の関心の的でした。

――それは、なぜでしょうか。

細井　彼女が美しかったからです。後世に連なるヘレネー像を最初に作り上げたホメロスも、その美しさを讃えています。

――ゼウスの子というのは多いのですか。

細井　ええ、百数十という数でしょうね。その中でも、「半神半人」の身で「ゼウスの娘」と呼ばれるのはヘレネーだけです。これは前四世紀初期にアテネの弁論家イソクラテスが『ヘレネー讃』という小論の中で述べているのですが。イソクラテスはまた、ゼウスは「平穏無事では、人間の特質は輝かない。争い、競い合うことの中から各人の特質がはっきり出てくる」と考えて、男ヘラクレスには、力による他者支配を可能にするような「強さ」を与えたが、とくに女ヘレネーには、力そのものをも支配しうるような本性をもつ「美」を、競争し手柄を立てる目標となる美しい形を与えた、といいます。エウリピデスの『ヘレネー』にも、ヘレネー（の名）は、相対するギリシャ方・トロイ方の中間に置かれた、勝者のための賞品だというところがあります。つまり女性を「競い合いの元であり、的である」と考えたのですね。ここに古代ギリシャ人が女性の存在理由をどう考えていたか、一つの代表的な例を見ることができます。

――エウリピデスの描いたヘレネー像の特色は。

細井　この芝居の中で、かれは伝説を巧みに利用して、トロイへ行ったのはヘレネーの幻であり、本当のヘレネーはそのときエジプトにいた、と設定しました。ヘレネーの「名」はトロイへ向かい、「実体」はエジプトにとどまったという、「名」と「実体」の対置構造を考えたわけです。トロイのヘレネーは他の男に誘惑されて夫を裏切り戦争の原因を作った悪い女、片やエジプトのヘレネーは貞淑な女であると。

ヘレネーは、トロイへ向かった自分の幻、すなわち「名」を恥じ、エジプトでの自分こそが「実体」だと言います。でもこの二つはそれほど明快に分けられるものではなく、そう簡単に「名を捨てて実をとる」わけにはゆかないのが人間でしょう。そのへんの葛藤がとても見事に描かれているのです。

――それで悲劇といえますか。とくに悲しさは感じられませんが。

細井　この作品はヘレネーがエジプトを出て帰国の船出をしたところで終わっていて、その先の「人間としての生」には触れていません。劇の結末にある神々の予言は、彼女の「人生以後」のこと、つまり神々の側での解答です。ヘレネーの抱える問題に対しては、人間の次元では答えがない、そこが悲劇なのではないかしら。

――なるほど。で、現代人はこの劇をどのように味わえばよいとお考えですか。

細井　ギリシャ劇には常に私たちへの問いかけがあります。『ヘレネー』を自分自身の女性観に照らしてどう受けとめるか、作品に当たって自分らしい答えを探して下さい。それと、この作品は特に、知的な遊びの趣が強いこと。名と実体、生と死、男と女などさまざまの対置を軸に話が展開するのもその例です。そういう計算の面白さを伝えるような翻訳をと努めたつもりです。

さらにもうひとつ、これは戯曲ですから対話の調子が問題になりますが、とくに言葉遣いのうえで、いわゆる「女の言い方、男の言い方」とされるような言い方（ごく単純な例でいえば「……だわ」「……だぞ」のような）を避け、余分なニュアンスを削ぎ落とした「中性的・直線的」な言い方で訳すようにしました。古代のギリシャ劇は、日本の能楽のように仮面劇で、生身の顔の表情は出せないわけですし、仮面をつけて女の役を演じるのは男ですから、対話の言葉も一般の（仮面をつけない）芝居とは違うはずです。また、原文で緊迫した場面で使われる「一行対話」は翻訳文でも一行におさめましたが、これにはけっこう苦労して、でもそのおかげで「ぎりぎりまで削ること」言い換えれば「どうしても削れないのは何か」をつきつめて考える、その面白さを学びました。効果が出ていると良いのですが。

――最後に、古典や外国語の学習上のヒントを頂けましたら。

細井　漱石の『夢十夜』の中に、運慶が仁王像を彫っている話があるでしょう。その中で見物人の一人が、「あれは眉や鼻を鑿《のみ》で作るんじゃない。あのとおりの眉や鼻が木の中に埋まっているのを、鑿《のみ》と槌の力で掘り出すまでだ」と言います。

文学作品の勉強というのもそれと同じことではないか、という気がします。日本語でも外国語でも活字といして目に見えている作品は木や石の塊なので、私たちのほうで、自分の技を使ってその中から、埋まっている像を彫り出さなくちゃならない。技がよければよいほど、元どおりに近い眉や鼻の輪郭をもった像が出てくるでしょう。腕が悪いと何も出ないかもしれない。だから日頃、苦労して動詞の変化を暗記したり、変体仮名を読んだり、あれこれ調べたりして、技や道具を磨いておく――その苦労に値する像、それが広い意味での古典だと思うのです。

【初出】 成蹊大学広報誌 *ZELKOVA* 第4号（1991年11月）「EC 講義録3・現代と女性」

『レトリック連環』（成蹊大学文学部学会編）紹介

レトリック、それは言葉を操る技術です。わたしたちは言葉によって考え、言葉によって心の内面や自分をとりまく外の世界をとらえています。人と人とのつながりも言葉を介してできあがることが多い。わたしたちの言語活動は、レトリックそのものとさえいえるでしょう。

本書（風間書房二〇〇四年三月発行）は、人間の知性のもっとも基本的な営みを、（古代ギリシャ、日本の平安期と江戸期の）古典文学、言語学、教育学の分野から眺める内容で、教員七名による二〇〇二年度の総合科目講義を基にした、成蹊大学人文叢書第2巻です。現在注目の裁判員制度を新たな角度から考えさせる西洋古代の法廷弁論、昔から詠みつがれてきた和歌や狂歌、言葉の技法と人間の認識活動との関わり、国語教育にとりいれられた「ことば遊び」と子どもの反応など、多彩なテーマで読者の関心に応えるべく構成されています。編集責任者は、文学部の森雄一教授と細井敦子です。

執筆者一同に共通するキーワードは「レトリック」。七編の「連環」ですから、どれから読み始めてもけっこうです。学生会館二階のブックセンターで手に取って見てください。表紙の、剣（攻撃・防御）と百合（文飾）をもつ「美女レトリカ（修辞学の寓意像）」のイラストが目印です。

【初出】成蹊大学広報誌 *ZELKOVA* 第38号（2004年7月）「自著の紹介」

弁論作者リュシアスのこと

リュシアスとのかかわり

紀元前五世紀末から四世紀にかけてアテナイ（古代のアテネ）で活躍した弁論作者リュシアス（Lysias）の作品が、古代ギリシャ語の文法をリセ（当時は七年制の高等中学校）で学んだ学生たちが次の段階（大学一年目の「予備課程」propédeutique）の教科書として最初に読むものだ、と知ったのは、一九六一年秋にフランスに留学したときのことでした。当時、東大の教室でのギリシャ古典関係は、西洋古典学専修課程は大学院のみに設けられていて、学部段階では、教養学科で呉茂一先生、言語学科で高津春繁先生が、お二方とも大学院と併任で担当され、古代ギリシャ史は西洋史学科の村川堅太郎先生、ギリシャ哲学は哲学科の斉藤忍随先生が、それぞれギリシャ語原典の講読をご担当でした。碑文資料などを別とすると、まとまった作品としては、韻文では（ホメロスの叙事詩は別格で）悲劇・喜劇、散文ではプラトンの著作の講読が主で、弁論作品が教科書としてとりあげられることはなかった（教養課程での「第三外国語・初級文法」は聖書学の前田護郎先生ご担当で、高津先生編著の文法読本には「練習問題」として弁論家デモステネスの「ティモクラテス告発」からの引用一頁〈ロクリス人の法〉がありましたが）と記憶しています。

後年、村川先生からいただいたお手紙に「リュシアスは、以前、大学院修士課程の演習でとりあげて全篇を読みましたが」とありましたが、それがいつ頃のことだったかは伺いませんでした。リュシアスの作品は、法廷における「告発または弁明の弁論」という形を取るものが多く、当時のアテナイ社会に生きた有名無名の人々が登場するさまざまな事件（少しの例をあげれば、姦通にからむ殺人、少年愛に関わる傷害、有名政治家の息子の兵役忌避、富裕者による収賄、身体障碍者への給付金差し止め、ポリスの政治に携わる役職者の資格審査等々）を題材にしていますので、もちろんそこには法廷弁論としての作為もありえますからそのまま史実として受け取ることはできないにしても、歴史研究の面からも注目されるのは当然といえるでしょう。

ギリシャ古典の「教科書」として何を選ぶかは古典語教育のあり方の問題でもあって、背景にあるその国の文化伝統の問題にもつながりますし、また、時代状況の推移によっても影響されるので、ここでそれを議論するつもりはありません。ともかく私にとっては、ソルボンヌの予備課程最初の教科書がリュシアスの弁論作品だということは、たいそう印象的でした。そこには、この作者のとりあげる題材と登場人物との多様な面白さや、詩語に依存しない口語調でありながら重みや優雅さを感じさせる文体（アッティカ散文の「平明体」の模範とされる文体、ごくかんたんにいえば、取りつき易くて面白くて出来の良い文章）を学ぶという意味もありますが、さらに、自分の主張したいことを、どのように話したり書いたりしたら、人に伝えられて人を説得できるか、そのための言葉の選び方や話の組立て方の技術を学ぶ、という古代ギリシャ以来の「レートリケー」〈rhetorike〉（弁論術・修辞学・レトリック）教育の伝統が、まとまった作品をとりあげるならまずリュシアスを、という選択の中に生きているように感じたのです。

このときのソルボンヌでの印象が、のちに日本で大学に勤務するようになって、教室でリュシアスの作品を読むことや、それを日本語に翻訳することを自分の課題に加えた、その動機だったかと思います。

古代の弁論術が、文面上の形式の点でも現代につながっていると実感した例をもうひとつ、これは日本に帰ってからのことですが。

大学の同僚でブダペスト大学での研修から戻った文化人類学の研究者が、彼の地で取得した博士号の「最優等修了証書」(全文ラテン語ですが)を見せてくれたことがあります。冒頭部分が、日本の卒業証書などと違って数行の文章になっていて、しかも何となく読んだ覚えのある文章だと思ったら、それはリュシアスの「オリュンピア大祭弁論」の冒頭部分とよく似た文構成(固有名詞を入れ替えれば)をとっていた、ということがありました。リュシアスの場合は、祭典の創始者(神話の英雄ヘラクレス)を讃えるところから始まって、それから本題に入るのですが、その「博士号最優等証書」もまずその制度の創始者を讃えるところから始まっていて、証書を授与される当人のことはそのあとに記されるという形になっていたのです。ひとの業績を褒め讃える「式典弁論の型」が今日まで受け継がれて生きているのではないかと考えられます。それに式典弁論そのものが、前六世紀の、さまざまな競技における祝勝歌の伝統をひくものだとされますから、源はリュシアスよりさらに遡ることになるでしょう。

弁論作者リュシアス

リュシアス(前四五〇年代生―三七〇年代没)は、盾制作の大きな工場を所有する富裕な家に生まれ、父の代から大政治家ペリクレスをはじめアテナイ社会上層部の人々と親交がありました。ただ、父ケファロスがシチリア島シュラクサ出身の、（リュシアス自身の言葉によれば）「この地（アテナイ）へ来るようにと大政治家ペリクレスに説得されて、三十年来ここに住んでいる」移住者であったため、身分としては「アテナイ市民」ではなく、「居留外人（メトイコス）」の身分、かんたんにいえば、納税や公共奉仕の負担はあるが、民会への参加などの参政権はない、という身分でしたから、それゆえに政治の表舞台に出ることはなかったと考えられています。

プラトンの対話篇『国家』はケファロスの家を舞台にしていて、そこには年老いた父ケファロスの姿があり、ソクラテスを囲んで交わされる議論に参加する兄ポレマルコスに加えて、リュシアス自身も登場する（年少のゆえか発言はしませんが）という設定になっています。このように経済的にも知的にも恵まれた環境に育って、「最上層の人々とともに教育を受け、十五歳の時に兄弟で（イタリア半島南端にある）アテナイの植民市トゥリオイに行って、裕福に暮らしながら弁論術の大家たちに学んだ」と、のちにローマ帝政初期に『古代の弁論作者たち』を著した、小アジアはハリカルナッソス出身のディオニュシオスが「リュシアス論」の中で記しています。

イタリアから戻ったリュシアスは、はじめは弁論術の教師として、ついで裁判での係争の当事者から依頼を受けて弁論を作る、弁論作者としての活動を始めていたようですが、ペロポンネソス戦争末期のアテナイの大敗と政治的危機、寡頭派の「三十人僭主」による暴政の中で、兄は捕らえられて刑死し、リュシアス自身もアテナイを逃れて隣接するメガラへ亡命、一家の財産も痛手を受けます。この間の事情は、リュシアス自身が演説した、かれの代表作とされる「三十人僭主の一人であったエラトステネスを告発する弁論」（第十二弁論）に力強く語られています。そしてこれにつづく時期、つまりアテナイが、民主派対寡頭派の内乱から和解、そして民主政の立て直し（前四〇三年秋）と復興へ、と変動した二十年余りの間が、（プラトンの対話篇『ファイドロス』にみえる評価によれば）「当代随一の弁論作者」リュシアスの活動の主要な時期であったと考えられます。年代を確定できるかれの最後の作品「エウアンドロスの（筆頭アルコン）資格審査について」は前三八二年夏に作成されたものです。

リュシアスの没年については、前記「リュシアス論」その他の古い証言も一致せず、前三八〇年から三七〇年の間、と推定されています。

古代ギリシャの弁論術

アッティカの弁論術[1]　古代ギリシャにおける弁論術の源流は、ホメロスの叙事詩にまで遡ることができます。『イリアス』第九巻でアキレウス説得を試みる三人の使者の話にもあるように、大小の公的な場において言葉を整えて話し、それによって人を説得する術すなわち弁論術の訓練は、行動面での武勇の訓練と並んで、社会の指導者たるべき者を教育するには必要不可欠だったからで（*Ilias* 9.443）、『イリアス』、『オデュッセイ

1 ― 「弁論術・レトリック」（ῥητορική）の語源にある動詞〈εἴρω〉は「陳述する、宣言する」など、法的、宗教的、儀式的な、なんらかの荘重なニュアンスをもって「述べる、語る」ことを意味していた（P.Chantraine, *Dictionnaire étymologique de la langue grecque*, Paris 1970）。「アッティカ」は、アテナイ市部を三方から囲んで北はパルネス山から南はスニオン岬に至る、沿岸部および内陸部の地域を指す。

ア』の中には雄弁の手本ともいうべき例がいくつもあります。また、「ばら色の指をもつ曙」、「輝く目をした女神アテナ」のような数多い枕詞や長短さまざまな比喩など「文彩」とよばれる修辞の技法も縦横に駆使されて、物語の世界を広げてもいます。ただ、実生活の世界で弁論術の教育を職業とする人が出てくるのは、おそらく前五世紀前半のシチリアにおいてであるといわれていて、それは、ローマ共和政期の政治家であり著作家でもあるキケロ（前四三年没）の書物（*Brutus* 46）に「シチリアの人々が、独裁的な僭主を追放した後、土地の私有権返還を法的手段によって実現しようとしたことから、弁論術が必要とされるようになった」という趣旨の引用記述があり、その中に若いリュシアスの師でもあった弁論術の大家シュラクサ出身のテイシアスの名があることからも分かります。

それに続いて弁論術の発展を担ったのは「ソフィスト」とよばれる人々で、職業として新設植民市の法文起草を助けたり、民主政盛時のアテナイへ来てそこで政治のリーダーを目指す若者たちに実践的な弁論術教育をしたりしていました。かれらは弁論の構成や配列法を論じ、手引きや模範例文集も作成していたと考えられますが、それらは断片やのちの著作者たちによる引用などで伝わるのみです。まとまった作品として伝存するものでは、シチリア出身のゴルギアスの『ヘレネー讃』、『パラメデスの弁明』があり、装飾的な修辞を駆使した「ゴルギアス流」と称される文体は、当時のみならず、後世にも大きな影響を与えました。

アテナイの政治家のなかで最大の弁論家といえば、前五世紀のペリクレス（かれがリュシアスの父にアテナイ来住を勧めた、とリュシアスが述べていることは前述）になるでしょうが、ペリクレスの最も有名な「戦没者国葬演説」も歴史家トゥキュディデスによってその『戦史』第二巻に記されているもので、政治家自身の作品として伝存しているわけではない。「アッティカの弁論作者たち」としてまとまった作品が今に伝わっているのは，前五世紀後半のアンティフォンから、リュシアスより少し若い世代のイソクラテス（前三三八年没）、そして全四世紀後半の大雄弁家デモステネス（前三八四―三二二）に至る十人ほどの作者たちで、かれらの、政治や裁判や式典の場を意識した弁論術の実践は、ポリス（都市国家）アテナイの盛衰と軌を一にして終わることになります。

アテナイの民主政は、前六世紀末に基礎がおかれ、前五世紀にペリクレスのもとで完成強化されたものですが、それは、市民の総会である民会と、行政を統括する評議会と、市民が構成する大小の規模の法廷[2]とに支えられていました。裁判関係では、ごく粗い言い方ですが、事件の摘発、捜査、告訴告発などを担う今日のような警察や検察は存在しなかったので、被害者側など必要と思う者が自分で担当の役職者に提訴しなければならず、訴える方も訴えられた方も所定の手続きを経て、事件の内容によって定められた法廷に立って、告訴告発あるいは弁明の弁論をすることになっていました。判決を出すのは、一般市民からなる任期一年の裁判員団（その構成は法廷によって異なりますが）で、原告被告の弁論が終わるとすぐに、原告の言い分を有効と認める（＝有罪）か、被告の言い分を有効と認める（＝無罪）か、の投票が行われて、単純多数決で判決が出る、という仕組みでした。訴訟の当事者としては、敗訴すれば、重いときには財産没収や死刑まで

2 ― アリストテレス『アテナイ人の国制』57章および63-69章参照。邦訳は、新版の『アリストテレス全集19』橋場弦訳（岩波書店2014年）、文庫版の村川堅太郎訳（同1980年）がある。

法廷で弁論の持ち時間を測る水時計(アゴラ出土、前5世紀)の復元品。上段の器に入れた水2クース(=約6.4リットル)が下の器に流入するには約6分を要したという。アテネ、古代アゴラ博物館蔵。出典：J. M. Camp前掲書p.111,

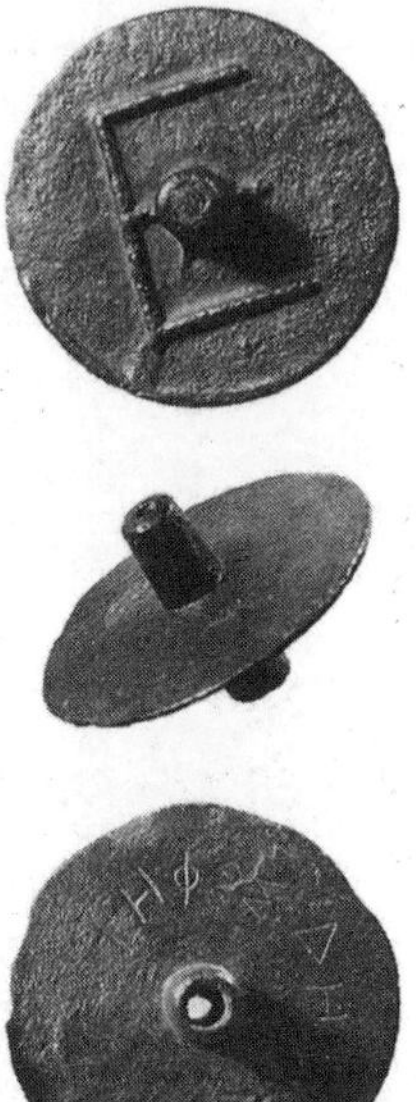

青銅製投票用具。アテネのアゴラ出土、(前4世紀、直径約5~6cm, 厚さ約3cm)。軸が中空のものは「有罪」、軸がつまったものは「無罪」の投票に使われた。アテネ、古代アゴラ博物館蔵。出典：J.M. Camp, *The Athenian Agora, Excavations in the Heart of Classial Athens* [アテネのアゴラ：古典期アテネ中央広場の発掘], rev. ed. 1992, p. 108.

ありうるので、自分で弁論を作成するよりも、法律の実務家ともいえる弁論代作者に依頼するほうを選ぶ場合も少なからずあったに違いなく、リュシアスも、依頼を受けて依頼人の立場にたって弁論を代作するという意味では、晩年のイソクラテスが軽蔑的な口調で非難した「法廷の周りで生活する者」(15.38)の部類に入るといえるでしょう。

アリストテレスによる弁論術の分類　アッティカの弁論術を理論的に体系づけたのは、「万学の祖」アリストテレスです。その著『弁論術』[3]では、まず論題(争点)を見出してその説得方法を考えることが中心課題であるとし、それをどのような言葉に表現するか、そしてどう組み立てるかを論じて、さらに聞き手のほうはどう受け取るか、という、心理の詳細な考察にまで及んでいます。弁論術が人間の基本的な営みにふかく関わっていることを考えさせられるのですが、ここでは、リュシアス作品を読むときの「目安・定規」にするという目的で、弁論の種類と構成について私の理解したところを、ごくかんたんに記しておきます。

弁論の三種類（『弁論術』第一巻第三章）

「議会弁論」（未来の事柄に関わる、勧奨・制止。目的は、利・害）

「式典弁論」（現在の事柄に関わる、称賛・非難。目的は、美・醜）

「法廷弁論」（過去の事柄に関わる、告発告訴・弁明。目的は、正・不正）

弁論の構成（『弁論術』第三巻第十三章）

「序言・提題」（弁論の論題・争点を述べる。どの種類にも必要不可欠）

「叙述」（過去に起こったことを扱う「法廷弁論」のみに必要）

「論証」（提題で出された事柄を論じて証明する。どの種類にも必要不可欠）

「結語」（弁論が短い場合には不要）

3 ― 邦訳は、新版の『アリストテレス全集18』堀尾耕一訳（岩波書店2018年）、文庫版の戸塚七郎訳（同1992年）がある。

リュシアスの作品

リュシアスの場合、現在一般に「リュシアスの作品」として扱われるのは、パピルスや後代の作家に言及されている断片を別にすれば、二系列のリュシアス写本に伝わる長短三十一篇と、前節で名を挙げたディオニュシオスの「リュシアス論」に引用された作品三篇ですが、「戦没者の葬礼演説」（第二弁論）と、先に名を出した「オリュンピア大祭弁論」（第三十三）との二篇が式典弁論に、「父祖の国制について」（第三十四）が議会弁論に分類できるほかは、ほとんどが勝敗を争う法廷弁論ないしはそれに関連するものです。[4] すでに古代から「リュシアスの作品は四百二十五点あるといわれるが〔中略〕そのなかで真作とされるのは二百三十三点で、そのうち敗訴は二回のみであった」という伝承（伝プルタルコス『モラリア』835D-836A）もありますが、史実としての真偽の検証は難しい。裁判記録が残っているわけではなく、依頼人が法廷で述べたものがリュシアス作成の草稿どおりだったか、敗訴になった草稿は廃棄されたのではないか、無名氏の作成したものが高名なリュシアスの名で伝わることもありうる等々、疑問は多々あるからです。リュシアス作品の総数も、私の調べ得た範囲だけでも、〈90〉[5]から前述の〈425〉までの数字があって定まりません。ただ、そのような伝承が残されるほど多作で、法廷弁論作者として定評があった、とは言えるでしょう。

リュシアスは、経済的にも教養の面でも、社会的に最上層のアテナイ市民と親しくつきあう環境にいながら、自分自身は市民ではなかった。そこからくる疎外感（と推測するのですが）は、かれにとって、人間関係をいわば「外から見る目」をもって解明する、そのための鋭い「メス」になったのではないか、と私には思えます。多様な事件をとりあげて、告訴告発や弁明の法廷弁論を作ることは、リュシアスにとってまさに最適な仕事だったのでしょう。

第一弁論「エラトステネス殺害に関する弁明」のレトリック

ここでとりあげる第一弁論（作品番号1）は、前三九九年前後に成立したと考えられる作品で、アテナイ市民間での殺害事件を扱っています。弁論の話者はエウフィレトスで、相手方は殺害されたエラトステネスの親族と考えられますが、おそらく意図的に、明示されていない。また、原告の弁論も票決の結果も残されてはいません。そもそもここで扱われる「事件」そのものも、実際に起きた事件とみるか、それともリュシ

4 — 三十四篇の邦訳と解説は、『リュシアス弁論集』細井敦子・桜井万里子・安部素子・分担訳（京都大学学術出版会2001年）、またその「修正表」は同出版会のホームページに掲載されている。なお現代の諸校訂版においてリュシアスの「第三十五弁論」として含まれる、プラトンの『ファイドロス』からの引用部分は、一五一三年のアルド初版本にも、一五七五年のステファヌス版にも入っていない。これを最初に「リュシアス弁論集」に入れたのは、そのPraefatioに〈..Primus addidi〉とあることからH. van Herwerden, *Lysiae orationes*（Groningen 1899）と考えられる。

5 — リュシアスの第二弁論（葬礼演説）を伝える写本の中で最も古い、十世紀手写の本（*Paris. Coislinianus 249*.—これは古代末期のSynesiusとProclusおよび古典期のGorgias, AeschinesとLysiasの五人の弁論作者からの選文集、本書「リュシアス作品の写本伝承」で後述）に、「弁論家十人の作品数一覧」（f.100r）がある。〈90〉という数字はこの「一覧」中の「リュシアス」に記されたもの。

6 — K.J. Dover, *Lysias and the Corpus Lysiacum*, Berkeley and Los Angeles 1968, p.186 参照。

アスが弁論術の例示として構想したフィクションとみるか、どちらも可能です。[6] 読者は、弁論作者が、この事柄はこのように述べるのが、この法廷（裁判員団＝おそらく「エフェタイ」とよばれる五十歳以上の男子市民五十一名）を説得して話者の無罪を獲得するための最良の述べ方である、として作ったものがこの作品である、という了解で読む必要があります。

話者は、若い男（エラトステネス）[7]を殺害した廉《かど》で訴えられ、殺害が行われたことを否定はしないが、それはその男と自分の妻との姦通の現場においてであって、「合法殺人」に当たると申し立て、この殺害は罪にならないと主張します。古典期アテナイでも、前七世紀後半に成立した「ドラコンの法」のうち殺人に関する部分は生きていて、そのなかに殺人が有罪にならない場合を列挙した規定があったからです。それによれば、競技中に過失致死を起こした者、路上で（追剥ぎを）殺した者、戦闘中に誤って（味方を）殺した者、「妻、母、姉妹、娘など、家長である男子市民の庇護下におかれた女性の傍らで姦夫を殺害した者」は、「国外退去不要」（無罪）とされていたのです（この「……の傍で」という語句は「その現場で」を意味すると解されています）。この裁判では、原告（殺害された者の親族）のほうは殺害が計画的であったと主張しているらしく、それはこの弁論の「論証」部分（37）から推測できます。

法廷では、通例、当事者である原告被告が、水時計で計測される持ち時間内で、交互に各々二回の弁論をします。今の場合もし被告側の「合法殺人」の主張が通らず、原告側の主張（と推定される）通り「計画的殺人」として有罪になれば、刑は「死刑および財産没収」があらかじめ定められていて控訴の制度はありませんでした。この第一弁論には、本文の途中に「法」や「証人たち」という指示が挿入されていて、論拠となる法条文の朗読や証人の証言がなされたと考えられますが、いづれもその文言の引用はありません。「エラトステネス殺害に関する弁明」は原文を朗読すると約三十分かかり、内容からみて被告にとって法廷での第一声であったと推定されます。弁論作者としてもとくに入念な構想をもって作成したに違いありません。

ギリシャ古典の作品にはどれも、長い伝承の過程で、作者・作品ごとに万国共通の巻・章・節・行などの表示が定められていて、原典でも翻訳でも当該箇所の検索が容易にできます。リュシアスの場合は作品名あるいは作品番号（1-34）と節番号（この第一弁論では1-50）を表示すればよい。原作者自身は弁論を構成する各部分の区分を記してはいないが、さきに言及したアリストテレスの「弁論の構成」を手がかりに作品をみると、この第一弁論は、論題提起を含む序言（1-5）、叙述（6-26）、論証（27-46）、結語（47-50）となっているのが分かります。法廷弁論に必要とされる四部分をもつ、全体として均衡のとれた配列で、とくに「叙述」部分が「論証」部分とほぼ同じ、むしろやや長いものであることには注目しておきたい。話者の立場は、「為された事柄のすべてを語ること、つまり事件の「叙述」こそが自分の主張に寄与するのだというもので、そのためにこの部分に力点がおかれることになります。

「序言」にみるリュシアスの基本戦略（一～五節）

冒頭第一節は次のように始まります。

7 ― さきに「弁論作者リュシアス」の項で言及した第十二弁論の「三十人僭主の一人エラトステネス」とは別人。

［裁判員である］市民諸君、この事件に関して諸君が、もしもこのようなことが自分の身に起こったら、と考えて私を裁く立場にたってくれるなら非常にありがたいと思う。というのは、私にはよくわかっているのだが、もし諸君が他人事についてもわが身のことと同じ判断をもってくれるなら、私の事件に関して憤りを覚えぬ人はなく、全員が、そういう行動に及ぶ者に対しては、私の加えたあの罰は軽いものだと考えるであろう。

話者（被告）はまず聴き手（裁判員団）に、この事件を自分自身の問題として考えてもらいたい、と切り出す。この弁論が聴き手にも深く関わっているという印象を与えて、話の冒頭で「聴き手を自分の側につける」レトリックですが、ここにはもうひとつ、注目すべきことがある。それは、この法廷の聴き手にとっては「事件」は姦夫殺害事件のはずであるのに、話者は「この事件」から「あの罰」へと言葉を展開してゆくなかで弁論の論点を、殺害事件から（その理由になったと主張する）姦通事件のほうに移し、自分の行為を、人倫に背いた行為（姦通）への罰・報復と位置づけていること。この位置づけは「このような犯行」と「この人倫に外れた不遜な行為」（2）など、と個別から一般への「修辞的拡張」によって補強されています。そのうえで、あらためて次のように弁論の論題（4）が提起されます。

市民諸君、私は次のことを諸君に示す必要があると思う。すなわち、エラトステネスが私の妻と通じていたこと、彼女を誘惑したこと、私の子らを辱めたこと、私の家に入り込んで私自身に対しても人倫に外れた不遜なふるまいをしたこと、しかも私とかれの間には、私の妻のこと以外にはいかなる敵意もなかったこと、私の行為は貧困を脱して富裕になろうという金欲しさゆえでもなく、諸法に則った報復以外のなんらの利得のためでもなかったこと、を示したいのである。

殺害事件で訴えられた者が無罪を主張することそれ自体は、前述したように当時「ドラコンの法」が生きていたことを考え、現代の刑法にも「正当防衛」「緊急避難」などの規定があることを考えあわせれば、私たちにもとりあえず理解できることでしょう。この弁論がとくに興味ふかいのは、無罪をかちとる（説得に成功する）ための方法として、この殺害は罪には当たらない、と自分の行為を消極的に正当化するだけでなく、殺害事件の加害者ではあるが姦通事件では被害者であるという立場を最大限に活用して姦通の不当性を糾弾し、姦通の罪に対する死は法の命ずるところである、との積極的な主張にまでもってゆくという、法を軸にした作者の基本戦略があるからだと考えられます。

この戦略の実行にさいして、作者は「呼びかけ」、「対置」、「拡張」、「漸層法」、「反復」、「累積」のようにさまざまなレトリックを使って話を始める。「市民諸君」という、裁判員団への呼びかけは、聴き手と話者との一体感を作りだすための常套句のひとつですが、この第一弁論では二節に一回という高い頻度で、しかも弁論の調子が高揚するところで弁論の要所ごとに聴き手への呼びかけがある。「他人の事についてもわが身の事として」（1）、「このような犯行に関するかぎり、民主政下と寡頭政下とを問わず、最も力弱い者たちと同一の罪が、最も大きな力をもつ者たちにも科されることになっていて、最上層の者と最下層の者とは同じように扱われる」（2）などの「対置」の連続は、「（私の判断は私個人のみならず）諸君の見解でもあり、さらにはギリシャ全土においても同様であろう」（1-2）と段階的に登ってゆく「漸層法」によって強調される。そして弁論の核心を提示する提題部分になると、列挙していって統合する累積の修辞が、「連辞反復」（文と文をつなぐ小辞の反復）によっていわば二重の形で用いられる。前半は、姦通、誘惑、侮辱という三つの異なる部分の列挙が「人倫に外れた不遜なふるまい」（これは第二節の反復）によって統合され、後半は「敵意の不在」、「金銭欲の不在」という二つが「諸法に則った報復」に統合されて、全体として「私の行為は諸法に則った報復である」という論旨の基本線を明確にうちだす。このように作者は、修辞を操作して弁論の動きを作り出すことによって、基本戦略にそった説得を、すでに序言部分において開始しています。第五節は次の段への移行です。

第一弁論の中心――事件の叙述（六～二十六節）

「法的に性格づけられた事実」　リュシアスの事件叙述の巧みさは、古代から定評がありました。ローマ帝政初期の修辞学者でハリカルナッソス出身のディオニュシオスは、その著作『古代の弁論家たち』[8]のリュシアスの章でかれを評価して、活力ある場面描写が真に迫っていて説得的であり、事件叙述の模範になるものだとしています。また、リュシアスは弁論の話者を中心とする登場人物のethos（エートス＝当人の基本的な生き方・生きざま・性格）の表現においても他にぬきんでていて、その人に適した考え方や言葉の選び方とその表現に巧みであり、論証力をもつような性格づけをすることに優れていた、といっています。論証力をもつような性格づけとは、言い換えれば、この人ならこの行為をするのももっともだと聴き手を納得させるように、人物（第一弁論であればその話者）の性格や生き方を弁論の言葉にすることでしょう。ディオニュシオスによれば、その目的に合う材料が目前の事実の中にない場合には、リュシアスは自分でその性格を作りだし、弁論の論旨に合致しかつ役立つような人物を造形した、というのです。

ここで確認しておかねばならないのは、この事件の当事者である依頼人エウフィレトスは、弁論の代作者であるリュシアスに「事実をすべてありのままに」（と自分が信じているように）打ち明けたかもしれないが、しかし「事実」についてのリュシアスの立場はそれとは異なる、ということです。話者を中心とする登場人物の生き方や事件に関わる事実はいわば無数にあるわけですが、法廷弁論作者としては、裁判員団の同意を得ること（ここでは無罪をかちとること）を目的として弁論の戦略をたて、その戦略にそって、無数にある事実のなかから弁明として有効に機能しうるものだけを選び出して事実として叙述し、論証部分の主張に適合するような、「弁論の論旨に合致しかつ役立つような」事実（人物も事柄もふくむ）を提示し立証して、その事実性について、限られた時間内に法廷を説得しなければならない。作者が、「序言」から「叙述」に移るところで、話者の口を通して「私は、事の起こりから、私自身の事柄を何事も省略せず真実を述べて、すべて諸君に語ろう」（5）と言ったとき、その意味は、弁論の論旨に合わせうる事実は何も省かない、ということであって、それは、依頼人をめぐって過去に存在した無数の事実とも依頼人が作者に語ったはずの事実と

8 ― ディオニュシオスの「リュシアス論」は、『ディオニュシオス／デメトリオス　修辞学論集』（京都大学学術出版会2004年）に邦訳（戸高和弘）がある。

も異なる事実です。法廷弁論にとっての事実とは、弁論作者が真実として言葉化する事実、ディオニュシオスの賛辞を借りれば「真実によく似た偽り」なのです。この賛辞、元はといえば、叙事詩人ホメロスが（『オデュッセイア』の中で）主人公オデュッセウスの語りの巧みさを褒めた言葉［*Od.* 19.203］の引用だとディオニュシオス自身が述べています。

そのような事実はこの弁論の論旨に合うように叙述されているはずですが、ではこのリュシアス第一弁論の論旨を構成する基本線は何か。それは、論題提起のさいの「諸法に則った報復」（4）という表明、論証部分で三回行われたはずの「法の朗読」と説明（28、30、31-33）、そして結語部分の「この国の諸法に従順であった」（50）という総括、これらのテクストから読み取れる「法」の存在、それが弁論の基本線を作っているのだと考えられます。作者は、三つの法の適用を可能にするように事実を選び事件を叙述している、つまりこの事件叙述は、現代の言葉を借りれば「法的に性格づけられている」[9]のです。作者は事件叙述の段階で、殺害が姦通の現場でおこったこと、姦通がその場かぎりの暴力による事件ではなくて、相当の期間をかけて行われた説得づくの行為であったこと、の二点を聴き手に印象づけるように叙述し、それによって、次の論証の段階で、「現場での行為」（殺害）という点を、姦通の現場で夫が姦夫を殺害することを容認する第一および第二の法に、「説得づくの行為」（姦通）という点を「暴力による強姦には［死刑より軽い］罰金刑」を定めた第三の法に、結びつけることができるのです。

作者は弁論の基本戦略をたて、その実行のために利用できるものとして、三つの法と、それに付随する証人たちの証言を考える。自分がもっとも得意とする事件叙述部分は、その先の論証部分で導入するはずの法を念頭におきながら、レトリックとくに文構造に関わる修辞を駆使することによって活力にみちたものにする――これがかれの計画であった、と考えられます。

人物設定　作者の巧みさはすでに登場人物の設定においてもあきらかで、この弁論の話者エウフィレトス、話者の妻と子（赤ん坊）、女中（小女／若い女の使用人）、ソストラトスほか友人数人、話者に姦夫の存在を告げる老女、ここまですべて、話者の側の人物。殺害されたエラトステネスの側からはエラトステネス自身しか登場せず、原告（エラトステネスの親族）についても、現在目前にいる「この者たち」（27）とか「彼らはこう訴えている」（37）という以上にふみこんだ人物描写はまったくみられない。殺害事件の原告対被告、という関係をできるだけ目立たないものにすることは弁論冒頭からの基本戦略の一環であり、それと同時に、相手とは一面識もなかった（45）（つまり計画性は無い）という、論証部分での話者の主張を支えるべく準備された人物設定で、また自分の側の人物はできるだけ生彩をもって描き、相手方のことはできるだけ影を薄く、人物像を印象づけないように描く意図も読めます。ここぞと思うところで人物の言葉を引用する「直接話法」の修辞が、自分の側の人物についてのみ五回（12、16、18、21、26）も使われるのはそれの表れでしょう。さらに微妙な文構造に関わる修辞としては、この叙述部分全体（6-28）を通して、さきほどの序言部分とは反対に、文と文をつなぐ小辞を省く「連辞省略」が、話の調子を徐々に高揚させてゆくために効果的に作用していることもあげられます。

9――C・ペレルマン／江口三角訳『法律家の論理―新しいレトリック』（木鐸社1986年p.61-62　原著1976年）。

事件以前のこと　序言の最後に話者は「為された事柄のすべてを諸君に語ること、それのみが私の救われる唯一の道だと思う」（5）と述べていました。叙述の内容は、①まず結婚生活初期のことから妻が男（エラトステネス）に言い寄られて「堕落させられる」に至る、事件前史の要約がなされ（6－8）、②家の構造と子どもの誕生、夫婦別室の習慣化など生活の細部（9－10）、③自分が前触れなく田舎から帰宅したある夜のこと、妻の挙動（11－14）、④老女の告げ口（15－17）と⑤女中の告白（18－21）が、直接の語りの再現を四回まじえて、あたかも芝居の見せ場が連続するように描かれてから、⑥姦夫殺害当日の叙述（22－26）に至る。本来この法廷で問題となるべき殺害事件の叙述は、長さとしては叙述全体のほとんど五分の一にすぎません。以下に、叙述部分のなかでもとくに生彩ある第③段を引きます。

ところが市民諸君、時が経って、ある時私が突然前触れなしに田舎から帰宅したことがあった。夕食の後で、子どもがむずかって泣きだしたが、そうなるように女中からわざと苦しめられてのことであった。じつは家にあの男が来ていたからである。私はすべて後になってから知ったのであるが。それで私は妻に、子どもが泣きやむように、階下へ行って乳をやれと言った。妻は、はじめは私が久しぶりで帰宅したのを喜んでいるようなそぶりで、降りてゆこうとしなかったが、しかし私が腹を立てて重ねて言いつけると、「あなたはそこで女中を誘惑したいのね。以前にも酔ってあの女を引き込んだりしたでしょう」と言った。私が笑っていると、彼女は立ち上がって出ていったが、ふざけたふうを装って、扉を閉め、閂《かんぬき》をかける。しかも私のほうは、こういうことを何ひとつよく考えてみることもせず、疑いもしないで、田舎から帰ってきたので満足して眠っていたのである。翌朝になると、妻が上がってきて扉を開けた。私がなぜ夜中に表の戸が音をたてていたのかと尋ねると、妻は、子どもの傍らにあったランプの灯が消えてしまった、それで隣の人のところから火を貰ってつけたのだと言った。私は黙っていたが、それはそのとおりなのだろうと思っていた。そのとき私には、市民諸君、彼女の顔が化粧しているように見えた――兄弟が亡くなってまだ三十日も経っていなかったのであるが。それでもそのことについても私は何も言わず、黙って外出した。

叙述はこのあと、「そののち、市民諸君、時が経って己が身に禍がふりかかっているなどとは思ってもいなかったとき、一人の老女が私のところへやってくる。後になって聞いたことであるが、……」(15) と第④段へ続いてゆき、話者はその老女の口から、エラトステネスなる男が「あなたの妻のみならずほかにも多くの女たちを」(16) 誘惑していると聞かされ、狼狽する (17)。

こう言うと、市民諸君、老女は立ち去った。一方、私はたちまち混乱してしまい、あらゆることが念頭に浮かんできて、疑惑の念でいっぱいになった。私のほうは部屋に閉じこめられていたということを考え、また、あの晩、屋内の扉と中庭の戸が音をたてていた――そのようなことは、かつて無かったのだが――ことや、妻が化粧しているように見えたことも思い出した。あれこれすべてが意識にのぼってきて、私は疑惑の念でいっぱいになってしまった。

そして話者は老女の示唆に従って、仲立ちをした女中を問いつめて事の次第を聞き出し、次の機会に現場を見せるように約束させる（18－21）。

これはみな、現法廷での係争事件である殺害事件よりも以前のことの叙述です。この中で、事がここに至るには「かなりの時」が経過したこと（10、11、15、20）、「(私は) すべて後になってから知った」ということ（11、15）が各段階ごとに反復され、姦通がすでに長く続いた説得づくの行為であることが強調される。「第三の法」に拠る論証には必要になるからです。自分が妻を信頼しきっていてまったく疑惑をもたなかったとの陳述（6、7、10、13－15）や、姦夫の存在を告げられたときの戸惑いを表す「疑惑の念でいっぱいになってしまった」（17）の反復は、たしかに、しばしば指摘されるように、話者を、信じやすく寛容で善良な性格の者として印象づける「話者の人格による説得」（アリストテレス『弁論術』2.12–17）のレトリックでしょう。しかしそれだけではなく、事態が、家長である自分の知らぬ間に継続していたことを強調して、妻が時の経つにつれて説得されて話者の不在中に男の母親と祭礼に出かけたこと（20）も語られており、説得づくでなされる姦通は暴力づくで為される強姦よりも重く罰せられるべきであるという、第三の法の解釈に結びつけた議論を展開する（32－33）ための布石でもあります。

事件当日のこと　殺害事件は、女中との約束から「四、五日が過ぎて」（22）のことです。話者は夕方ひとりの友人に遇い、自宅で夕食を共にしたあと友人は帰り、話者は眠っていました（23）。

市民諸君、そこでかのエラトステネスが入ってくる。そして女中がすぐ私を起こして、男が家にいると告げる。私は、彼女に入口に注意しているよう言いつけて静かに階下へ降り、家の外へ出る。そしてあれこれの友人のところへ行く。……

「理性を想像力に適応させて」[10]臨場感を出すための修辞として、文法形置換の一つである動詞時制の転用が有効であることはいうまでもないでしょう。この修辞は第一弁論では叙述部分のみに多用され（十例）、とくにこの二十三～二十五節のクライマックス場面に「過去の復活／現前を示す現在形（historical present）」として集中しています（二十三節に四例、二十四節と二十五節に各一例）。作者としては、弁論を現場での殺害を容認する法に結びつけるには、ここでどうしても聴き手を「現場」にひきこんでおかねばならないのですから。[11]

話者は現場の証人になるべき近所の友人たちを呼び集め、松明を買って戻り、いっしょに部屋に踏み込む。

（24）……部屋の扉を押すと、最初に部屋に入った者たちは、かの男がまだ私の妻の傍らに横になっているのを見たし、あとから入った者たちは、男が裸のまま寝台の上に起きあがったのを見たのである。（25）市民諸君、私は男に打ちかかって殴り倒す、それから、かれの両手を後ろに回して縛って、いかなる理由で私の家へ入りこんで道にはずれた不遜なふるまいをするのか、問いただそうとした。するとかれは不正

10 ― ペレルマン前掲書p.212。
11 ― 他の四例（6、8、13、15）は、子どもが生まれる、妻が誘惑される、妻が閂をかける、老女が来る、のように事態が新しい段階へ進む時の区切りになっている。

をはたらいていることは認めて、嘆願者の態度をとり、どうか自分を殺さないで金を受け取ってくれと懇願した。(26) そこで私は言った。「おまえを殺そうとするのは私ではない、この国の法なのだ、それをおまえは踏みにじって、快楽よりもつまらないものと考えたのだ。そして、諸法に従い秩序を守って生きるよりも、私の妻や子どもたちにこのような過ちをはたらくほうを選んだのだ」。(27) このようにして、市民諸君、かの男は、諸法が、そのようなことを為している者たちに対して命ずるところを身に受けたのであって、［後略］」

これが殺害現場の叙述で、ここではまず二十六節の修辞が重要です。「私はこれこれのやり方でかれを殺害した」と行為を叙述する代わりに話者は、殺害にさいして自分が言った言葉を再現してみせる、「おまえを殺すのは私ではない、法なのだ」と。話者は、殺害行為の主語を「私（人）」ではなく「法（もの）」とする「擬人法（隠喩）」を使うことによって、話者（加害者）とエラトステネス（被害者）という事実上の対立関係を、法とその敵対者という対立関係に変えてしまっています。殺害糾明よりも姦通糾弾に法廷の目を向けさせ、殺害行為を、法の命ずるところに従った報復と位置づける、という戦略はすでに弁論冒頭から意図されており、それが事件の核心のところで「法がおまえを殺す」というきわめて修辞的な表現によって前面に押し出されてくるわけです。

デモステネス以前のアッティカの弁論作者たちの場合には、抽象名詞（ここでは「法」）が動詞の主語（動作主）になるのはとくに弁論の調子を高揚させる意図のあるときに限られるとされますが[12]、その数少ない例のひとつがこの第一弁論の「法」です。しかも次の段階に入って、三つの法に依拠した議論を展開するときになると、「かの男はこれら諸法が命じているところを身に受けたのだ」という、弁論冒頭からの戦略どおりの主張が、「諸法」の擬人化によって、二十七、三十四、三十五節で反復されることになります。

このドラマチックな擬人法の効果を最大限に発揮するための準備が、直前の「両手を後ろに回して縛って」(25)以下の叙述でしょう。これは現場を見て動転して怒りにまかせて殺してしまった、と主張するための叙述ではない。これはまさに罪人を処刑する叙述です。もし弁論作者が「姦通の現場でなら殺害しても罪にならない」という法のみに依拠して無罪の主張をするつもりであればこのような叙述をするはずはなく、ましてや二十七節で繰り返すはずはないでしょう。直前の擬人法とあいまって、ここも明らかに弁論冒頭から意図した戦略、自分の行為は姦夫への罰であるとの路線にのっており、次の論証部分で第三の法を導入することによって完成するレトリックの一環として考えられた叙述です。

論証（二十七～四十六節）

「法」と「証言」に依拠する論証（二十七～三十六節） この第一弁論「エラトステネス殺害に関する弁明」は、リュシアス作品の中では論証に「法」（の朗読）が利用される数少ない例の一つです。前述したように、テクストには「法」という指示があってもじっさいそこに法文が引用されているわけではありませんが、第二、第三の法については話者の言葉によってその内容の一部が伝えられているので、第二は古来の「ドラコ

12 | J.D. Denniston, *Greek Prose Style*, Oxford 1970 (1952[1]), p.28ff.

ンの法」、第三は「伝ソロンの法」とみるのが通説です。

第一の法の内容は、事件叙述と弁論の運び方、また論証部分の最初に出す法であることからも、話者の論拠の基本となるものでなければならず、現場での姦夫殺害を容認する条項を含んでいるはずと考えられます。また、殺害が罪に問われないさまざまな場合を列挙した「ドラコンの法」は、夫による姦夫殺害も含んでいます。しかしこれら二つだけを基にすると、弁明はいわば消極路線しかとりえない。作者は、戦略の遂行にはまだ補強が必要と考え、「使えるものは何でも使う。総動員する」という発想[13]によって「伝ソロンの法」も利用したのだと思います。これは暴力による凌辱（強姦）に関する法で、被害者（異性とは限らない）の身分によって金額の異なる罰金が定められていたものです。作者は、その身分規定のなかに先の「ドラコンの法」との共通点（「妻、母、娘云々」）があるところに目をつけ、それを接点にして、本来なら別ものであるはずの強姦問題を、姦通問題の弁論に導入する。つまり比較の対象として、強姦には罰金を命じるという法の規定を導入することによって、（それよりも重大な犯罪である）姦通には殺害が命じられる[14]という主張がいっそう説得力をもつ、とのレトリック上の計算です。強姦よりも姦通のほうが重大な犯罪であると説得するためにリュシアスが用いたのは、のちにアリストテレスが「聴き手の感情に訴える説得」（『弁論術』2.1–11）とした論法です。リュシアスの議論を要約すれば、暴力による強姦は相手の女性から憎悪されるが、説得による姦通は相手（他人の妻）をその夫よりも姦夫に親しくさせ、生まれてくる子がどちらの子か不明になるほど相手の魂を堕落させる、ということで（33）、作者はこれが票を投じる者の感情に強く訴えると予測する。この法廷の裁判員団は五十歳以上の男子市民で各自が家長でもあり、嫡子による正統の家の存続を重んじる立場にあって、家長の権威が脅かされるような事態には強い反感を抱くはずだからです。

こうして三つの法は姦通に関する諸法として一括され、擬人法によって「これらの法は私を不当行為ではないとして免訴しているのみならず、相手の男にこのような罰を与えることを命じてさえいる」(34、35)と提示され、そして冒頭からの基本戦略を実現してゆくのですが、それは事件の叙述部分において、周到に選び出され叙述された「法的に性格づけられた事実」が強く印象づけられてこそ可能でしょう。家長たる自分の寛大さ、時間をかけての誘惑と妻の堕落、説得づくの姦通行為、現場での罰としての殺害――一連の事件叙述をふりかえると、作者がレトリックを尽くして叙述してきたことはすべて、この論証部分に収斂させるためのものであったと理解することができます。

「ほんとうらしさ」に拠る推論(三十七~四十六節)　この部分では、殺害の計画性(三十七節から読みとれる原告側の主張)が偽りであること、自分と相手との間にこの事件以外の敵対関係がなかったこと、の二点についてその「ほんとうらしさ」(エイコス)の論証(説得推論)がなされます。第一点に関しては、その晩自分が友人を夕食に招いた、夕食後にその友人を帰らせた、男が家に来たと知ってから手助けの友人たちを呼び集めた、使用人たちに男を倒すための準備などさせなかった、として計画性を否定し証人を立てる(40-42)。第二点に関しては、過去において両者間にいかなる訴訟沙汰もなく、殺害によってなんらの利得も期

13――安念潤司「法律家の発想」『平成九年度成蹊大学公開講座講演録』(1998年3月)。
14――「命令」は聴き手を裁判の「おとしどころ」すなわち法に依拠した殺害の「容認」に誘導するためのレトリックと考えられる。

待されず、相手とは事件当夜まで一面識もなかった自分は、不正行為の被害者であり、自分の行為は正当な報復である、という主張を繰り返す（43–46）。

論証部分の文構造は叙述部分よりもやや複雑で、「連辞反復」、「類音語連続」、「同語源語連続」などの多用（23）も指摘されています。[15] 翻訳でもかなり伝えうる修辞の一つである「修辞疑問」が、とくに四十～四十六節において集中的に五回も使われるのも、裁判員団をまきこむ形で主張を積み重ねる、弁論終盤を意識したレトリックです。

結語（四十七～五十節）

話者はまず、これはアリストテレスの理論（『弁論術』3.19）にも適うことですが、「敷衍・拡張」によって自分の行為を「この報復行為は私個人のための私的なものではなく、国全体のためである」（47）と位置づける。自分を無罪にすることが不心得者を減らすことにつながるからという理由です。この結語部分でとくに重要なのは、他の修辞を組みこんだ「反語法」でしょう。「諸法は……自分の望むところを為せと命じている」（49）の擬人法は論証部分でも反復された修辞ですが、「過ちに対する賞品」（47＝姦通行為に対する殺害）になると隠喩が反語に重ねられている。さらに「（自分を有罪にするよりは）現行の諸法を全廃したうえで別の諸法を定めて、自分の妻を守っている者は処罰するが、他人の妻に対して過ちを犯そうとする者には十分な罪責免除を約する、とするほうがはるかに立派であろう」（誇張、対比、反語法）と「そのほうが、諸法の手で市民を罠にかけるよりずっと正当だからである」（擬人法と反語法）（48–49）とのように重層的に提示される反語法は、皮肉あるいはむしろ話者（作者）の自信とゆとりを感じさせます。そして最終的な「記憶の整理、総まとめ」として「いまや、身体の面でも財産の面でも他のすべての面でも、危機的な情況にいるのはこの私である――この国の諸法に従順であったがゆえに」(50) と、法の遵守という弁論冒頭の主張を強調し、首尾一貫した形で弁論を終わる。聴き手の同情に訴えるための常套句的な要素はみられません。もうその必要はない、と作者は判断したのでしょう。

アリストテレスは弁論配列の論証（説得立証）部分について、説得的な立証には証拠が必要であるが、その点では議会弁論は法廷弁論よりむづかしい、それも当然で、前者は未来のことについて語るが後者はすでに知られている過去のことについて語るからだと述べ、「それに、法廷弁論においては、法というものが（弁論の）基本線・あらすじ（ヒュポテシス）として存在している。源泉（アルケー）をもっていると証拠を見いだすのもより容易だからである」（『弁論術』3.17）と述べていますが、これはそのままリュシアス第一弁論にもあてはまることだと思います。作者は三つの法をもとにして弁論の基本線をつくり、その基本線に合わせて事実の選択と事件の叙述をし、事件の目撃者としての証人を出した。それで十分、陪審団の同意をとりつけられる――たとえ「ほんとうらしさに拠る推論」の部分で原告側に不満が残るとしても、説得すべき相手、弁論の判定者は裁判員団なのだから、と考えたのだと思います。

---

15 | W.L.Devries, *Ethopoiia. A Rhetorical Study of the Types of Character in the Orations of Lysias*, Baltimore 1892, p.32.

その基本線に沿って作者の戦略を実現するために、弁論の各部分にはそれぞれの機能に適した修辞が、それと感じさせないほど文脈に必要不可欠な形で組みこまれ、説得の役割を担っています。リュシアスにあっては修辞は静的な装飾というよりは、弁論の意味を明瞭なものにする動的な言葉の技術であった、と考えられます。

リュシアスという、アッティカの弁論術を代表する一人の作品をひとつ、とりあげました。二千数百年のあいだ読み継がれてきた数多い弁論作品の中の小さな一例ですが、言葉によって人を説得し同意を得るということは、現在の私たちの日々の営みでもあります。遠い過去の人々が、弁論を言葉の技術として自覚的に追究したその執念は、私たちにとっても無縁なものであってはならない、と私は考えています。

【付記】 本稿の記述（第二節以降）は、初出「古代ギリシアの弁論術におけるレトリック─リュシアス第一弁論を例として─」『レトリック連環』成蹊大学人文叢書2（成蹊大学文学部人文学会編・風間書房2004年）を基にしており、そこに、拙稿「リュシアス第一弁論における法と諸法」『成蹊大学文学部紀要』36号（2011年）、細井・桜井・安部分担訳注『リュシアス弁論集』（京都大学学術出版会2001年）および『リューシアース弁論選』（原文対訳注、大学書林1994年）中の関連事項を参照しつつ加除補訂を施したものです。

ある友人への手紙

あなたが「名誉毀損」に端を発した長い民事裁判に巻き込まれ、その決着をみることなく世を去ってからもう何年経つでしょうか。残された生命の時間と競走しながらあなたが最後まで関わっていた「損害賠償」の裁判に東京地裁の判決が出されたのは、あなたの没後のことでした。その決着は、伝えられたところで見るかぎりいわば喧嘩両成敗的な、あなたはもちろんのこと相手方にとっても不満が残ったのではと思われるものでした。でもあなたはもう、そのような煩わしさからは解き放たれたところに行ってしまったのですし、私は初めから傍観者、せいぜいのところあなたの「不満の聴き役」のひとりにすぎなかった。しかも私は法律家でもないので、その裁判そのものについて何か言う立場ではありません。ただ私は以前から、あなたとの間でも折々話題にしていたように、古代ギリシャ・アテネの前五世紀末から前四世紀にかけての弁論作者で、弁論の三種類（議会弁論、式典弁論、法廷弁論）の中でもとくに法廷弁論を得意としたリュシアスという作者の弁論集を翻訳する仕事に携わっていたので、裁判や弁護士にまつわる話には、それが時空を遠く隔てた現代日本のことであっても興味がありました。ですからここでは、もう少しましな「聴き役」になれたら——とあれこれ考えていたのに、結局は時間切れになってしまったこと、それを少し書きとめておきたいのです。

あなたは、あなたの弁護士について、かれが法廷で述べる事実は自分がかれに話した事実と違う、弁護士はかれ自身のシナリオをもっていてそれに合わせて話をつくっているのだ、と苛立っていました。そのことは、ローマ帝政初期の文人で小アジア・ハリカルナッソス（現在のトルコ・ボドルム）出身のディオニュシオスが（この人は古典期アテネの弁論家たちの評伝――作品の引用もふくめた評伝――を残しています）、その「リュシアス論」のなかで述べていることを思い出させます。かれは、リュシアスが事件の叙述において卓越した技倆をもっていたと評価して「それほどにリュシアスの言葉は説得的で魅力的なので、聴く人はそれが真実か、それともつくられたことかを気にしなくなる」と述べ、詩人ホメロスは雄弁なオデュッセウスを褒めて「多くの偽りを真実によく似せて語る」（『オデュッセイア』19.203）といったがそれはリュシアスの弁論の叙述部分にもよくあてはまる、と讃えます。さらにディオニュシオスは、この「真実によく似た偽り」は、事実や、当事者の「エートス（ethos）・生き方・ありよう・性格」などに基づいて論証をするさいにもリュシアスの特色となっている、リュシアスは、目前の事件のなかに論証の役に立つような材料がない場合には、自分の作成する弁論の論旨に合致した論証力をもつような人物像を自分で作りだした、というのです。法廷弁論を作る者は、リュシアスのこういう特色を見習うべきだというわけです。

あなたは、弁護士によって語られるあなたの像や「事実」に違和感をもっていました。でもディオニュシオス的な見方からすればそれは当然で、あなたの弁護士は弁護士として為すべきことをしていただけだと考えることもできるのではないでしょうか。弁護士の役目は、弁護を引き受けた主張を勝たせるために、倫理的に許される範囲で（という条件つきで）あらゆる防御・攻撃の方法をとることにあるといわれます。かれは裁判官の同意を獲得できるような弁論を作らなければならない。法廷弁論の論旨を形成するよりどころとなるのは、それが明文化された法律の条規であれ一般原則、規範としての法であれ、まず法でしょう。弁護士はあなたから提供される事実や関連する数多くの事実のなかから、法規範にとりこめるような、また有利な先例に結びつけうるような事実を選び出し、法の文脈に入る言葉にして弁論のシナリオを作る。法廷での議論を進めるのに役立たない、「弁護士の論理」に合わない事実は、それが事実であっても、あなたにとって大切な真実であっても、弁論の論旨には合わないとして捨てられる。

裁判は、真実のあくなき追求ではなく、全面的に同意という観点を中心に展開するものだといわれます。裁判官の出す判決は、訴訟当事者、上級審や法律専門家、そして広い意味での世論、これらの同意を獲得しなければならない。弁護士はそれを予見して裁判官の同意を獲得できるような弁論を作らなければならない。そのために、意識的に「真実によく似た偽り」の人物（依頼人）像が出来上がる。……あなたはそうした仕組みを見抜いていたはずです。でも百戦錬磨の社会部記者で、事件の実際と記事との距離をできるかぎり小さくすること、過去の事実をありのままに再構成して事件の真実に迫ることを使命としてきた人としては、許しがたく思うことも度々あったのでしょう。問題の発端が「名誉毀損」であったために、裁判と真実との関係という問題がいっそう複雑になったのかもしれません。あなたの場合は民事事件でしたが、いま手許の『平成十三年版ポケット六法』（有斐閣）で刑法の「名誉毀損」を見ると、公然と事実を適示し、人の名誉を毀損した者は「その事実の有無にかかわらず」罰せられる、とある。なお面白いことに、草案にとどまった改正刑法草案では、ここが「その事実が真実であると否とにかかわらず」となっていました。真実以外の価値が、真実よりも重要と考えられることもあるということ、これに関しては、法律家自身が、「不衡平な裁判をさけるための技法には、とるにたりない考慮の名において真実を愚弄しかねない危険が含まれている、ということを繰り返し指摘する必要がある」と述べているのを読んだことがあります（Ch.Perelman, *Logique juridique*, 1979. 江口三角訳『法律家の論理』木鐸社二〇〇一年）。

あなたはまた、弁護士がもっと親身になってくれてもよいのにという不満ももっていました。依頼人の身になってその主張の正しさを信じ、それを法廷でつよく主張するのが弁護士の仕事ではないか、と。弁論作者リュシアスについても、同じような不満が現代の読者から出されます。かれは寡頭派の暴政のもとで兄を殺され、亡命を余儀なくされ、亡命先から民主派に大きな財政援助もした。それなのに、当時亡命もせずにすんだ人たちのための弁論を、民主政再建後に作成している。矛盾しているではないか。リュシアスは何を信じているのか、報酬のために何でも引き受けたのか、政治的主義主張よりも個人的な人脈を重んじたのか、等々。

このような不満はすべて的外れだ、とは思いませんが、私は、リュシアスは何よりまず弁論作者の「職業倫理」として、弁論原稿の依頼人（当時の制度では、職業的な検事や弁護士は存在せず、法廷で実際に弁じるのは、事件の当事者たる原告や被告でした）の親身になることを意識的に避けたのだと考えたい。依頼人の主義主張や人柄への共感があれば弁論をつくるのがより容易になることも、無いとはいえないでしょう。でもそれは必要条件ではない。弁論作者は、依頼人から、法廷での弁論を組み立てるのに必要と思われる話は聞きとるが、そうでないと判断されることは極力聞かないようにする。共感してもしなくても、法廷の同意を得るような弁論を作ることに全力をつくす。

法律家の職業倫理を考えるうえで興味深いものを最近読みました。現代イギリスの女流推理小説家ジェイムズ（P.D. James）の作品のひとつ『正義』（青木久恵訳 早川書房 一九九八年）。ロンドンの由緒ある法曹学院でおこった、もちろん架空の殺人事件を描いたこの小説には、自分の弁護する被告を無罪と信じることは、弁護士が仕事を引き受けるための必要条件にはならないという考え方が、表現を変え、発話者を変えて何度もできます。弁護士は、被告が有罪であることについては合理的な疑いが存在するということを、陪審員に納得させることができれば勝つのであって、被告について弁護士がいだく個人的な共感・反感や人間関係をもちこむべきではない。そしてこの発想の根底にあるのは、同じ状況にある人は同じように扱う平等主義の理念であるというのです。あなたの弁護士もこのような、いわば冷たい職業倫理を心がけていたのだとはいえないでしょうか。

もちろん、リュシアスの時代とディオニュシオスの時代と現代とでは、古代ギリシャとローマとイギリスと日本とでは、法律家の発想の根底にあるはずの自由や平等の理念、法と道徳の関係、「法」の意味するところ等々みな違うはずで、考えるべき大問題が多々あるのは承知しています。現代の弁護士と依頼人の関係がそのままリュシアスの場合にあてはまると言うつもりもありません。リュシアスは、依頼を受けて法廷のための弁論草稿を作ったのではなくて、法廷で弁じられた弁論を聴いてそれをもとにして文学的な弁論作品を作ったのだとみることも可能だからです。いずれにせよ、ディオニュシオスの「リュシアス論」を読むと、リュシアスは「弁護士の論理と倫理」をもって弁論作成にあたったに違いない、かれの弁論を「真実に似た偽り」と讃えたディオニュシオスはそれを読みとっていたに違いない、と思えるのです。そう考えるきっかけとなったのは、あなたが裁判の当事者だったという事実です。あなたに感謝しています。

【初出】 京都大学学術出版会「西洋古典叢書」『ディオニュシオス／デメトリオス修辞学論集』月報52号（2004年8月）

ある友人への手紙(つづき)——故人の夫人に宛てて

お手紙と資料をお送りくださいまして、まことにありがとうございます。『西洋古典叢書月報』の文章をお送りしたあと、拙い文章で万一お気持を傷つけるようなことがあっては、と心配でしたが、ご丁寧なご返信をいただいて、それもお許しいただけたと安心しております。

お手紙で、あの民事裁判が何よりも「心身への重い負担となった」ことを伺って、あらためて、お二方ともどんなに不快な思いをされたことかとお察ししております。これはずっと傍にいらした方にしか、ほんとうにはわからないことでしょうけれど、外の者にも想像だけはつくような気がいたします。

担当弁護士との「ある日のやりとり」、とても興味深く読ませていただきました。おっしゃるとおり、こういうのが法律家の発想だと思います。弁護士さんの言うことはよく理解できますし、それに向き合っておられる方のお気持も字間から伝わってくるように感じられました。ただ、よく理解できる、ということは、即それに共鳴するということでは、もちろん、ありません。「月報」の文章を書いているときもずっとそう思っていたのですが——法律家の論理と倫理の大筋はわかった、法廷が真実究明の場でないことも、理屈としては分かる、でもほんとうに、私はそれでよい、と言えるのだろうか? 言えないのではないか。「ある日のやりとり」の場合、弁護士と依頼者のどちらの側に同感するか、と聞かれたら、気持としては、私も依頼者の側につくのではないか? そしてさらに、ではどうなったらほんとうに真実が通った、正義が実現した、と満足できるのだろうか? などなど、考えれば考えるほどわからなくなってくるのです。

もうずっと以前のことですが、私も民事上のことに関わって、弁護士を介して、双方の弁護士間の話し合いで問題が決着した、という小さな経験をしたことがあります。私が「弁論作成依頼者」で、私側の弁護士が「リュシアス」という立場だったのですが、そのときのことも、法廷弁論作品翻訳の仕事のなかで思い出しては考えていました。私の場合は訴訟にはならなかったので裁判官も裁判員もいなくて、「私のリュシアス」が説得すべき（同意を得るべき）相手は、相手方（いわば原告側）の弁護士だったわけですが。その場合も、私の方では「リュシアス」に、事実をすべてありのままに（と私が信じているように）話したつもりでしたが、事実についての「リュシアス」の立場は、依頼者である私のそれとは異なっていたに違いない。かれのほうは、こちらの主張をふまえつつ相手方の同意を得るための「弁論」の戦略をたて、それにそって、「（私が話した）ありのままの事実」の中から弁明として有効に機能し得るものだけを選び出して、「事実」として述べたのでしょう。弁論作者の事実、法廷弁論にとっての事実は、古代の言葉を借りれば「真実によく似た偽り」であり、現代の言い方では「法的に性格づけられた事実」になるのではないかと考えています。

法律なんて所詮その程度のものだ、「われわれの司法制度は人間的で、したがって誤りはつきものである、せいぜい望めるのは、ある程度の正義を実現することだ」（これは「月報」の拙文に引いたP・D・ジェイムズの小説の結びの部分にある言葉で、これが本の原題名 *A Certain Justice* の意味だと思います）と割り切ってしまえばすっきりするのかもしれません。でもそうかんたんにゆくかどうか、ましてや当事者であれば……しかも、神の正義への信仰にすがることもできないし、それをいさぎよしとしない人々（私もその一人ですが）であれば。

やはり、私たちはどこかでまだ、裁判と真実との合致点を、求めているのかもしれません。「ある程度の正義」ならその「程度」はもう少し高められるのではないか、と思うのでしょうね。それは見方によれば幻想かもしれないのですけれど、幻想をかんたんに捨てないこともやはり貴いのではないか、とも考えます。ですから（と言ってよいのかどうかよく分かりませんが）、「本意ではないが」「この部分に限定して控訴した」とおっしゃるのには納得します。故人もきっとそうなさったでしょう。

高裁の判決は、部外者でも傍聴できるのでしょうか。もしおさしつかえなかったら、日時を教えてくださいませんか。もちろん、ご多忙だったり、なんらかの理由で、無関係な者が加わるのは望ましくないようでしたら、このお伺いは、このままご放念ください。

いづれにしましても、ほんとうにたいへんでいらっしゃるでしょう。どうぞくれぐれもご自愛くださいますように。かってなことを書き連ねましが、お許し下さい。（二〇〇四年九月）

【付記】この手紙に対して、夫人からは再度返信があり、私はその何日か後に、夫人と共に東京高裁の判決（勝訴）を傍聴している。

思い出すこと

三十六年間の在職中で印象深かったことといえば、どうしても六九年の学園紛争のことになります。当時は九月に前期試験を行っていましたが、そのとき文学部では学生による試験妨害がありました。私の担当科目でも、私が一号館二階の教室に入って試験問題を配り始めるとすぐ、女子学生の一人が黒板に解答を書きだし、私がそちらにふりむいたすきに男子学生が一人飛び出してきて私の手から問題用紙の束をもぎとり、あっというまにそれを窓から中庭に放り投げました。クラスは騒然となり、学生同士の間でも、そこへ入ってきた学生部長との間でも、怒号や罵声の応酬が始まりました。ところがさきほどの男子学生は、束を窓から放り出すや否や自分の席にかけもどり、机に突っ伏してしまったのです。色白でやや神経質な、ふだんからまじめな学生でした。

一九六八年五月のパリでの学生運動に端を発し六九年にかけて日本でも全国の大学に波及した大学紛争について論評するつもりはありません。ただ、過激な行動に出た者もそうでない者もふくめて多くの学生と教職員が、大学のあるべき姿や自分のとるべき行動について真剣に考え悩んでいたのは、たしかでしょう。それを思うとき、机に伏して肩をふるわせていたかれの姿が、いつも鮮やかに目に浮かぶのです。

【初出】『成蹊会誌』第95号（社団法人成蹊会編集発行　2002年7月）「退職挨拶」

第4章

本の遍歴

アルド版『弁論家集』初版本、第一部の標題紙（本書p.254参照）。錨にからむイルカを図案化した商標にAldus M(anutius) R(omanus)の名がある。出典：*Aldo Manuzio Typografo 1494-1515*，p.159（アルド創業500年記念展—1994年6月17日〜7月30日・於フィレンツェ、メディチ・ロレンツォ図書館—カタログ）

ギリシャ語文献の古写本学会

シチリア島エーリチェで

岩山の上の小さな町　「ビザンツ帝国属領における文字・本・文献」という標題の学会を傍聴するために、二十数年ぶりでシチリアを再訪したのは一九八八年九月であった。標題は毎回異なるが要するにギリシャ語文献の古写本学の学会（Colloque International de Paléographie Grecque）で、第一回は一九七四年十月パリで、第二回は八三年十月、西ベルリン及びヴォルフェンビュッテルで開かれた。その第三回がシチリア島西北端のエーリチェ（古代のエリュックス）にあるエットーレ・マヨラナ学術センターで催されたのである。

この学術センターは、八八年が設立二十五周年に当たっていた。古写本学会のほかに、ほぼ同じ時期に、「十三—十七世紀の裁判における被告の発言権」、「ローマ帝国のカストゥルム。中世地中海世界における国境と植民の状況」、「十世紀ルーシのキリスト教化」を各々の標題とする三つの国際学会があり、四つをまとめて「中世研究の九月」と銘打ってあった。設立以来四半世紀の間に九十五の学術分野にわたって五百二十四の学会が開かれ、参加者は世界の東西南北九十八カ国から四万人をこえた、というデータが出ていたが、センターの運営ぶりはさすがに手慣れたものであった。

参加者を空港（トラパニまたはパレルモ）や駅まで送迎し、中世の修道院を利用した宿舎にふりわけるところから始まっていっさいが参加費（会期一週間で五百米ドル）の中で賄われる。食事も、どのレストランにもセンター用のメニューがあって参加者はそのつど学会ごとの用紙にサインするだけでよい、ただし飲み物代は各自がその場で払う。こうした鷹揚かつ合理的な運営が可能なのは、学術センターの長年の実績、イタリア政府やシチリア州政庁の後援、当番校ローマ大学の苦労などに加えて、開催地エーリチェが海抜七百五十一メートルの岩山の上に石で築かれた、いわば下界とは隔絶した小さな町（少し古いガイドブックでは人口一万三千位）で、町の外縁部を徒歩で一周しても三時間とはかからないと思われる特殊な環境にあるからでもあろう。

センターの事務局は町の中央にある旧サン・ロッコ修道院の内部を改装してできている。私たちの学会会場はそのすぐ近くの、同じく中世建築サン・ドメニコ教会で、これも内部を二百五十席の会議場、映写室、休憩ホールなどに造りなおしたもの。ノルマン時代のシチリア総督の宮殿がその後修道院となっていた旧サン・フランチェスコでは、石造りの広間が諸学会合同のレセプションに使われた。私の宿舎は海側の斜面に立つサン・ジョヴァンニで、テラスからは松林を縫って九十九折《つづらおり》に岩山をくだる道路やふもとの町そしてティレニア海が一望に収めら

山の中腹に見えるノルマン征服時代の城（宿舎のテラスから筆者写す）

れる。そのパノラマが時間と天候によって急激に変化する様は見あきることがなかった。

筆蹟と材質と遍歴と　学会の開会は日曜日（九月十八日）の朝で会期は一週間、パレルモ見学のための水曜日以外は毎日、朝九時から夕方七時八時まで、合計三十をこえる研究報告があった。伊語によるものが三分の一ほど、英・独・仏語がほぼ同数、スペイン語と現代ギリシャ語のものが二、三あって、どれにも通訳はない。ビザンツ帝国属領を、ギリシャ（本土と諸島）、東方（パレスチナ、シナイ山など）、イタリア、スラヴ世界の四地域に大別し、それに沿う形で報告が配分されていた。それらのあとに、写本のカタログ作成や覆製本出版などの現況について各国・各機関が参加者の前に情報を持寄るターブル・ロンドがあり、最終日（二十四日）には、学会委員長でフランス学士院のイリグワン（Jean Irigoin）教授が全体のまとめと今後の展望を述べた。

近年の研究によって、ギリシャ語写本は、ルネッサンス期に筆写されたものなら無署名でもその七割ほどは筆写者を同定できる由であるが、中世の、ことに古いものほど筆写者も工房も制作地も確定できないものが多い。それらを類別・同定し、文献伝承の過程を解明するために、書体・筆蹟・飾り文字や彩色装飾、挿画、皮・紙・インクの材質、罫の引き方や装訂などの精査がなされ、そして出来上がった写本が地中海世界をどう動いたかを追う特定の蔵書の書誌的研究も行われる。ギリシャ文字文化圏の広がりをシリア語やスラヴ諸語の文献中に確認する作業の報告もあった。

なお古写本学会では、会場での発表や質疑応答だけでなく会食の席でも立ち話でも、固有名を入れずに「首都」（la capitale）といえば、それはローマでもパリでもなく、コンスタンチノープルを指していた。

会場の休憩室から見るティレニア海（筆者写す）

イタリア人たちの熱血　活発ではあるが整然と冷静にすべてが運んだ前回とは異なって、今回は討論が時には口論すれすれの激論となる場面もみられたのは「いつも血の沸き返っているイタリア人たち」が中心だったからだろうか。

かれらの愛国の熱血は、写本の制作地が「首都」すなわちビザンツ帝国の首都コンスタンチノープル（現イスタンブール）か、それとも属領（ことにイタリア）か、という問題になるととくに激しく沸きたつらしい。ヴァチカン教皇庁図書館のカナール（Paul Canart）師が、かつてスウェーデンのクリスチナ女王の蔵書だったみごとな聖書写本（*Vaticanus Reginensis gr.1*）について、挿画部分などに属領地域の影響が濃いがしかし本文も挿画もコンスタンチノープルの工房で制作されたもの（十世紀前半）である、との見解を述べたときなど、イタリアの研究者たちの中から猛然と議論がおこり、質疑に関する手続きも順序も時間も司会者もどこへやら、ついには壇上にかけのぼって熱弁をふるい、自分の用意してきたスライドを映写披露する元気のよい人まで出て、さらにはその人と会場のあちこちとの間に応酬がとびかうことになった。

その中で、弁論家デモステネスの作品を伝える最良の写本とされるパリ本（*Parisinus gr.2934*）の制作地が、首都か属領かの争いの渦中にある問題写本のひとつであることを知ったのは、私には興味深かった。これは私も八一年にパリで現物を手に取ってよく見たし、その中の『冠について』という作品を古典学教室での教材にしたとき、マイクロフィルムからのコピーで学生たちと共に一部分を読んだりもした写本である。十世紀手写の立派な羊皮紙本で、かつてマケドニアのソーサンドラ修道院の蔵書であったことは後代の書込みからわかるが、制作地等は確証がなく、おそらく帝国の首都圏であろうとの推定が定説になっている。

ところが定説に対して、これは南伊カラブリア地方で制作された、とする説が最近イタリアの若手研究者たちから「かなり大胆かつ強引に」出されていて、会場での立役者はその「南伊派」の急先鋒だったのである。そして、かれらの「首都派」に対する反抗と今回の学会をめぐる南伊派内部でのさまざまな人間関係のもつれとが学説論争とからみあって、あの延長学会になったのだ、という解説を、その夜の盛大な宴のさいに、ルーヴァン大学のジャコブ（André Jacob）教授らフランス語グループから聞かせてもらったりもした。

ヨーロッパとは……　この学会には、私は一九八一年夏にパリの国立図書館写本室で数日間、偶然隣合わせの席になった倖せな縁でその後もいろいろ教えを乞うことになったベルリン自由大学のハルルフィンガー（Dieter Harlfinger）教授から誘いをうけて、第二回（八三年）に参加したのが初めてであった。そのときは参加者約九十名、欧米以外の地から（「シナイ山より東から」とも言われた）来たのは私一人だったが今回も状況は同じで、何年か前に大学の研究室で、日本人先輩K氏の言った「ヨーロッパとは、ギリシャ・ラテンの写本をもっている地域のことだ」という言葉を、あらためて実感した。まさに、ヨーロッパ共同体の基盤を見る思いですごした一週間であった。

地中海学会編・牟田口義郎監修『地中海文化の旅3』(河出書房新社1993年10月)

【初出】(株)熊谷組広報誌『レポートくまがい』153号(1990年1月)

調査と保存

『成蹊大学図書館報』に書く機会を与えられたので、前項の学会で強い印象をうけたことを、もうひとつ報告したい。

一九八八年の秋にエーリチェで開かれた第三回の古写本学会は、ギリシャ語文献の古写本(手書きの転写本で十六世紀以前に制作されたもの)を研究対象とするものであるが、内容としては、まず文字の書体や筆写者に関

学会会場となった旧サンドメニコ教会の正面入口(筆者写す)

するpalaeography（古筆学）と、（皮）紙、インク、製本、装訂などを扱う「本の考古学」ともいわれるcodicology（codex「冊子本」に由来する）との二つの分野が中心となる。学会のプログラムにもその両分野の題目が多く、第一日目の最後に、フランスの若手グループによる「ビザンツ時代の製本・装訂技法の分析」という発表があった。本の背と表紙（板の上に革をかぶせた板表紙）とをつなぐ部分とくに背の上端「花ぎれ」または「ヘドバン」と称される部分周辺の形状を多数の写本について調べて、そこに使われている技法には数通りの異なる型があることを説明し、技法と制作地（コンスタンチノープル、キプロス、クレタなど）との関連を考えようとする、非常にくわしい観察に基づいた研究である。採り上げた例も多かったので、発表に続く質疑では、実際に何点の写本を調査対象にしたのかという問が出された。あっさりと「約千点です」という答があって会場からは感嘆の声があがり、あちこちで拍手もきこえてきた。

そのとき、私の斜め後方で、イタリア学界の長老でサンマルコ図書館の館長も務めたミオニ（Elpidio Mioni）氏が突如立ち上がった。『ヴェネツィア・サンマルコ図書館蔵ギリシャ語写本目録』全八巻（新版）を一人で完成した人である。そして世間一般の歌うようなイタリア語とは全く異なる、一語一語打込むような調子での発言は、「そのような調査は、装訂や製本を多少なりともこわさずには確かなことはわからないものだ。ラテン語写本の伝承過程では装訂師たちが意図的に装訂を取替えた例も多いが、ギリシャ語写本ではそうではない。写本を損なってまでする調査に意味があるのか」という、答を要求する質問というよりは怒気をふくんだ非難であった。会場は一瞬しんとなり、発表者側もミオニ氏の気魄におされて壇上で顔を見合わせるばかりであった。

私自身は写本の装訂という問題について特別な知識もなくその発表をどう評価すべきか判断できなかった

が、ミオニ氏によって投げかけられた問には他人事ではすまされない重みを感じていた……写本の本文に大きな脱落があるとき、そこで何枚の紙葉が失われているのかを知ろうとすれば折丁構成（書写のための紙葉の重ね方）を確かめねばならないが、それにはむしろ装訂が完全でない方が好都合なので、問題の写本で背の部分の綴糸があちこち切れていたりすると、嘆くどころかこれ幸いとばかりにその糸をそっと引いてみたりするではないか。テクスト欄外に書込まれていた古注や記号の一部分が再装訂のさいに綴じこまれて読みにくくなっていたりすると、その本の「のど」の部分をむりに押し拡げてでも綴じこまれてしまった文字を読みたい欲求にかられるではないか。保存と調査・利用との葛藤は、さまざまな形でつねに存在するのだ……ややあってざわめき出した会場に、「予定時間を過ぎましたので」という司会者の声が響いた。

【初出】『成蹊大学図書館報』第2巻第1号（1993年4月）

ギリシャ北部の小都市で

ギリシャ語文献の古写本学会（Colloque International de Paléographie Grecque　五年ごとに開催）の第六回（二〇〇三年九月）は、ギリシャ北東部の小都市ドラマ（Drama〈hydrama「水の豊かな土地」に由来するというが未確認）で開かれた。東マケドニア地方の中心でギリシャ第二の都市であるテッサロニキから、さらに東北へ百数十キロの内陸である。東西ヨーロッパから約百五十名が参加した。この回は米国からの参加者が少なく、日本（＝欧米以外）からは、今回も私一人。会期は二十一日（日）から二十七日（土）だが、私は勤務先で後期の授業が始まる時期だったので、前半四日間のみの出席であった。

学会プログラムの一つとして「水曜日の見学遠足」が恒例になっているが、今回（九月二十四日）は、ドラマの町から南西方向で、それぞれ山麓にある二つの修道院を訪ねた。午前中は、ドラマから南下して、パンガイオン山の北面にある、イコシフィニッサ（Ikosifinissa〈Eikosiphoinissa／Kosinitsa）の聖母マリア修道院（Moni Panaghias Ikossifinissas）の見学で、午後は国道をさらに西へ行ってセレス（Serres）の町の北東、メニキオン山麓の傾斜地にある、洗者聖ヨハネ修道院（Moni Timiou Prodromiou Serron）である。

快晴の朝一番に見学したイコシフィニッサの修道院は、記録として残るのは十四世紀以降だが、核となる中央の礼拝堂の調査からおそらく十世紀から十一世紀の建立とされている。ビザンツ時代に繁栄し、オスマン帝国の下でも、近代に入ってからも、北ギリシャの宗教的中心であり、古典ギリシャ語の伝統に基づく「純正ギリシャ語（katharevousa）」の教育機関としても重要な役割を担ってきたという。複数の礼拝堂や聖水の井戸、聖職者たちつまり修道士と、一九六七年以来受入れている修道女の居住棟、来客用の宿泊施設、イコン（ギリシャ正教の聖画）制作や手工芸の工房、収蔵庫と展示室、図書室等、数棟の建物が立ち並ぶ、規模の大きな修道院である。

古写本学会の一行は講堂に集まって、この修道院は、とくに第一次世界大戦のさいにブルガリア軍による破壊と略奪を受けた、との説明を聴いた。そして「かつてこの修道院が図書室と書庫に所蔵していた宝物で、ブルガリアの首都ソフィアに持ち去られた数多い物品のうち、今日はとくにギリシャ語写本を映像で紹介する」として、最初にスクリーンに映し出されたのは、『九―十九世紀バルカン古典文字展　ブルガリア文化フェスティバル（一九九七年十一月―十二月、東京、（財）日本書道美術館）』のカタログの表紙で、「つづいて映写される写本のスライドは、すべてこのカタログ作成時に撮影された」とのこと。

……まったく思いがけないことだった。私自身、この展覧会を見るために初めて板橋区常盤台にある書道美術館へ行ったのは、この学会の六年前の十二月で、その数日前には、出展者であるソフィア大学附属スラヴ・ビザンチン研究センターの所長ジュロヴァ（Axinia Dzhurova）女史が早稲田大学で行った講演も聴いていた。Ａ４判八十ページを超えるカタログ（日本語。展示写本八十点がすべて鮮明なカラー写真で掲載され、巻末に展示品の英文解説がある）も展覧会の当日に入手している。[1] それを今また、このブルガリアとの国境に近いギリシャの修道院で、スクリーン上の大きな画像として見るとは。

――展示品は、内容としては教会関係（福音書、説教集・聖務日課など）がほとんどで、古典文学や哲学などは入っていない。制作年代は十一世紀以降のものが多いが、パピルス式の大文字で書かれた九世紀末の説教（断片）や十世紀後半の大文字聖書など、実見する機会が少ないものでもあり、それぞれ特色のある字

1 ― カタログ（p.72）によれば、一九八一年四月―五月に「ブルガリア建国1300年を記念」する「初の交換展示会」として、「ブルガリア古典文字展」が日本書道美術館で、「日本の書画優品展」が同年八月にソフィアの国立図書館で開催された。私はどちらの展示会も見ていなかった。

体が興味深く、またギリシャ語とブルガリア語（ギリシャ文字）と教会スラヴ語（キリル文字）とが併存する十九世紀前期制作の祈禱文集など、筆写の伝統が長く生き続けること（日本における写経や書道の実践とも共通するか）の意味を考えさせられた展覧会でもあった――。

映写が終わって外へ出ると、フランスやドイツの参加者たちから「東京で、あの展覧会を見た？」と訊かれた。見たと答えると、「やはり、東京だったからあの展覧会ができた。ヨーロッパだったら、とうていできない。とてもホットな問題だから、必ず、それはおれたちの宝物だ、返還しろ、という騒ぎになる」、「そう、去年リュブリアナ（スロヴェニアの首都）で学会があったときにも……」という話になった。かれらの話を聞きながら、私は、ふと「（日本は）蚊帳の外の平穏」という文句が頭の片隅をかすめるのを感じた。

午後に見学したセレス郊外の修道院は、一九八六年から尼僧院となって養蜂や手工芸を仕事にしているようであるが、これは度重なる戦禍による荒廃から新生した姿である。ここで求めた案内書によれば、修道院は十三世紀にアトス山の僧によって建立された格式の高い僧院で、トルコの支配下でも、マケドニアの領土をめぐるバルカン諸国間の抗争の中でも、教育活動の重要な拠点であった。しかしトルコからの解放はまた、次の大きな破壊にもつながり、第一次世界大戦中の一九一七年六月、おそらくイコシフィニッサと同時期だったのであろう、侵攻したブルガリア軍は僧院の図書室からも収蔵庫からも「持ち運べる物はすべて持ち去ってしまった」のである。前述の『カタログ』の画像の中にも、解説を読むと、ぼかした表現をしてはいるが、セレスの僧院から出たと分かる写本もあった。

この学会でもうひとつ、印象的だったのは、二日目の午後の部が始まる直前の会場で、前触れなしの場内放送でギリシャの国歌が流れた時のことである。集まっていた参加者は「なぜ今、ここで?」という感じで互いに顔を見合わせながら起立したが、半円型階段席の、演壇に向かって右前方に、視線を落としたままじっと身動きもせずに着席をつづける三、四人の男性グループが見える。私の隣にいたフランスの友人が「マケドニア問題……」とつぶやいた。歌は間もなく終わり、全員着席して何事もなく午後の部が始まった。放送についてのコメントは、少なくとも私の見聞きした範囲では、無かった。

ギリシャ、ブルガリア、セルビアなどバルカン半島諸国の、民族・言語・宗教・領土が複雑に絡み合う状況を把握して簡明に記述することは至難の技である。[2] ごくおおざっぱに領土の推移だけをみれば、オスマン帝国の衰退とトルコの革命による混乱を機にバルカン同盟が結成されてオスマン・トルコに勝利すると、今度は同盟の内部で、とくにオスマン帝国の領土の一部だったマケドニアの領有をめぐって対立が生じて(第二次バルカン戦争)、ブルガリアはギリシャやセルビアに敵対して敗北した。マケドニアは一九一三年にギリシャ、ブルガリア、セルビア(旧ユーゴスラヴィア・マケドニア共和国)の三国に分割され、セルビア領に入ったマケドニアは、その後二度の世界大戦を経て一九九一年の東欧激動の時にユーゴから独立し、「マケド

2――良い参考書として、西村太良監修『世界の歴史と文化　ギリシア』(新潮社1995年)および 周藤芳幸・村田奈々子著『ギリシアを知る事典』(東京堂出版2000年)がある。

3――二〇一九年二月にギリシャとの交渉が妥結して、国名は「北マケドニア共和国」(首都スコピエ)となった。

ニア共和国」[3]となった。しかしアレクサンドロス大王（マケドニア出身）のヘレニズムの継承者を自認するギリシャは、隣国の国名に「マケドニア」が入っていることには終始反対の立場をとっている。

あの時、どういう意図でギリシャ国歌の演奏が流されたのか。そして起立を拒んだ参加者の胸中にはどんな思いが去来していたのだろうか……けっきょくそのことで学会参加者のだれかれと話す機会もないままに、国境の小都市での古写本学会から「バルカン半島のギリシャを考える」という課題を与えられて帰国した。

【初出】二〇〇四年度前期、成蹊大学文学部国際文化学科オムニバス講義「国際文化研究の現在」から。

『パラチナ詞華集』写本の遍歴

古代を伝える　「幸いなる読者よ、手を洗い、本のページは静かに繰り、指を文字から遠ざけるよう気をつけてくれたまえ。字の書けない者には、筆写がどんなに重労働か、わからない。文字を書くのはなんと辛いことか。目は疲れ、腰は軋み、手も足も痛くなる。書くのは三本の指だが、苦しむのは身体全体だ。[1]」

八世紀の西ゴートの法律関係の写本の奥書に残された、筆写者から読者へのよびかけである。印刷技術によって書物の量産が可能になるまでは、作品はすべて手書きで写されねばならなかったし、それが書物として多少とも流通するためには、目前の手本を明瞭な筆跡で一字一句違えぬように書き写す特別の訓練を受けた写字生の存在が必要であった。そこで作られた本は、時間と偶然との試練をくぐりぬけると、貴重な文化遺産として人々の羨望の的になってゆく。中世の手写本制作と地中海域におけるその後の写本の動きのあらましを、ギリシャ語写本の一例について追ってみたい。

「ガチョウはペンを、羊は皮を」　書物作成のための写字生の仕事場は修道院内に置かれた書写工房《スクリプトリウム》である。書写の料紙はまず皮紙（羊・山羊・仔牛・豚の皮を書写用に加工したもの）で、その製造は前二世紀頃から

1 ｜ V. Trost, *Skriptorium*（Stuttgart 1991）表紙に引用された奥書〈Notiz des Schreibers eines westgotischen Rechtsbuchs aus dem 8.Jh.〉。

発達したといわれる。書物の形式としてみると、皮紙の冊子本がパピルスの冊子本（さらにそれ以前には書物の主流はパピルスの巻子本であった）に並ぶ位置を占めるようになったのは四世紀初期、ローマ帝国によるキリスト教公認とコンスタンチノープル遷都以後である。皮紙は、植物の繊維を並べただけのパピルスに比べると、表裏両面に書ける点や、製本にさいして縦横両方向に折ることができて綴目が破れにくいという強靭さの点で優っていたので、それ以後次第にパピルスに代わって書物の主たる支持体（素材・料紙）となってゆく。皮紙の優勢は、イタリアで古い布を原料とする製紙技術が発達して植物性の紙が写本制作の需要を充たすようになる十四世紀中頃まで続いた。もっとも個別の例をみれば、紙を素材とする写本は、ギリシャ語圏では最も古いところで推定年代八〇〇年のもの（*Vat. gr.2200*）、年記のあるもので（皮紙写本の部分的な補材として）一一〇五年のもの（*Vat.gr.504*）など早い時期から紙（古布を原料とする厚手の紙、通称〈bombycin/papier oriental〉）を素材とする写本がある。[2]

写本の制作者たちは、実際の作業工程を様々な形で記録に留めている。文字を書くに当たっては、ペンは植物（葦）の茎を削ったものだけでなく、「鵞鳥は羽（ペン）を、牛は角（インク入れ）を、羊は皮（羊皮紙）を、木はインクをくれる」という当時の記述などから鳥の羽も使われたことがわかる。通常の文字に使う茶色や黒のインクは、木の虫瘤からとった没食子を主材料にしてつくった。頭文字や飾り文字は、赤や朱のインクを使って本文よりあとに別の人が入れることが多い。これは学校や教会での普及品、外見よりテクストの内容を第一に重視する研究教育のための本などふつうの、実用向けの本の場合であって、いわゆる献上本や豪華本の場合には羊皮紙自体も上質で欠損のないものを使い、皮紙自体を紫色に染めることもあり、テクストを金文字で書いたり色彩豊富な挿絵を入れたりして装飾的な要素を重んじている。（p.236 図）

使用される文字は、八世紀までは碑文などにみられるように、原則として一字づつ独立した、流動感に乏しい大文字体が主流である。その後、ビザンツ・ルネッサンスのなかで書物の需要が増したことなどが原因となって、文字をより小さくして、一字ごとに切り離さずに数文字続けて、より速く書く小文字体の本が多くなる。[3] 年記のある最初の小文字写本は八三五年五月七日付、ストゥディオス修道院の僧ニコラオスの筆写による福音書（*Petropolitanus 219*）であるが、[4] 小文字はすでにビザンツ帝国の宮廷において官吏が公文書や書簡などを書くために使っていたもので、さらに遡れば紀元前後のパピルス中にもいくつかの文字は小文字体で見出される。私たちの文字で例えば漢字の楷書体「安」と平仮名「あ」の間にくずし方の度合いの異なるいくつもの草書体の平仮名があるのと同様の関係が、アルファベットの大文字「Α」と小文字「α」の間にも存在するといってよい。九世紀になると、それまで大文字本で伝承されてきた本を小文字に写し換えるという作業がさかんに行われるが、これは古典のテクスト伝承の上では、パピルスの巻物から冊子本への写し換えの時にも等しい、大きな曲がり角であった。そこには職業的な写字生だけでなくテクスト使用を必要としていた学者や教師（その多くが聖職者であった）もかかわったであろうし、大文字の読み違いなどに由

2 ― R. Devreesse, *Introduction à l'étude des manuscrits grecs* (Paris 1954, p.15, n.9).
3 ― 日本でも、二〇一一年に京都で平安時代の高位貴族の邸宅跡から出土した墨書土器（九世紀）には「草仮名」と「平仮名」が混在しており、「最古級の仮名」として注目されている（東京国立博物館「和様の書」展カタログ２０１３年７月 p.75）。小文字―仮名文字の一般的な使用開始は、東西ほぼ同時期かと考えられ、たいそう興味深い。
4 ― Devreesse 前掲書（注２）pp.32, 288.

中世の写本制作、羊皮紙に罫線を引く。出典：V.Trost, *Skriptorium, Die Buchherstellung im Mittelalter*［書写工房、中世における本の制作］, p.16.

来する、意図しない誤写のみならず、複数の写本との比較やテクストの意識的な改変も頻繁に行われえたと考えられ、それをもとに転写、再転写が続くことになる。他方、需要が少ないために写し換えられもせずに、いわば「絶版」状態になって終わったり、写したあとの手本が「用済み」となって失われた場合もあろう。じじつ古典のテクストで大文字本にまで遡りうるものはきわめて少なく、それもほとんどが部分的にしか残っていないのである。大文字本制作の方は次第にキリスト教関係の書物（聖書や典礼書など）の一部に限定されて存続することになる。

書写が完了すると奥書が記される。そこに完了年月日を記した年記があるとテクスト伝承の解明には非常に役立つ。年記は、七世紀末から使われていたビザンツの暦による、世界創造の年（西暦にして紀元前五五〇八年九月一日）を基点とする年記表示と、一から十五までを一サイクルとする十五年周期[5]（indictio）」表示との、一方または両方で示されることが多い。奥書の内容は写本によって異なるが、年記のほかにもさまざまあり、筆写者名、協力者名、注文者名、報酬、時の皇帝名など直接に歴史史料となりうる記述に、神への感謝や裁きの日の慈悲を乞う祈り、読者へのよびかけ、この本を盗む者に対する呪いなど、筆写者の心情を伝えるメッセージが加わることもある。ただし、奥書そのものが、手本とした写本からそのまま写されている、という可能性はつねに考慮しなければならない。

中世におけるギリシャ語写本制作の中心地はビザンツ帝国の首都コンスタンチノープル（もとは前七世紀ギリシャの植民市ビュザンチオン）で、とくにテオドロス（八二六年没）によって設立されたストゥディオス修道院は、千人もの修道僧を擁していたという記述には解釈上の問題があるとしても、例外的に規模も大きく重要であった。他の大多数の修道院は、三、四十人を超えない人数の修道僧によって構成されていたらしい。当時のギリシャ語圏において書写工房をもつ修道院は、首都近郊のほか内陸部のマケドニアやカッパドキアの都市、アトス山、アテネ、エーゲ海のパトモス、東地中海のキプロス、クレタ、ロドスなどの島々、シナイ山、エジプトのアレクサンドリア、シチリアをふくむ南イタリア東岸の諸市など、おそらく二十をこえる数であったと考えられている。

帝国の首都圏で制作された写本は、とくに十三世紀初頭の十字軍によって甚大な被害を蒙り、それを免れたものも数多くがビザンツ帝国の終焉とともに西方へ渡ることになった。しかしその経緯はさまざまである。現在ヨーロッパ各地の図書館に分散して収蔵されている中世の写本で、コンスタンチノープルなど制作地以後の来歴が正確に辿れるものはむしろ少数派ではないだろうか。あちこちの図書館で古写本を調べていると

5——わが国でも中国由来の「十干十二支」（十年期と十二年期を組合わせた六十年周期）が「壬申の乱」「丙午生まれ」のように年記として使われる。

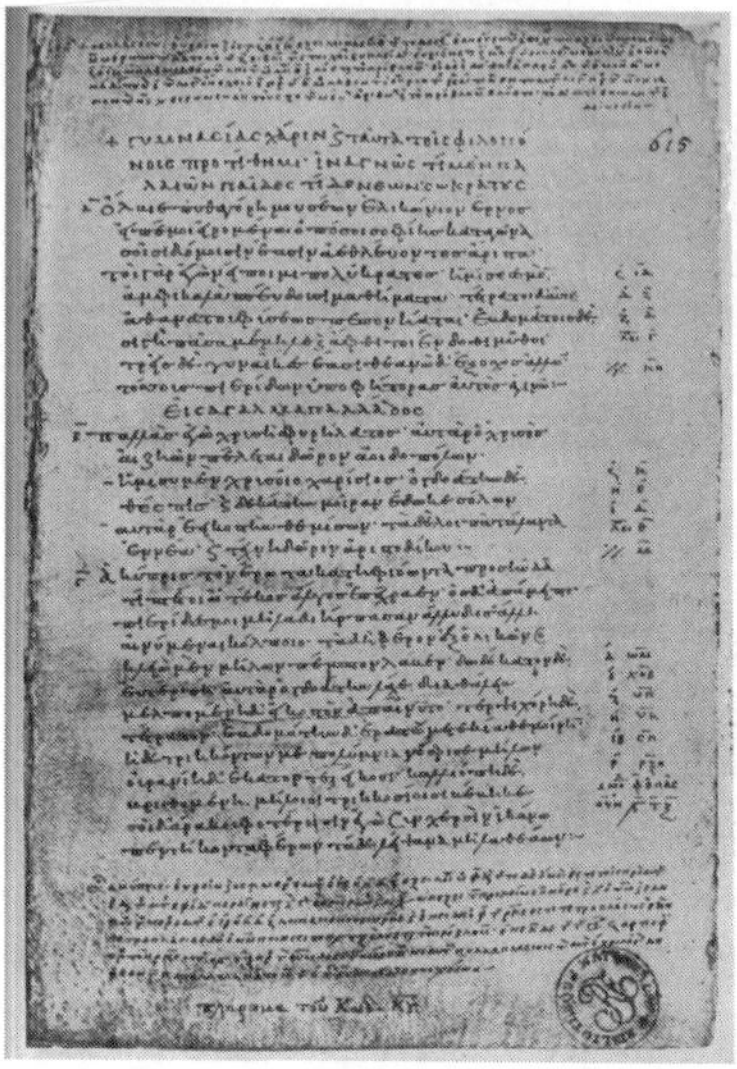

『アントロギア・パラチナ』パリ写本。フランス国立図書館蔵。（BnF, *Paris. suppl. gr.* 384, f.615r）出典：H. Erbse, *Geschichte der Textüberlieferung der antiken und mittelalterlichen Literatur* [古代中世文学のテクスト伝承],Bd.1,p.247, Abb.53, Zürich 1961.

一冊の本に数個の異なる蔵書印の押してあるものによくであうが、ハイデルベルク大学図書館の誇りであるパラチナ文庫中の『アントロギア・パラチナ／パラチナ詞華集』もその例で、おそらくコンスタンチノープルで十世紀頃に制作されてから十七世紀初頭に文庫の中で再発見されるまでの経路はまだ十分にわかっていない。そしてその後も数奇な運命に翻弄されることになったのである。

終わりのない確執　『アントロギア・パラチナ』（*Anthologia Palatina*）は前六世紀から後十世紀にいたるギリシャの詩人たちの短詩（エピグラム）を集めた詞華集で、この種類のものとしては現存するもっとも古い集成として価値の高い、端正な字体の美しい小文字写本（十世紀筆写）である。ハイデルベルク大学創立以来の蔵書とプファルツ選帝侯の城内文庫とが合併してできたパラチナ文庫は、ドイツ語はもとよりギリシャ、ラテン、ヘブライなど四千点近い手写本をふくむ、十六世紀ヨーロッパ屈指の大コレクションで、ローマ教皇庁の垂涎の的であった。そのため三十年戦争にさいしてカトリック側の皇帝軍がハイデルベルクを占領したときに、一六二三年八月九日、教皇使節として派遣されたレオーネ・アラッチ[6]

(Leone Allacci) の指揮のもとに戦利品として持ち去られ、(ギリシャ語写本の一部はミュンヒェン経由で) ローマに運ばれて教皇グレゴリウス十五世への贈り物としてヴァチカン図書館に入った。その後一七九七年、ナポレオンのイタリア征服のさいに今度は教皇庁からの供出品としてパリの国立図書館に入り、そしてナポレオンの敗北によって一八一五—一六年にハイデルベルクへ返還されて今日に至っている。

しかしこれはあらすじにすぎない。行方不明になったもの、散在しているものもある。ローマやパリから返還された蔵書は九百点近いが大部分はドイツ語のものであって、四百数十点あったギリシャ語写本は二十数点しか戻っておらず、残りのほとんどすべては今もヴァチカン教皇庁図書館にある。そして問題の『アントロギア・パラチナ』はといえば、こちらは上巻だけが返還され、下巻はパリに留まった (右ページ図)。それ以来ハイデルベルク側では上巻は原本 (*Heidel.Pal.Gr.23*) で、下巻は十九世紀末に作成された写真版 (鮮明なものではあるが) で所蔵している。

一九八六年に、ハイデルベルク大学創立六百年を記念してパラチナ文庫の面影を再現する展覧会が七月から十一月まで、ほぼ四か月にわたって開かれ、かつてハイデルベルク大学の中心でありパラチナ文庫が置かれていた聖霊教会に、手写本および印刷稀覯本六百点が展示された。政府筋をふくめたドイツ側と教皇庁側の長期に亘る交渉と各国図書館の協力で実現した企画で、独・伊・米三国の空軍が輸送に当たった。という

---

6 — ギリシャ・キオス島出身 (c.1586—1669) の学者。教皇グレゴリウス十五世をパトロンとしてローマで活動した。Leo Allatius, *Excerpta Varia Graecorum Sophistarum, ac Rhetorum*, Roma 1641 ほか多数の編著書がある。

のも、展示品のうち五百六十点をこえるものが、一六二三年八月のレオーネ・アラッチ指揮下の「略奪」以来初めて、ヴァチカンから里帰りしたものだったからである。

パリからは当然『アントロギア・パラチナ』下巻（*Paris.suppl.gr.384*）が出品された。上下両巻は百七十年ぶりに再会したのである。後日、これを携えて出向いたフランス国立図書館のギリシャ語写本担当主任から話を聞く機会があったが、彼女は当時の状況をふりかえって「本を無事に返してもらえるかどうか、やはり少し心配だった」と語った。このような心配がその場限りの笑い話で済むものでないことを、私は五百六十頁を超える展覧会のカタログを手にした時に実感させられた。修辞をこらした教皇庁枢機卿と大学学長の挨拶に続いて、今回の展覧会の企画運営に当たった人々や機関のリストがあるが（p.XVI）、そのなかの「輸送関係担当」の筆頭に、じつにさりげなく「ドクトル・レオーネ・アラッチ」の名があったからである。特別の肩書きも注記もないところにハイデルベルク側の積年の恨みをこめたブラック・ユーモアを感じたのは私の思いすごしであろうか。いつかまたハイデルベルク大学図書館を訪ねる機会があったら、数年前の秋、毎朝私の閲覧席に「あなたの本、出てますよ」と、私が調べていたリュシアス写本（*Heidelb.Pal.gr.88*）を出しておいてくれた親切な大男の司書に、確かめてみたいと思っている。

【初出】『言語』（大修館書店１９９８年10月号）「特集・地中海文明と言語」〈原題・地中海と書物の命運〉

【付記】パラチナ文庫の歴史についての基本文献：Fr.Wilken, *Geschichte der Bildung, Beraubung und Vernichtung der alten Heidelbergischen Büchersammlungen*, Heidelberg 1817.

・一九八六年の展覧会カタログ：E. Mittler, hrsg., *Bibliotheca Palatina, Katalog zur Ausstellung vom 8.Juli bis 2.November 1986 Heiliggeistkirche Heidelberg, Textband & Bildband*, Edition Braus, Heidelberg.

リュシアス作品の写本伝承と初期刊本

写本の伝承

概略　ギリシャ古典の作品は、作者による「原稿」が残っているわけではなく、ごく大まかに言えば古代では植物繊維を並べ重ねて作った紙（パピルス）に、中世には羊、豚などの皮をなめして作った皮紙に、ついで古布など植物繊維由来のものを加工して製造した紙に、手写転写がくり返されて、さまざまな形の本となって読まれ、そのような手写本のうちでルネッサンス期まで伝わって、印刷出版者に見出されたものが刊本になって広がったという過程を経てきています。[1] ここでは本書第3章でとりあげた弁論作者リュシアスについて、その作品がどのように伝えられてきたか、の一端を記したいと思います。

史料として遡りうる最も古いものはパピルスで、リュシアス関連のパピルスは、紀元後二世紀から四世紀のものなど、僅か数文字の小さな断片から長さの異なる断章までかなりの数があり、記録され刊行されていますが、私自身はそれらの資料を調べていないのでとりあげません。以下は「リュシアス作品三十一篇をつたえる中世以降の写本」の概略です。[2]

リュシアス作品を伝える古写本（一六〇〇年以前に制作された手写本）は、現在までに五十一点が知られていて、それらは、イタリアに二十二点（フィレンツェ、ヴェネツィア、ミラノ、モデナの四都市の図書館蔵）が最多で、フランス（パリ）とヴァチカンがそれぞれ八点、ドイツに四点（ハイデルベルク、ハンブルク、ミュンヒェン）、スペイン（マドリッド、トレド）、オーストリア（ウィーン）、イギリス（ロンドン、オックスフォード）に各二点、オランダ（ライデン）、ロシア（モスクワ）、ギリシャ（アトス山）に各一点、と分散しています。このうち私が現地で原本を見ることができたのは、十二の図書館で三十三点です。五十一点という数は、他の散文作者たちに比べるとけっして多いとはいえませんし、また本の書写年代ということでも、中世写本（十世紀—十三世紀）といえるものはヴェネツィア、パリ、ハイデルベルクの各一点だけで、あとはルネッサンス期（十四—十六世紀）のものです。ビザンツ盛時の大学者で首都の総主教を務めた

1—筆写による古典（日本と西洋）の伝承に関しては、優れた入門書、池田亀鑑著『古典学入門』（岩波文庫1991年＝至文堂1952年の復刊）がある。日本古代の写経所にも西洋中世の修道院の工房にもあった厳しい規律のこと、訂正や改変の私意を入れることなく目前の手本を元のままに伝えることがいかに困難かを語るところなど、「いわゆる〈良い写本〉など存在しない。しいていえば、良い写本とは、モデル本の誤りをそのままに伝えて誤写の源に遡る道を示唆してくれる写本のことである」（A.Dain, *Les Manuscrits*, Paris 1975, p.169）にも共通する見解がみられる。また少し異なる立場から「古典作品の原典復原」を考える、橋本不美男『原典をめざして—古典文学のための書誌』（笠間書院1974年）の、とくに第一、二、七章と、片桐洋一分担執筆の第九章もあげておきたい。

2—なお、第三十二から三十四までの三篇は、ローマ帝政初期の文人（ハリカルナッソスのディオニュシオス）がその著作『古代の弁論家たち』中の「父方出自シュラクサイのリュシアス」（略称「リュシアス論」）の中に引用した形でのみ伝存していて、写本伝承としては別系統になるのでここではとりあげない。後述する初期刊本は、アルド版もステファヌス版も、目次タイトル「リュシアス伝（*Lysiae vita*）」としてディオニュシオスの「リュシアス論」を収載していて、そこに第三十二弁論からの三篇が含まれている。

フォティオス（Photios, 八九〇年代に没）が残した膨大な読書録にはアンティフォンからデイナルコスまで十人のアッティカの弁論家を読んだことが記されていて（*Bibliotheke*, codd. 259-265）、リュシアス（同書cod. 262）第七弁論の文体について「プラトンやデモステネスにも劣らない」と高く評価しているところもあるのですが、彼が読んだリュシアス写本は、現存の写本中にはないわけです。

第二弁論「葬礼演説」の写本　リュシアスの写本が五十一点あるといっても、それは、どの写本にもリュシアス作品三十一篇がまとまって残っている、というわけではありません。各作品別の現存写本数をみると、第二弁論「戦没者葬礼演説」が最も多くの写本に伝えられている、とわかります。現存写本のほぼ半分つまり二十四点が、この作者の作品としては第二弁論のみを写しており、残る二十七点についても、そのうちの十二点が、他の作品とともに第二弁論をも伝えています。つまり、現存の状態からみるかぎりでは、リュシアス現存写本五十一点中の三十六点が第二弁論を伝えていることになります。

これらを第一群としますと、中で最も古いものは、フランス国立図書館にある羊皮紙の写本（左頁の図）（*Parisinus Coislinianus 249*）通称「クワラン（Coislin）本」です。書写年代は十世紀、前期ビザンツ時代という、ギリシャ古典テクストの伝承にとっては最も重要な時期の所産で、ギリシャ語を公用語としていた東ローマ帝国首都コンスタンチノープル（もとは前七世紀からギリシャの植民市であったビュザンチオン）での制作とされ、いかにもその時代らしい端正な小文字体の写本です。弁論作者ゴルギアス、リュシアス、アイスキネス、そして古代末期のシュネジウスとプロクロスをふくむ五人の選文集で、リュシアスのものは第二弁論「戦没者葬礼演説」のみが入っています。子牛革装訂の赤い背表紙（題名は*Synesius*）にはナポレオン没落後に王政を復活したルイ十八世の紋章があるので、その在位期間（1814–24）の製本とわかります。「第二弁論」の現存写本ではもう一点古いものがあって、「クワラン本」とほぼ同時期か少しあと（十世紀から十一世紀中頃）に筆写されたヴェネツィアのもの（*Marcianus gr.416*）ですが、マイクロフィルムでみても本の状態が悪いとわかるほどで、サン・マルコ広場にある図書館に行った時も実物は見られませんでした。残りの二十二点は、その大部分がルネッサンス期十四―十五世紀に書写されたものです。このような写本の残り方からみると、まず「リュシアス作品」のなかではこの第二弁論が、とくにルネッサンス時代には、「式典弁論」の手本として多く書写され読まれたという推測ができるでしょう。

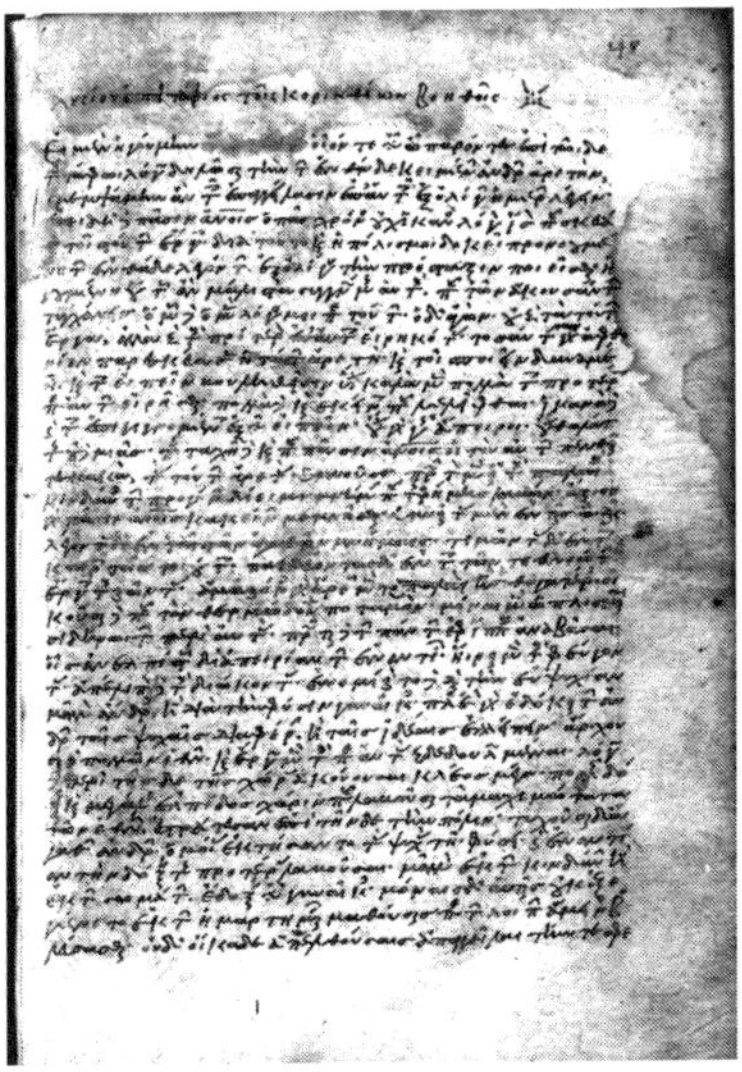

「葬礼演説」のパリ写本 *Bibliothèque nationale de France,ms Paris.Coislinianus gr.249, f.148r.* リュシアス第二弁論冒頭。フランス国立図書館蔵本

ハイデルベルク写本とその系列本　第二群としてまとめうる二十七点の写本は、それぞれに収録された作品数は異なっています。三十一作品すべてを写しているものは十点ほどあり、その中では、ハイデルベルク大学図書館にある、羊皮紙の「プファルツ選帝侯文庫本」中の写本（*Heidelbergensis Palatinus graecus 88*）が、書写年代の最も古いものです。推定としては、十

一世紀中頃以降一〇六三年よりあまり遅くない頃、下限は十二世紀初期、というところでしょうか。筆写には二、三人の異なる手が関与しているとされますが、主な写字者は写本冒頭に「内容一覧」(f.1r-v)を書いてその下部に「奥書」を記したTheodorosで、その筆跡が、ヴァチカン図書館蔵のイソクラテス写本(*Vaticanus gr.65.* 同名別人で一〇六三年の年記あり)の筆跡によく似ていることが年代推定の主な根拠です。私も一九九三年秋に両図書館で調べた結果から同様に考えています。[3] このハイデルベルク写本は近年デジタル化され、その初期の画面では、推定制作年代として、写本の見返し紙に十七世紀頃の手で記された「十三世紀」という年記がそのまま使われていましたが、現在では「十一世紀後半」となっています。

この羊皮紙写本は、現存の形では176 × 147 mm. 見返し三紙葉、本体は百四十二紙葉。末尾ff.141v-142vには(私には一部分しか読めませんでしたが)本文より後の時代(十四—十五世紀)の手でこの本には四枚綴八紙葉の折丁が十八丁あること、ニカイアで発見されたことなどが記されています。ニカイアで発見、というのは、十三世紀初頭の第四回十字軍による首都破壊のさいに、この「ニカイア亡命政権」の地へ移されて来たものかと考えられていますが、確かなところは未詳です。

近代の校訂版は、ザウッペ(H.Sauppe, *Epistola Critica*, Leipzig, 1841)によってこの写本の評価が出されてから、シャイベ(C. Scheibe, *Lysiae orationes*, 1872 第二版)以降このハイデルベルク写本を、「第二弁論」以外の作品の底本としています。これ以外の現存写本は、十四世紀前半に首都で筆写と推定されるものも、この写本からの転写本ですし、あとはルネッサンス期の需要に応じて筆写されたもの(筆写者は、現在ではほとんどすべて同定されている)だからです。また、このハイデルベルク写本には、リュシアス以外にも四人の弁論作者の数篇も入っているのですが、配列順は、リュシアスの第一弁論と第二弁論が冒頭に置かれていてそれに続くのはアルキダマス、アンティステネス、デマデスら三人の作品。リュシアスの第三―三十一弁論がくるのはこの三人のあとで、そして巻末にゴルギアスの「ヘレネー讃」が入っています。第一と第二だけが巻頭に分離しているということは、「ハイデルベルク本」自体が複数のモデル本を用いている可能性を示唆すると考えられ、ハイデルベルク本以前の系統図には諸説あります。

写本の損傷　この「ハイデルベルク本」には、テクスト上にかなり大きな欠陥・欠落が三箇所ほどあり、そのことが、より新しい制作年代の諸写本の系統を判別するための目印となっています。とくに大きい二箇所の欠陥をとりあげますと、まず原本を開いてすぐ目に入る、とてもショッキングな損傷は、第二弁論「葬礼演説」の途中（テクストでは2. 24-28にあたる箇所）にあります。写本第九紙葉の表（recto）と裏（verso）(f.9 r-v) が、ほとんど全面、本の上でインク壺をひっくり返したように黒ずんだ液体で（デジタル画像では茶色に見えますが）汚されて文字の大部分が読み取れない状態になっていることで、その汚染は、液体の色から見ておそらく書写の時期とかなり近い時期に起こったと考えられています。十四世紀前半にコンスタンチノープルで、「ハイデルベルク本」から直接に転写されたと考えられる、現存の系列本では最も年代の古い

3――「平成五年度後期海外研究報告書・リュシアス作品古写本に関する補遺」『成蹊大学文学部紀要』31号（1996年）。なお筆跡の違いの問題は、同一人でも意識的にあるいは年齢によって異なる字体を使うことはありうると思うので、これ以上立ち入りません。

写本（フィレンツェのメディチ・ロレンツォ図書館にある *Laurentianus Plutei 57.45.* デジタル化済み。イタリア紙の分厚い本で後半部分に水濡れによる汚損があり、閲覧時に頁を繰ると黴臭かった）においてもすでに「第二弁論」のこの箇所に大きなブランクがあり、一方、先に述べた「クワラン本」系統の写本にはこのブランクはありませんから。

ただし、三十一作品全てを写していてテクストの読みの点では「ハイデルベルク本」の直系なのに、第二弁論には問題のブランクがない、という写本もあります。ミラノにある写本（*Ambrosianus H52 sup.* デジタル化済み）で、こちらの写本については、十五世紀後半の筆写という定説に加えて筆写者の同定や本文の読みの調査がなされ、さらに筆写の状況つまり筆写者が、最初の段階ではモデルにした「ハイデルベルク本」のブランク部分をそのまま残しておき、あとから別の、「クワラン本」系統の一写本によってその部分を補塡したのであろう、という説明が、イタリアの研究者によって一九七〇年代に出されました。中世の修道院でのきびしい規律の中での書写と違ってルネッサンス期では、筆写は職業的な写字生だけでなく、またギリシャ出身者のほかイタリアなど西欧の出身者によっても、それぞれの書体で行われましたし、学者文人間の交流、写本の貸借、筆写者による字句の訂正や改変など本文への関与もひんぱんに行われたと考えられるので、写本間の系統づけはいっそう複雑困難になることが多いわけです。

もうひとつの大きな欠陥は、現存の第二十五弁論末尾と第二十六弁論冒頭との間（ff.120v–121r）に、四枚綴八紙葉（頁にすれば十六頁）の一折丁がそっくり欠落していることです。写本冒頭（f.1r–v）の、本文筆写者の手による「内容一覧」には題名〈Κατὰ Νικίδου ἀργίας〉「ニキデスの職務忌避告発」があるのですが、欠落した折丁の中にあったはずの作品自体は、その前後の二作品の末尾および冒頭とともにこのハイデルベルク写本からは失われ、それを転写した現存の諸写本の中には見つかっていません。この折丁欠落も先のインクによる汚染や第五折丁での前後三紙葉（第五弁論末尾と第六弁論冒頭のテクストを含む）の欠落と同様、十四世紀前半以前に起こったのでしょう。いつかどこかでこの作品の写本が、タイトル部分を含む小さな断片の形ででも発見されれば、リュシアス弁論作品の数はひとつ増えることになります。[4] せっかく写本冒頭の「内容一覧」に題名が記されているのですから、X写本を基にした近代の校訂版では、題名を残して「本文は欠落」としておくべきだったという考えに、私も与したいと思います。

この「ハイデルベルク本」はビザンツ帝国の衰退にともなって東から西へもたらされていたのでしょう。十六世紀中期、アウグスブルクの豪商で大蔵書家のウルリッヒ・フッガー（Ulrich Fugger）がイタリアへ人をやって蒐集し、プファルツ選帝侯に献上してその文庫に入ったもののひとつで、その後は、先にとりあげた『パラチナ詞華集』と同様に、三十年戦争時の一六二三年には貴重な戦利品としてローマ教皇庁へ、ついでナポレオンのイタリア征服時一七九七年にはパリへと持ち去られ、かれが敗北したのち一八一六年にハイデルベルクへ返還された、という変遷を経験しています。装訂は近代のもので茶色の革、天地金、単純な金の縁飾があり、背表紙には金でヴァチカンの紋章が箔押しされています。「内容一覧」の頁（f.1r）では、ハイデルベルク大学図書館のスタンプ（左）とフランス国立図書館の蔵書印（右）とが隣り合わせに並んでいるの

4 — この写本のデジタル画像（URLは本書p.251）では「内容一覧」をうけて〈Lysiae Orationes xxxii〉［三十二作品］としている。

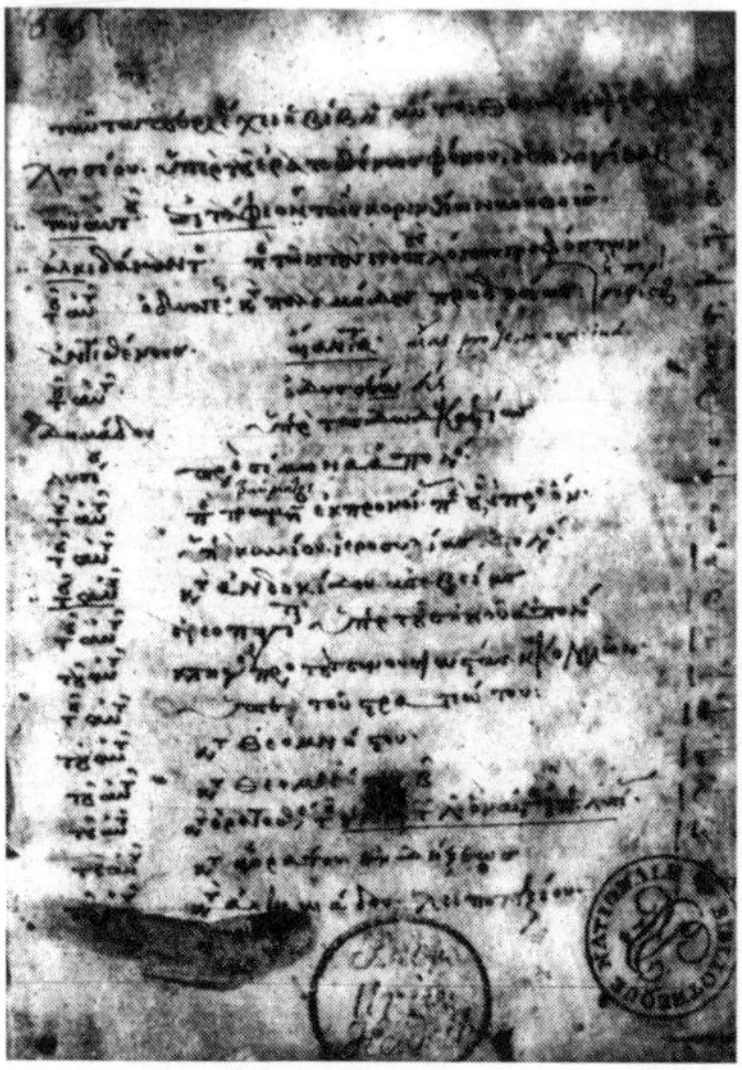

ハイデルベルク大学図書館蔵リュシアス写本「内容一覧」前半。Universitätsbibliothek Heidelberg, *Palatinus gr.88*, f.1r.

が見えます（上図）。

実用向けの写本　この写本（見返し三紙葉＋百四十二紙葉）は、私は一九八一年と九三年、二度ハイデルベルクに滞在して見ましたが、『パラチナ詞華集』などと比べると、かなり粗い作りの写本で、上質の羊皮紙をそろえて彩色頭文字を入れる「献上本」タイプではなく、「実用向け」の感じです。というのは、作品と作品の間に余白がなく、インクは（焦茶色に褪色した）黒が基本で、作品の標題や冒頭の頭文字のインクの色も不揃い、作品冒頭のオーナメントはごく簡素で数も少なく、一頁あたりの書写行数は十九から二十六の間で一定しない等々の不規則が目につくからです。また写字のガイドラインとしてドライポイントのような道具で引く罫線が、垂直方向にも引かれた羊皮紙を用いている紙葉（ff.28v, 35v など）や、皮紙に空いている小さい穴を避けて字が書かれている紙葉（ff.82, 140 など）や、もともと端の欠けた皮紙（ff.88, 138）もあったりして、羊皮紙が高価であった当時の節約ぶりが偲ばれます。また、一例として f.82r の右上方などで顕著ですが、皮紙表面に小さい点々がひろがって見えることがある。これは皮紙の外側（獣毛の側）の毛穴の跡で、f.82v は皮紙の内側（獣肉の側）なので点々は見えません。完成した本を開いた時に見開きが一貫して皮紙の同じ側になるように、準備段階で皮紙を重ねて折丁を作るのが原則なのですが、このハイデルベルク写本では、皮紙の重ね方をまちがったところがあります。読むため、使うための本としては問題ないわけですが、豪華な「特注本」であったらこういう不備は見られないはずです。

よく見ると……　このハイデルベルク写本（リュシアス作品の略号では「X写本」）を実見して気づいた「面白いこと」を、二、三の実例についてお話ししたいと思います。現在では、次のように入力容易なURL(http://digi.ub.uni-heidelberg.de/diglit/cpgraec88) でこの写本のすべてがデジタル画像で見られるので、興味のある場合には確認可能です。

いま折丁作成時の料紙の重ね方にふれましたが、重ね方を間違った実例のひとつは、この写本の第三折丁にあります。といいますのは、この写本は、十八の折丁からできていて、基本は四枚綴八紙葉で一折丁（ただし巻初の「内容一覧」は分離した一紙葉、巻末の最終折丁は三枚綴六紙葉）なのですが、第三折丁（ff.18r-27v）だけは五枚綴十紙葉です。しかもこの折丁の見開きには、左頁（f.21v）は羊皮の「肉側」で右頁（f.22r）は「毛側」、（したがってf.23vは「毛側」でf.24rは「肉側」―これはf.24v「毛側」が画像上でも非常に明瞭なので判別が容易）という箇所がある。これは書写の直前に（あるいは折る前の皮紙を重ねる段階で）、五枚目の皮紙にとりかかるときに、皮紙の表裏を逆にしてしまったために、このような「左右ふぞろいな見開き」ができてしまったのでしょう。

しかもこの第三折丁は、どうしてこれだけが五枚綴じになったのか。ここには前述したようにリュシアスの第二弁論につづいてかれ以外の三人の弁論作者の小品が入っており、折丁の終りと作品（デマデスの「十二年の記」Demad.1-17まで）の終りが一致していて、そこ（f.27v）には五、六行の余白を残している（他の箇所では作品と作品の間には余白がまったく無いのに）。そして、リュシアスの第三弁論（f.28rから始まる）以降の折丁は、また四枚綴形式に戻ってつづく……という状態です。このことから、このハイデルベルク本は、リュシアス第一弁論からデマデス作品まで（［A］とする）を含むモデル本と、リュシアス第三弁論以降（［B］とする）を含むモデル本と、二つの手本を写して出来上がったのではないか、という見方が仮説のひとつになります。［B］部分の方が先に筆写完了していて、そのあと［A］部分の筆写が始まり、その段階で四枚綴では足りないことが予測されたので、あらたに一枚（現在のff.22r-23v）を追加した、そのとき皮紙の表裏を間違った、という状況だったのかもしれません。さらにここには複数の筆写者が関与しているとの見方もありますが、断定はできません。八百年前の写字作業の現場をさまざまに想像させる、おもしろい「不規則」だと思います。

面白いことの二つ目。リュシアスの自伝的代表作である第十二弁論の第六十一節（12.61）に、法廷で証人の証言を求めるところがあります。そこで従来の校訂版はどれも〈ΜΑΡΤΥΡΕΣ〉「証人たち」という指示を入れていますが、その典拠については、「X写本［ハイデルベルク写本中のリュシアス部分の略号］では省略」と本文注に記し、指示のほうはXの系列写本から補っています。

しかし一九九三年にあらためて原写本を調べたところ、問題の箇所は第六十一紙葉表（f.61r）ですが、上から第十三行目の欄外右端に「証人たち」を示す略記号（小文字のμとρの合字）が記されているのが読めました。文字は、ヴァチカン教皇庁図書館でなされた再装訂によって裁ち落とされてわずかに「ミュー」の書き始めの部分が残存するのみで、マイクロフィルムやデジタル画像ではただの汚れのようにも見えますが、よく見ると、本文と同じインクで書かれた字の一部分で、そのことは、この写本の中で第十三弁論の三箇所（13. 64, 66, 68）を写した紙葉、即ち第七十三紙葉表（f.73r）からも確定できます。こちらでは、上から二十二、二十一行目の右側欄外に、μにρが重なって、その上方に鋭アクセント状の印が付いた形で書かれている略記号が、裁ち落としを免れて見えるからです。またこちらの例でもわかるように、このX写本の筆写者は、テクスト本文のなかに「証人証言」、「法文朗読」「票決」等が指示されている場合には、本文中に七、八字分のスペースをあけた上でその指示を略記号で欄外に記す、という方式をとっているのです。f.61rでは、指示を入れる直前の文末がちょうど行末にきたために二字分くらいのスペースしかとれなかったのでしょう。そのために、近代の校訂者たちは、第十二弁論第六十一節の欄外の略記号（の痕跡）を見落としてきたのだと考えられます。

再装訂のさいに本の天地と前小口が裁ち落とされている、これはすなわちこの本は以前には現在より大きいサイズであった、ということですが、そのことは、本の数カ所で、上部欄外に本文筆写者より後の手で記された作品タイトルの上方がしばしば見えなくなっていることから容易にわかります。そして裁ち落としが、前小口（縦方向）でもなされたことは、三つ目の面白い証拠からも分かります。

写本の第百七紙葉おもて（f.107r）の下から六行目の欄外に、羊皮紙の端が切込まれて同紙葉裏（f.107v）

に折返されたようになっているところがあります。その折返された部分を広げてみると、本文より後のものらしく見える手で〈τίμιος ὁ σῖτος「穀物は高値」〉という書込みがある。つまり、再装訂者は前小口を裁ち落とす際に、書込み部分を保存するために予め切込みを入れて折返しておいたのでしょう。この紙葉の現在のサイズは約176×147mmですが、折返し部分を測って考慮に入れると、再装訂前の紙幅は約151mmであったと考えられますし、そうなると、さきほどの「証人証言」等のように、現在の写本上では略記号による欄外指示が見えないようなところでも、テクストの文脈からそれが要請されかつ本文中にわずかでも空白スペースが置かれているところでは、もとは欄外の端にそのような指示の記号が書いてあった可能性を考える必要があるでしょう。

作品の十六世紀刊本

アルド版とその後　リュシアス作品が初めて印刷本になったのは、ヴェネツィアのアルド・マヌツィオ（Aldo Manuzio 一四五〇頃—一五一五）が刊行した三部構成の『弁論家集』[5]の第一部（*Orationes horum rhetorum.Aeschinis. Lysiae. Alcidamantis.* 〔…〕 *Lesbonactis. Herodis. Item Aeschinis vita. Lysiae vita.*）の中でした。この第一部（刊記「一五一三年四月」は第二部の末尾p.162に記載）には、本書第4章の扉頁（p.219）に見られるように、ギリシャ語・ラテン語併記で、アイスキネス、リュシアス（三十一作品pp.86-177）、アルキダマス、アンティステネス、デマデス、アンドキデス、イサイオス、デイナルコス、アンティフォン、リュクルゴス、ゴルギアス、レスボナクス、ヘロデスの十三人の作品と冒頭の二人の伝記が含まれています。リュシアス作品部分の「原稿」になった写本が「ハイデルベルク本」そのものではないが、その系統であることは、前節でふれたブランクがアルド版でもそのまま残されていることからもわかります。現存する写本中にアルドが「プレス・コピー」として使ったものが在るか、の問題では、私はマイクロフィルムで調べた時には、ヴェネツィアにあるK写本（*Marc.gr. VIII.1*）が、テクスト上の共通誤写からみてアルドの底本の候補かと考えていましたが、[6] 二〇〇一年三月にサンマルコ図書館で現物を実見すると、これは、たいそう上質な、白い羊皮紙を用いた「献上本タイプ」の写本で、印刷所で使われた場合なら必ずどこかに残るはずの印刷インク等の汚れや印刷工への指示としての書込みがこの写本上には全く無く、アルドのプレス・コピーではない、と考えざるを得ませんでした。この写本の筆写者は、クレタ島出身でアルドとも交友関係があってヴェネツィアで没した高位聖職者（Arsenios Monembasias）と同定されています。おそらく、これと非常に近縁の写本が、アルド版リュシアスのもとになっているのでしょう。[7] 現存写本の中に探すなら、〈Michael Souriardos, Firenze〉の奥書（年記なし）のあるミラノ写本（*Ambr.A 99 sup.*）かと考えています。[8]

5 — 第二部はアンドキデス、イサイオスら八人、第一部と合本で刊記。アルド初版本のうち「第三部」（イソクラテス、ゴルギアスら四人の弁論作品を含む）は、刊記は同年五月四日。頁付の誤りも多く、ヨーロッパでも所蔵図書館が少ないことが知られている。日本の国立国会図書館は、その増補版（一五三四年版）で多数の欄外書込みのある一点を所蔵（書名＝アルド・マヌツィオ編『新訂増補イソクラテス集』、請求記号＝WA42-7）。イソクラテス、アルキダマス、ゴルギアス、アリステイデスを含む。本稿筆者未見。研究者によって詳しい調査がなされることを願っている。

6 — 拙稿「昭和56年度海外研究報告書（1）リュシアス作品古写本について」『成蹊大学文学部紀要』18号（1982年）p.53。

また、この刊行の十数年前（一四九八年）にはアルドに協力してアリストファネスの喜劇を編纂したギリシャ人学者マルコス・ムゥスゥロス（Markos Mousouros, 一四七〇頃—一五一七）がいて、かれがフィレンツェで手写した署名入り（f.165v）のリュシアス写本も現存しているのですが（*Laurentianus plut.* 57.52 デジタル化済み）、この写本とアルド版『弁論家集』中のテクストを比べると、これがアルド版の「原稿」になったとは考えにくい。この写本には他の現存写本中にないムゥスゥロス独自の「テクストの読み／修正案」がかなり多いのですが、それらはアルド版のリュシアス部分には全く採り入れられていないからです。ムゥスゥロスは、この弁論家集では刊記の異なる第三部（＝合本の第二巻、イソクラテス、アルキダマス、ゴルギアス、アリステイデス）のほうには、なんらかの形で関与していることが、アルドの序文から推定されるのですが。

アルド刊本の「リュシアス作品の原稿」を探す研究は、刊本にある彼の献辞（序文）を手がかりに十九世紀以来、数多くなされていますが、私の調べた範囲からの結論は、今のところ以上です。

アルドによる初版の刊行以後は、『アッティカ弁論家集』のような大きな出版は一五七五年のステファヌス版までみられません。リュシアス作品ではバーゼル、パリ、ケルンなどで小規模な選集が出ていて、私が調べ得た範囲では、いづれの選集も第一弁論と第二弁論の両方またはどちらか一篇を収載しています。これは、前項で言及したように、ハイデルベルク写本のモデル本は一つではない、という問題とも関係があるのですが、作品の内容という面からも説明できると思います。第二弁論は「戦没者の葬礼演説」ですから、式典弁論の模範例として、とくにルネッサンス期に広く読まれ、利用されたことの証と考えられるでしょう。そして第一弁論「エラトステネス殺害に関する弁明」のほうは、「自分の妻に対する姦通の現場をおさえて相手の男を殺害した行為は、姦通の罪に対する正当な罰である」という趣旨の弁論で、この作者のものでは唯一、直接に手を下しての「殺人」事件を扱う例であり、それに加えて作品中に複数の、それぞれに「せりふ」もある「女」（話者の妻、女中、老女）が登場する数少ない例[9]だという面白さがあったためではないかと思います。また、フランス・ルネッサンスの大学者ビュデ（Guillaume Budé 一四六八—一五四〇）がローマ法『学説彙纂』の姦通を扱った法〈Lex Iulia de adulterio〉の注釈中でリュシアスのこの弁論に言及していると推定されること、[10]つまりリュシアスの第一弁論が、当時の「人文主義法学者たち」（humanistes de robe）から注目されていた、ということとも無関係ではないでしょう。

ステファヌス版　アルド版から約六十年遅れて一五七五年に、ステファヌス版『古代弁論家集』（*Oratorum veterum orationes, Aeschinis, Lysiae, Andocidis,*［…］*Cum interpretatione Lat. quarundam.*）が、フランス・

---

7 ―「リュシアス作品古写本に関する補遺（その二）」『成蹊大学文学部紀要』31号（1996年）p.21。N.Wilson, *From Byzantium to Italy*, London 1992, p.187, n.50にも複数の研究者による同様の見解が出されている。

8 ― 拙稿〈Edition de Lysias〉, *Philologica* IV (2009), p.9, n.41.

9 ―「女」が重要人物の一人である他の例としては、第三十二弁論「ディオゲイトン告発」のみ。

10 ― ケルン版（Franciscus Fabricius = Franz Schmidtによる*Lysiae orationes duae*, 1554）中にあるBudéへの言及（pp.94,96）から。

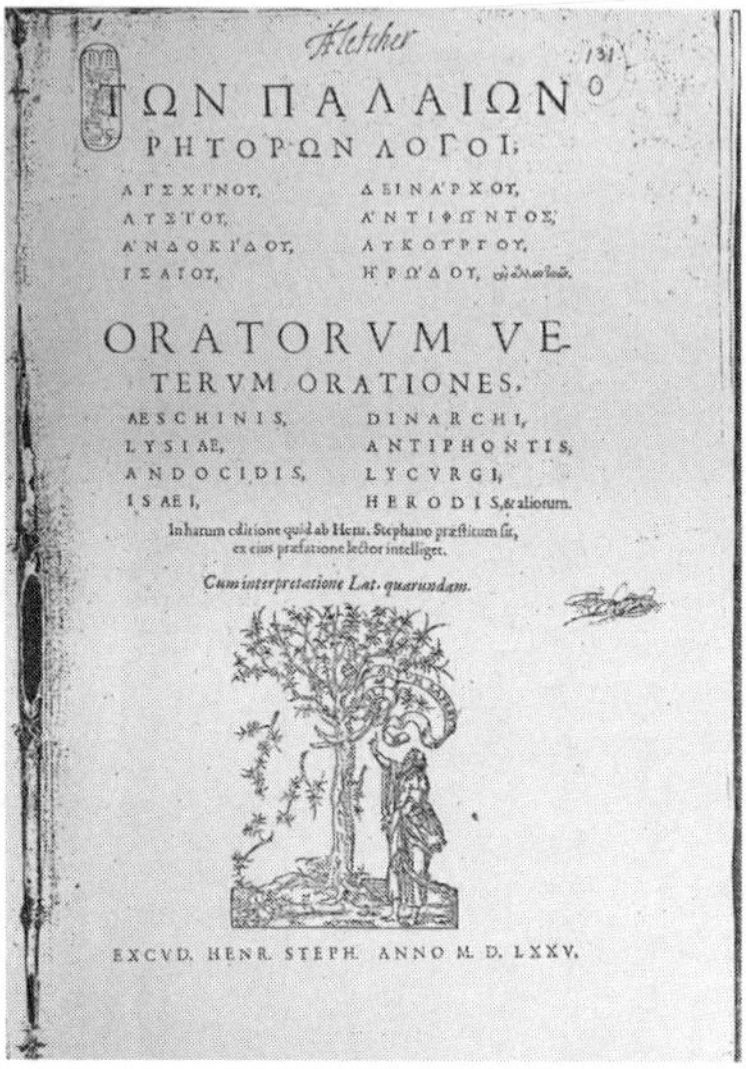

大手前大学図書館蔵本ステファヌス版『古代弁論家集』標題紙。収録された弁論家名（ギリシャ語・ラテン語併記）、印行者名、刊行年を記す

ルネッサンスを代表する「学匠印刷者」一族エスティエンヌ家のアンリ二世（Henri Estienne＝Henricus Stephanus 一五二八／三一—九八）によって出版されます[11]（上図）。かれについては、いまだにそれをしのぐ類書はないといわれる『ギリシャ語宝典』（*Thesaurus Graecae Linguae*, 1572）の編著や、その頁付が現在でも使用される『プラトン作品集』（ギ・ラ対訳）の刊行者であること以外にもいうべきことは多々ありますが、ここでは、『古代弁論家集』を簡単に紹介するにとどめます。なお、ステファヌス版の頁付は、『古代弁論家集』の近現代の校訂版上でも、通例の頁付に加える形で記されています。リュシアスの場合は［91］に始まる数字がそれです。

書物としての体裁はアルドと同じくフォリオ判。当時能書家として知られた写本筆写者アンゲロス・ヴェルギキオス（Angelos Bergikios ＝ Ange Vergèce）の流麗で華やかな書体をもとにして彫られた名高い活字「王のギリシャ活字（Grecs du Roy, typii regii）」を使用していて、ポイント数の異なる三種の活字数を合計すると、母型の数は二千三百から二千四百であったとされます。合字や縮約字も多く（ソルボンヌのイリグワン教授の話では、小文字だけでも、二十四種のアルファベットのほかに三百四十五種の合字や縮約字が造られた由）で、[12] アルドの機能的合理的な活字とは、たいそう印象が異なります。また、アルド版では使われていなかったギリシャ語の疑問符（セミコロン）もここでは活字として使用されており、欄外五行ごとの行数表示やレイアウトは、アルド版に比して格段に整備されています。またテクストの扱いでは、アルド版に基づきながらもそのまま印刷するのではなく、欄外注をつけて、その「読み」を採用した理由をも明記している、という点がとくに注目されます。彼自身が巻頭の献辞の中で説明していますが、アルド版の誤植や単純ミスで気づいたものは断り無しに訂正する、明らかに正誤の判定可能なところは直して、訂正以前の読みも欄外に示す、正誤の判断が必要な箇所では、本文には修正前の形を残して、自分の読みは欄外に示して読者に判定を委ねるか「本文中の形は採るべきでない」と明記するなどです。

本の内容としては、この『古代弁論家集』にはアルド版と同じ作者十四名の作品が、配列順は少し違いますが、収録されていてやはり三部構成です。リュシアスの三十一作品とディオニュシオスの「リュシアス伝」

11 ― 書物の中には刊行地の記載がないが、大英図書館やフランス国立図書館の目録は「ジュネーヴ」としている。アンリはすでに、新教徒だった父ロベールが宗教改革・新旧両教派の対立激化のなかでパリを離れてジュネーヴに移していた印刷所を相続していた。当時ジュネーヴで刊行された本には刊行地名を示さないのが通例との指摘もある：W.Spoerri, Die Edition der Aischylosscholien, *Mus.Helv.* 37（1980, p.23）

12 ― ちなみに日本の諸橋轍次『大漢和辞典』全十三巻は、五万二百九十四の漢字を収録している、と大修館書店編『これが5万字』（1986年）にある。

は第一部にアイスキネスに続いて配置されています（pp.91-213）。第一弁論に先立って、アルド版には無かった、伝プルタルコス『モラリア』からの「リュシアス伝」が二段組で入り、「葬礼演説」は第三十一弁論の次（pp.190-198）で、その後にディオニュシオスからの「リュシアス伝」となります。第三部には三作品（第一、第十二、第十四弁論）のラテン語訳が付いています。「葬礼演説」の中でアルド版にあった大きな欠落は補充されていて、編者自身が巻頭献辞の中で「ある一写本の助けによって埋めた」と述べています。その「一写本」を現存写本（マイクロフィルムも含めて）の中で探したところ、テクストの読みから、さきに「葬礼演説の写本」の項で言及した、私がサンマルコ図書館では（おそらく本の状態が悪くて修復中だったため）原物を見られなかったヴェネツィア本（*Marcianus gr.416*）そのものか、あるいはその系列の写本を指している、と推定できました。

アルド版によって築かれてきた写本に関する知見の蓄積を基にして、テクストは大筋でそれを受け継ぎながら、たんにそれを修正再整理しただけでなく、本文校訂の方向に意識的な一歩をすすめたのが、ステファヌス版だといえるのではないでしょうか。

【付記】 本稿は、筆者の「リュシアス作品古写本について」（『成蹊大学文学部紀要』18号1982年）、「リュシアス作品の初期刊本について」（同紀要19号1983年）、「二つのアルドゥス版『弁論家集』」（同紀要30号1995年）、「リュシアス作品古写本に関する補遺」（同紀要31号1996年）、「補遺（その二）」（同紀要37号2002年）、「リュシアス写本整理の試み」（『地中海学研究』7号1984年）、<Edition de Lysias -le

traitement des manuscrits dans les apparats critiques> (*Philologica* IV, 2009,pp.1-15) および <Manuscrits de Lysias>［筆者によるLysias 作品を伝える現存全写本一覧と吉川斉による <Appendix: URLs of the digitized manuscripts of Lysias available on internet>を含む。公刊後 URL:archiv.ub.uni-heidelberg.de/にも収載］（*Greek Manuscripts in Spain and their European Context*, ed.F. G.Hernández Muñoz, Madrid 2016, pp.159-200）を基にして作成したものです。

ルネッサンスの証人——アルド版『アリストファネス喜劇九作品集』初版本

成蹊大学は、私にとっても、長い間の職場でした。ここを離れるにあたって言い残しておきたいこととして、今日は、成蹊大学図書館に所蔵されている貴重な本や資料のうちのひとつ、ルネッサンス時代十五世紀末(一四九八年)にヴェネツィアで出版された一冊の本についてお話ししたいと思います。

なぜこれをとりあげるかと申しますと、この書物はたいそう高価なもので(具体的な数字は控えますが、ざっとした感じでは、大学新卒者の平均的な年収の何倍かに当たる額ではないでしょうか)、私ひとりの希望だけではとうてい図書館に入れられるものではなく、私の所属する文学部国際文化学科の先生方をはじめ、他学部もふくめた多くの先生方、図書館長と図書館の方々、四学部長、学長と、全学的な理解と協力をいただいてはじめて、二〇〇四年の秋に、私たちの財産にすることができたものです。ですから、この本が成蹊大学図書館の宝物の一つとして、じゅうぶん国際的に通用する価値のあるものだということをお話ししておくのは、これを買っていただきたいと言い出した者の義務でもあろうと考えているからです。

アリストファネスの喜劇　この書物は、紀元前五世紀後半から四世紀にかけてアテネで活躍した喜劇作者として高校の世界史の教科書にも名前が載っているアリストファネス(Aristophanes「アリストパネース」とも表記)という詩人の作品集で、本文は古代ギリシャ語の書物です。本の正式の題名はギリシャ・ラテン両語併記ですが、ここではラテン語表記を記しますと、〈*ARISTOPHANIS COMOEDIAE NOVEM*〉『アリストファネスの喜劇九作品』です。comoedia - comedyは一般に「喜劇」と訳されますが、アリストファネスの場合は、伝存作品のほとんどが、アテネ対スパルタという都市国家間の戦争（ペロポンネソス戦争＝前四三一～四〇四年）の最中にある時期のもので、それはむしろ政治・時事問題を扱う大胆な諷刺劇です。しかも国家行事であるディオニュシア大祭、レナイア祭などの場でコンクールの形で上演されていました。作品の形式としては韻文で、一定の韻律と構成をもつ詩の形式をとっています。

劇中には、たとえば、上演年代のもっとも古い『アカルナイの人々』（前四二五年上演）では、戦争の被害がとくに大きかったこの地の市民が一人でスパルタと和平を結んで同胞を説得したり、戦争後期の『鳥』（前四一四年）ではアテネの現状に耐えきれない市民二人が天上の鳥の王国へ逃げ出したり等々、奇想天外な発想の中に、都市国家間の戦争の愚かしさを訴え、戦争によって利益を得る武具商人を愚弄する、反戦と平和への強い希求がみられます。また、支給される日当めあてに裁判員になって民衆煽動家に操られる老人たちが、尻に長い刺針をつけた扮装で登場する『蜂』（前四二二年）は、アテネの裁判制度への痛烈な批判です。作品中には日常語の対話だけでなく、奇妙な長大な新造語や、高尚な詩語による合唱詩が併存し[1]、鳥や蛙に扮した合唱団も出てきて、人を驚かせる工夫もこらされています。

長靴型のイタリア半島に、ミラノ公国、ヴェネツィア共和国、フィレンツェ共和国、ローマ教皇領、ナポ

1 — 他国語に翻訳するのは至難の業といわれながら、日本語でも戦中から現在まで文庫や全集の形で伝存作品すべての翻訳が出されており、新しいところでは『ギリシア喜劇全集』（全十巻、岩波書店２００８―２００９年）の第一巻から第四巻までが、アリストファネスに当てられている。

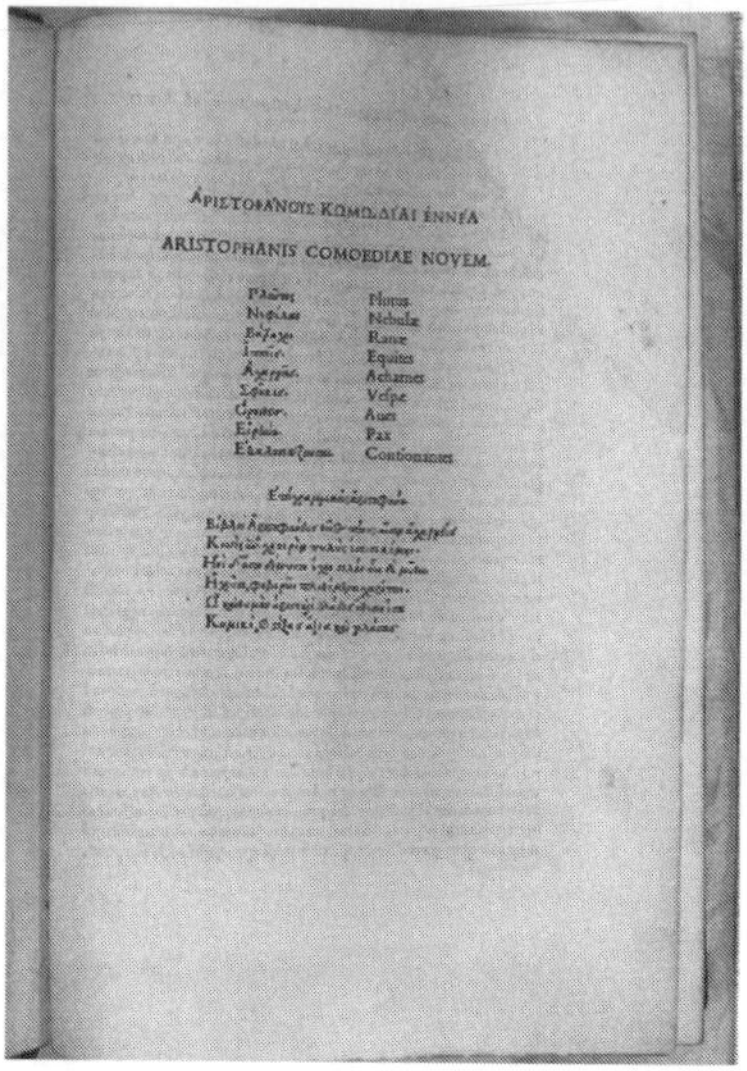

『アリストファネス喜劇九作品集』標題紙：九作品題名（ギリシャ語ラテン語併記）と短詩。成蹊大学図書館蔵本

リ王国などの「都市国家」が分立し、そこへフランスや神聖ローマ帝国などの勢力がしばしば介入していた当時の歴史地図をみると、アリストファネスの政治諷刺や平和論がアルドに強く訴えかける「現代性」をもっていたであろうことも想像できるように思います。

作品名と書誌の概略　まずこの本の外側、装訂ですが、これは本そのものよりもずっと後ののもので、専門家によれば十九世紀前半の英国で好まれた様式の装訂です。焦茶色の「ロシヤ革」という革表紙で、金の線刻装飾があります。印刷術初期の本の常として、紙は、印刷され、畳まれ重ねられただけで、製本はされずに出荷され売られていました。製本してしまうとかさばって輸送費が高くなるからだそうです。現在の製本装訂は、十九世紀前半にこの本を所有していた人が装訂させたものでしょう。

この本そのもの（一四九八年出版）をみますと、これがタイトルページ、標題紙の写真です（右図）。原作者と題名はギリシャ・ラテン二言語併記で、『アリストファネスの喜劇九作品』とあり、『福の神／プルゥトス』（前三八八年上演でかれの伝存作品としては最後のもの）・『雲』・『蛙』[2]・『騎士』・『アカルナイの人々』・

『蜂』・『鳥』・『平和』・『女の議会』という九つの作品の題名が、掲載順に記してあります。じつは、わたしたちが知っているアリストファネスの喜劇作品は十一篇あるのですが、この本にはそのうちの九篇だけが収められています。収載されなかった二篇は、当時原稿となるべき写本が、この本を印刷出版したアルド・マヌツィオの手に入らなかったり（作品『テスモフォリア祭の女たち』）、写本の状態が不完全で原稿として役に立たなかったり（作品『リュシストラテー／女の平和』）ということで、その事情はアルド自身がこの本の序文の中で述べています。その下にあるのは、アリストファネスの作品を讃える短い詩です。タイトルページにあるのはこれだけで、今日の本とはずいぶん違い、出版者とか出版年とかもここには記されていない。これは、初期の印刷本はまだ中世の手書き本、写本の書き方をそのままひきついでいるからだと考えられています。タイトルページにあるはずの、出版者のシンボルマーク（この出版者アルドの場合は、錨にからむイルカの商標が有名です）も、この時期のアルド本ではまだ使われていません。

本のサイズは304×205mmのフォリオ判、といいますのは印刷する全紙を二つ折りにした大きさで一頁ができる、ということで、だいたい現在のA４判くらいの大きさです。本全体で三百四十七紙葉（最終紙葉は表裏とも白紙で削除済み）で、古い本では、日本の江戸時代の刊本などにも見られるように、紙一枚を一紙葉と数えて、現在なら「第一頁」というところを「第一紙葉の表（f.1r）」、「第二頁」は「第一紙葉の裏（f.1v）」というふうに表示することが多いのです。三百四十七紙葉は、ページ数にすれば六百九十四頁にな

2 — 岩波文庫版（1950年7月）の訳者高津春繁先生は、『蛙』という題名は「かわず」と読んでもらいたい、と言っておられました。

りますが、この本では頁付は記されていなくて、その代わりにギリシャ・アルファベットの小文字と大文字合わせて四十三文字を使った折丁記号が、折丁の中の何枚目かを示すローマ数字（本稿では便宜上算用数字で表記）とともに記されています。

出版地ヴェネツィア、出版者アルドゥス（アルドのラテン語名）と出版年月日（一四九八年七月十五日）、これらは本のいちばん最後のページ、奥付のところにラテン語で明記されています。

また、奥付のページには、ギリシャ・ラテン両語で、印刷して折り畳んだ紙を何枚か重ねて綴じた「折丁」をあとで製本するときに製本者が重ねる順序を間違えないように記しておく、「折丁記号」とよばれるものの一覧とその説明があります。この本は、大きさが、全紙を二つ折りにした「フォリオ判」ですから、四枚重ねて綴れば「四枚綴八紙葉（＝現代式なら十六頁）」ができることになり、この形の折丁が主になっています。折丁の数は四十三ですが、その中には二枚綴四紙葉、三枚綴六紙葉、五枚綴十紙葉の折丁もあるので、それを明記しているのです。

どうしてこのように複雑な折丁構成になっているのか。それは、収録された各作品が必ず新しい折丁の第一紙葉で始まるように造られているからです。どの作品にも一定の形式、つまり原作者より後、ヘレニズム時代（前三三〇―三〇年）からローマ時代、中世ビザンツ時代（九世紀―十四世紀）の学者たちが書いた韻律論、梗概、登場人物一覧などがあり、その後に作品本文と注釈とが組まれているという形式になっていて、とくに本文とその注釈とを同じ頁に割付けるのはけっこう難しかったでしょう。結果的には、一例をあげれば、二番目に入っている作品『雲』では本文が終わった後、その折丁の残り（頁数にすれば三頁分）がブランクのまま、ということもおこっています。これは、当時は、印刷するさいに原稿がすべてそろってから全体を割付けて印刷機にかけるのではなくて、折丁単位で印刷していたということ、さきにも述べましたが製本せずに出荷していたこと、とも関係があるでしょう。また一般的には、作品ごとに折丁が新しくなっていれば、作品ごとに分冊にして売ることもできるはずで、じじつ分冊形式は写本時代から行われていた形でした。そういう中で、アルドは、分冊可能な形式をとりながらも、九作品すべてがひとつのまとまりであることを確実に示すために、さきほど見たような「折丁一覧表」をつくり、またその直前の二頁分（ff.T4v-T5r）を使って、各折丁前半の各紙葉おもて面の本文最初の語を折丁ごとに拾い出してリストアップした「始語一覧表」も作成しています。こうしておけば、これら二つの「一覧表」の併用によって、製本時に起こりうる「丁合どり」の誤りを防ぐ、つまり各作品内部での折丁順と収載作品間の配列順とをくずさないために、二重のチェックができるということでしょう。この二重チェック方式自体は写本時代からあったものでアルド独自の工夫ではありませんが、刊本の時代になるとこの方式をとらない本も多数あります。あえてそれを採ったアルドのやり方は、自分の手に入ったアリストファネスのすべてを、ひとつのまとまりで世に出したい、順序を間違ったり分冊で売られたりしては困る、という強い意思を示すと考えられています。

ルネッサンスの証人　この本は、アリストファネスの初版本としてよく知られています。初版本、ラテン語で editio princeps ですが、それは、古典の場合、原作者の原稿は残っておらず、残ったのは、最初期にはパピルス（の巻物）や書板に写され、のちには（羊や豚の）皮紙や紙に写され、それがまた写され……というふうに何度も転写を繰り返して手書きで伝えられてきたものだけ。そういうものが印刷術の発明によって、初めて印刷本となって世に出たもののことを初版本といいます。印刷術の発明というのは、それまで人間の手だけに頼って伝えられてきた、言葉や文字による知的財産が、初めて活字や印刷機という機械に委ねられることになったという、文化史上の一大転換点いわば近代の出発点でもあったわけです。その発明から五十年くらいの間、つまり十五世紀の終わり（より詳しくは、現行暦で一五〇一年四月十日の復活祭前夜）までに印刷された本は、分野を問わず「インキュナブラ／インクナブラ」（incunabula 揺籃期本）という特別な名称で呼ばれていて、現在でも世界（といっても欧米中心ですが）各国が、国内のインキュナブラの所在を調査してそのカタログを出しています。日本でも英文のカタログがあって情報を世界に発信していますが、成蹊大学のこの本もいづれそのカタログに載ることになるでしょう。

この本は、アリストファネスの初版本であり、しかもインキュナブラであるということで、二重に高い評価を受けるに値するのですが、さらに広い見方からすれば、この本はわたしたちに、西洋近代の出発点といわれるルネッサンス文化が生みだした成果を実証してくれる実物、「ルネッサンスの証人」のひとつだ、ということもできるのではないかと思います。

ご存じのように「ルネッサンス」は、フランス語のもとの意味では「再び生まれること、再生」であり、「文芸復興」とも訳されます。十四世紀イタリアに始まり、十五世紀以降、西ヨーロッパ各地に拡がった文化現象ですが、ルネッサンス、ときいて皆さんは何を連想なさるでしょうか。ダ・ヴィンチの『モナ・リザ』やボッティチェリの『ヴィーナスの誕生』のような絵画とか、あるいはフィレンツェの町のたたずまいなど、さまざまだと思います。しかし同時に、古代の文化遺産、とくにそれまで地中海の東のビザンツ帝国に伝えられていた古代の書物、そして人、つまり写本を作ったりギリシャ語を教えたりすることのできるギリシャの知識人・学者たちと、かれらが携えてきた、あるいはかれらが手書きで写した、古典作品の写本が、オスマン・トルコの圧力を逃れるかたちで地中海の西にもたらされて、人々に大きな知的インパクトを与えルネッサンスという文化活動のいわば原動力になったということも忘れてはならないでしょう。そのような古典の遺産が、金属活字の活版印刷による本という量産可能な形をとって再生したのであって、私たちの本はその見事な具体例のひとつだと考えられるのです。

コンピューター技術の普及によって情報伝達手段の急速な変化が進む今日だからこそ、手書きから活字へと移行したその原点の証人を、私たちの図書館で確かめられるのは、幸いなことだと思います。

「敬虔なるローマびとアルドゥス」の肖像。出典：A.A. Renouard, *Annales de l'Imprimerie des Alde*, ［アルド家印刷工房年代記］ Paris 1834. パリ大学ソルボンヌ図書館蔵本

印刷出版者アルド・マヌツィオと写本　このアリストファネス本を印刷出版したアルド・マヌツィオ、ラテン語名では Aldus Manutius（当時の知識人は、著作ではラテン語がふつうでしたから）は、生没年（一四五〇頃―一五一五）からみて、まさにレオナルド・ダ・ヴィンチの同時代人で、上の図がかれの肖像です。アルドは自分自身ギリシャ・ラテンの古典語に通じた文人でもありました。ローマ近郊の出身で、出版事業という点ではフィレンツェやミラノ以上に盛んであったヴェネ

ツィアに工房を構えて、古典それもとくにギリシャ古典を中心とする出版事業を始め、第一年目（一四九四年）から毎年、ギリシャ語の文法書を出版しています。ヴェネツィアは第四回十字軍以来、クレタ島をその支配下におきましたが、クレタ島には、写本制作の場として知られる書写工房がありましたから、そのようなギリシャ古典関係の人やものを受入れる玄関口としても、ヴェネツィアは好都合だったでしょう。このアリストファネス本の序文にあたるところでアルドは「ギリシャ語の文法を勉強した人はぜひ、生きた古典ギリシャ語であるアリストファネスを、よい注釈付きで読み、ただ読むだけでなく暗誦してもらいたい」と書いています。ルネッサンスの知識人のなかには、ビザンツ帝国の首都を訪れて、その宮廷周辺ではアリストファネス、エウリピデス、プラトンたちのギリシャ語が生きていると書いた文人もいて、古典ギリシャ語への憧れとその習得によせる強い熱意があったことがわかりますし、アルドの序文からもそれがうかがわれます。編纂者ムゥスゥロスのほうも、この本の読者に宛てた書簡体序文のなかで、アリストファネスは、アッティカのギリシャ語口語体の代表であり、かれの作品は会話を学ぶには最適である、と述べています。アリストファネスの喜劇は、作者にとってもアテネの観客にとっても現代劇だったのですから。

アルドは創業から亡くなるまでの二十一年間に、二十点を超えるギリシャ古典作品の初版本を出しました。それは哲学、文学、歴史など、広い分野の重要な作者たち（アリストテレス、ソフォクレス、エウリピデス、ヘロドトス、トゥキュディデス、弁論家たち等々）を含んでいます。中世までは手書き本（手写本・写本）としてのみ伝わってきたギリシャ古典が、近代の印刷本として、活字という明確な形で再生して世に出ることになり、その結果、今日わたしたちが二千年も前のギリシャの古典を読むことができる、というのはアルドの仕事に負うところが非常に大きいのです。疑いなくアルドは、ルネッサンス文化の代表者の一人といえるでしょう。それに、ちょっと付加えれば、私たちの身近なところでも、「イタリック」(イタリアふう)といわれる、細身で斜めに傾いた活字の作成とか、古典作品を携帯に便利な小型本(八折本)のシリーズで出すとかも、アルドの発案に由るものです。

この話の冒頭で、アリストファネス作品としては十一篇が知られているのに、このアルド版では九篇しか入っていない、アルドが入手して「原稿」として使った写本にはそれしかなかったからだと申しました。アリストファネスに限りませんが、同一作者のものでも、現存している写本の数は作品によって異なるからです。この作者の場合、全体としてはざっと二百三十点を超えるほどの写本があるそうですが[3]──というのは、私自身はこの作者の写本そのものを調べたことはないので、すでに出されている研究を読んで私の理解したところをお話しするのですが──その数は作品ごとに異なっていて、現存写本が百数十点あるのは『福の神』と『雲』で、ついで『蛙』があり、この三作品は、ビザンツ時代に学校の教材などとしてもよく読まれたためにこのような数になります。逆に『テスモフォリア祭の女たち』などは、アリストファネス十一作品を含む最古最良とされる「ラヴェンナ写本」(*Rav.gr.137.* 十世紀に首都コンスタンチノープルで筆写)の中だけに伝わっている(それはアルドの手には入らなかったのですが)、というふうに、それを伝える写本の数は、作品によって「むら」があるのです。ですからアルドが「原稿」として使った写本を探すにも作品ごとに調べる必要があり、印刷本と写本とのテクストを読み比べて、そこに共通する欠落や誤写を手掛かりに親疎関

3|この概数は、H.Erbse,〈Ueberlieferungsgeschichte der Griechischen Klassischen und Hellenistischen Literatur〉in *Geschichte der Textüberlieferung*, Bd.1.(Zürich 1961), pp.278-279による。

マルコス・ムゥスゥロスの肖像．出典：D.J. Geanakoplos, *Greek Scholars in Venice*,［ヴェニスのギリシャ人学者たち］Cambridge-Mass. 1962, p.164.

係を追うなど、テクストの校合をすることが基本になります。アルドの協力者ムゥスゥロスが、彼より一世紀ほど前のビザンツ後期の学者トリクリニオスの韻律関係の注が入った写本（現存のオックスフォード写本 *Bodl. Holkham 88*）をもっていたことが、その写本とアルド版との比較検討から推定できるという報告もあります。[4]

またテクストの外にある資料や証拠も、「原稿探し」には役立ちます。アルド版のモデルとして研究者がほぼ一致して認めている写本のひとつは、イタリアのモデナにあるE写本（*Estensis a. U. 5.10*）で、十四世紀後半に写された写本ですが、研究者たちは、テクスト外の裏付けとして、この写本の見返し紙に「マルコ・ムスロ」という名前が記してあるという観察をあげています。その記名に続けておそらく写本の持ち主と思われるほかの二名の名前も書いてあるのだそうです。そこから、この写本もアルド刊本の原稿だったと考えられています。

もう一つの例は、フランスのアルザス地方、ドイツ国境に近いセレシュタットという町の修道院で一九六五年に発見された、四枚綴八紙葉の折丁が三つと七紙葉、つまり三十一紙葉だけ残っている、というS写本（*Selestadiensis 347*）で、そこに残っている作品は『福の神』だけです。[5] 調査報告によればこの写本には、アルド自身の手によるフォリオ付が記入されていたり（アルド自身の手による、というのはアリストファネスとは別の作者の写本での例からの類推で分かるのだそうですが）、頁を割付するためのガイドラインが写本の上に引かれていてそれがアルド刊本の割付に一致する、ということで、アルドの印刷所でプレス・コピーとして使われた写本だと考えられるのです。またこの写本では、使われた紙が、透かし文様のあるイタリア紙で、その透かし文様から料紙の年代が一四八六年から一五一六年の間と推定でき、筆写者も、その筆跡から、ムゥスゥロスとほとんど同年配のザカリアス・カリエルゲス（Zachalias Kallierges）と同定されました。この人はアルド版の編纂者ムゥスゥロスと同様にクレタ島出身で、ヴェネツィアではアルドと同様、印刷出版者としても活躍した人で、少し後にはムゥスゥロスが編纂した『ギリシャ語大辞典』の印刷出版もしている。もちろん、一方で手書きの写本も多数作っていて、このS写本もその一つ。もしかするとアルドかムゥスゥロスに依頼されて写したのかもしれません。このように外的な証拠は、「印刷に使われた原稿探し」には強力な拠りどころになります。

「古注」の編纂者マルコス・ムゥスゥロス　アルドは自分のまわりにイタリア人やギリシャ人を中心にギリ

---

4 | L.D.Reynolds & N.G.Wilson, *Scribes and Scholars*, London 1991[3]（4.9:The first printed Greek texts:Aldus Manutius and Marcus Musurusおよび関連の補註参照 pp.278-279, 318）.

5 | V. Chatzopoulou,〈A Contribution to the Study of Aldine Editing from Documents of the Humanist Library in Sélestat〉in *Aldo Manuzio, La Costruzione del Mito*, ed. M. Infelise.(Venezia 2017)およびそのBibliographyを参照。

シャ古典に通じた文人のサークルをつくり、ヨーロッパ各地から訪れる学者たちの協力を得て、そこでの勉強を古典作品の編纂と出版に役立てていたらしく、すでに名を出しましたが、このアリストファネス本の、とくに「古注」の編纂をした学者マルコス・ムゥスゥロスも、そのサークルの重要人物だったと思われます。本書p.272の図がかれの肖像です。ヴェネツィア共和国の支配下にあったクレタ島出身のギリシャ人で、パドヴァ大学などでギリシャ語を教えていた学者でした。かれはアルドより二十歳くらい年下ですが、アルドにその学識を見込まれたのでしょう、アリストファネス本の校訂とくに注釈の編纂を担当することになったのです。彼自身、この本の序文でその作業の苦労を語っていますが、本文の中では、七番目の作品『鳥』が終わったところ(M折丁の四枚目裏 f.M4v)に、「アリストファネスの喜劇七作品および古《いにしえ》の文法学者らによって集められ、いくつかの写本の中に散在し混乱していた注釈。それをクレタの人マルコス・ムゥスゥロスが拾い集め、取捨選択して、できるだけ注意深く修正して編纂した。完」と記しています。本全体としてはこのあとにまだ二作品が入って全部で九作品となっているのですが、ここにこのコメントがあることからも、当初の印刷予定としては七作品で完了するはずだったことが分かります。そしてこの折丁までは印刷が完了していたが、その時点で『平和』と『女の議会』二作品の原稿(写本)があらたに印刷出版者アルドの手に入ったのでそれを追加印刷して、最終的に『九作品集』としてまとめたわけです。

本文と注がどのように印刷されているかについて、この『鳥』の冒頭にもどって見ますと(次ページ図)、作品の開始を示すオーナメントの下に「アリストファネス作　鳥」〈ΑΡΙΣΤΟΦΑΝΟΥΣ ΟΡΝΙΘΕΣ〉と題名があります。次の行の装飾大文字Ο(オミクロン)が冒頭の台詞の最初の文字で、その左端には対話をする二人の登場人物が略名で記されて、台詞の本文があり、そして注が本文を鉤の手に囲むようにしてついています。本文は少しで注の方が多いページもたくさんあります。なおオーナメントは木版印刷です。

　ムゥスゥロスが、そして印刷工たちが、たいそう苦労して編纂印刷したこのように厖大な古注（スコリア）は、古代、ヘレニズム時代からビザンツ時代を経て伝わってきた、いわば千数百年にわたるギリシャ古典研究の伝統の成果を集めたともいえるものです。古代のものと、中世は、ビザンツ前期（一二〇四年の首都陥落まで、とくに九―十世紀）とビザンツ後期とくにパレオロゴス朝時代（十三世紀中期から東ローマ帝国滅亡まで）のものとに分けられますが、ごくおおまかにいえば、古代の注は、歴史的・社会的な事柄に関するものが多く、中世のものは語彙、語法、韻律、行分けなどに関する注が主だとされます。

　社会的な事実への注の、よく知られた例は、『蜂』という作品の1035行（アルド版f.E3r）、作者が合唱団（コロス）に代弁させる形で自分の主張を観客に語りかけるところにあります。台詞には「自分が攻撃した相手は怪物で、アザラシの悪臭を放っていた」とあって、アルド版に記された古注は、「これは革なめし業者だったクレオンへの悪口である。アザラシの悪臭は、昔からよく知られていたから」と記

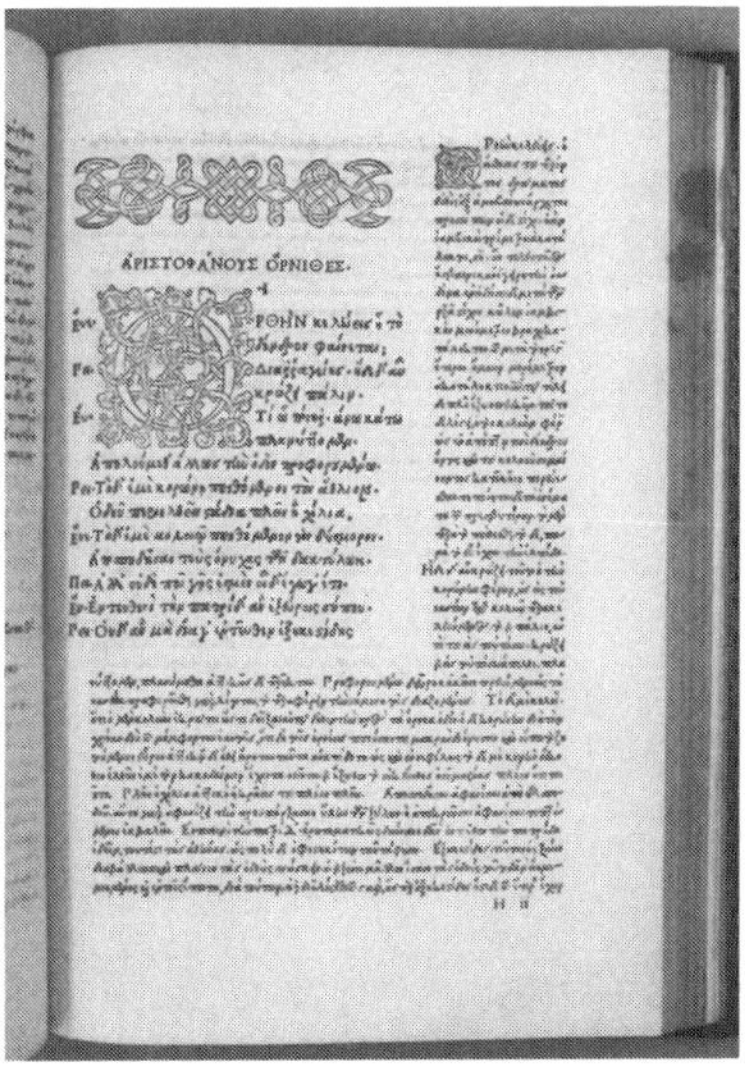

「鳥」冒頭（f.H2r）。成蹊大学図書館蔵本

しています。「昔から」はホメロス『オデュッセイア』第四巻の、メネラオス王の一行が海辺でアザラシの皮の下に潜んで悪臭に耐えながら、海から上がってくる予言者を待伏せする話をさすのですが、そのことと、政治的に大きな権力を握っていた民衆煽動家でアリストファネスが攻撃の対象とした人物クレオンとがなぜ結びつくのか。それは、上演当時の観客にはすぐわかったでしょうが、注釈者の時代になると、もう自明ではなかった、それで注釈者は、クレオンの職業という情報を注記する必要がある、と考えたのでしょう。時事問題を扱う作品の場合などとくに、古注は後世の読者にとって史料の宝庫でもあるわけです。

古注のもうひとつの例は、同じく『蜂』の1050行（アルド版 f.E3v）、古注が本文校訂にとって重要な意味をもつ例で、注が本文とは異る読み、しかも本文よりも良い読みを保存しているもの。ここは芝居の作者が、自分が前年に出した『雲』のアイデアがあまりにも新しすぎたために観客に受入れられず一等賞をとれなかったのを憤慨しているところで、ごくかいつまんでいえば、アルド版本文の1050行〈eiper elaunon〉は「（競争相手たちを）追って（失敗した）」となり、それでも意味は通るのですが、そこに付けられた古注の中に、〈ei parelaunon〉「（競争相手たちを）追い抜いて（失敗した）」という読みがあり、古注は、「競争相手たちを追い抜いて云々という文句は、ひとに先駆けて新しすぎる試みをしたために作品が失敗した、ということの比喩的表現である」と説明しているのです。諸写本もアルド版も、本文はみな「追って」のほうだったのですが、近代の校訂版では、ここは古注の中に残された本（その元はおそらく大文字で、分かち書きをしていなかった本でしょう）の読みのほうがよい、となって、「追い抜いて」が本文に採り入れられています。

現代の『古注集成』とアルド版アリストファネスの価値

紀元前のヘレニズム時代から中世ビザンツ後期ま

で書き継がれてきた古注は、アルド版以後、バーゼル、ジュネーヴ、アムステルダムなどで出版されたアリストファネス作品集の中にも、三世紀にわたって引き写されていました。

そして、アリストファネス全作品の古注を、あらためて写本の中から収集し、現代の文献学・写本学の成果に基づいて系統的に記述するという仕事が始まったのは二十世紀半ばになってからです。さきほど言及したビザンツ時代にとくに読まれた『福の神』『雲』『蛙』は、写本の数も古注の量も格段に多いので、一作品について、古代の注、十世紀から十二世紀（ビザンツ前期）の注、十三、十四世紀（ビザンツ後期）の注という三冊、それに索引一冊。ほかの作品は、一作品につき一冊、ただし『女の議会』と『女だけの祭』は注の量が少ないので二作品一冊で、全部合計すると十七冊の計画。オランダ、フランス、イタリア、イギリスの研究者たちが連携してすすめて、『アリストファネス古注集成』（*Scholia in Aristophanem*）の最初の巻が一九六〇年に刊行され、五十年がかりの仕事で二〇〇七年に完結しています。

二十世紀後半になって、アルド版より古いアリストファネス写本の発見があったり、古注伝承の解明が進んで、それまでアルド版独自の読みと見做されていたものがビザンツの学者の校訂結果を引継いだものだったという場合もあるとのことで、その結果、このアルド版アリストファネスは、以前ほどの高い評価は与えられなくなっているようでもあります。しかし、古注集成の仕事に携わって『福の神』と『蛙』を担当したフランス人研究者シャントリー（Marcel Chantry）氏の話では、アルド本の編纂者ムゥスゥロスが、中世の学説を批判的に受継ぎながら注釈をしているところや、十四世紀初期の学者トリクリニオスの修正とそれ以前の諸写本の読みとを組み合わせて第三の読みを提案するとか、現存写本の中には無い良い読みを提案しているところなども、少なからずあるとのことです。

じっさい、一口に「手写本から印刷本へ」といいますが、十五世紀はもちろん十六世紀においても、写本と印刷本とは並存していました。現にアリストファネスの写本でも、さきほど見ましたように、セレシュタット写本はアルドと同時代の同業者が作成したものでしたし、またムゥスゥロスが使った写本の一つ（*Oxon. Halkham gr.88*）は、一部分が欠けていてその欠けた部分は、あとでアルド刊本を写して補ってあるそうです。私自身も、リュシアスという法廷弁論作者についてですが、十六世紀中頃に作られたある写本（*Paris. gr. 3033*）を調べていて、その写本はアルド版刊本を写している、と気づいた経験があります。当時の文人（ユマニスト／人文主義者）たちが自分の読書のため、あるいは弟子に与える教科書として刊本を手写するのは珍しいことではなくて、写本と初期刊本との間の流れは双方向的だったのです。その意味でもアリストファネス・アルド版（『女の平和／リュシストラテー』と『テスモフォリア祭の女たち』とを欠いてはいますが）の、写本と並ぶ重要な地位は、今後も保たれてゆくと考えられます。

本物の証（その一・蔵書票）　さてそれでは、アリストファネス初版本が貴重な本であることはわかったが成蹊大学にあるこの本は、ほんとうに「ホンモノ」なのですか、という質問がでるかもしれません。古美術品、書画骨董など古いものについての真贋問題の意味そのものをここで問題にすることは、私の力を超えたことですし、すべきでもないでしょう。資格と権威のある専門の古書店が本物と認めて商品として出したのですから、それを信用するので十分だと思います。ただ、本をじっさい手にとって、いろいろ調べてみると、わたしたちにも、ああなるほど由緒のある本なのだ、十五世紀の本なのだ、と納得できる事実が、本それ自体の中にみつかるのです。そのことを、なるべくかんたんにお話ししたいと思います。

ひとつは、表紙の裏に貼られた蔵書票や書込みです。まず蔵書票ですが、これは『貴族名鑑』(G.E.Cokayne, *The complete Peerage of England London*,1910-1959) によるとかなり複雑な因縁があるようですが、イギリスの貴族、Warwick伯爵家の副紋章です。そのお城は、イングランド中部、シェイクスピアの生地として有名なStratford upon Avonに近い町の観光名所になっていて、これはじっさいそこを見学なさった英米文学科の正岡先生からいただいた情報ですが、土産物売店の袋にもこの図柄のイラストが印刷してあります。また、蔵書票と同じページの上のほうに、ていねいなペン書きで英語の書込みがあり、この本が「私の亡き親友Sir Frederic George Johnstone 准男爵から一八四一年四月に贈られたもの」であることが読めます。贈られた相手と蔵書票を貼った所有者とが同一人だと考えれば、年記をもとに、この所有者はグレヴィル家の第四代ウォリック伯爵(George Guy Greville, 1818-93)と分かります(上図)。

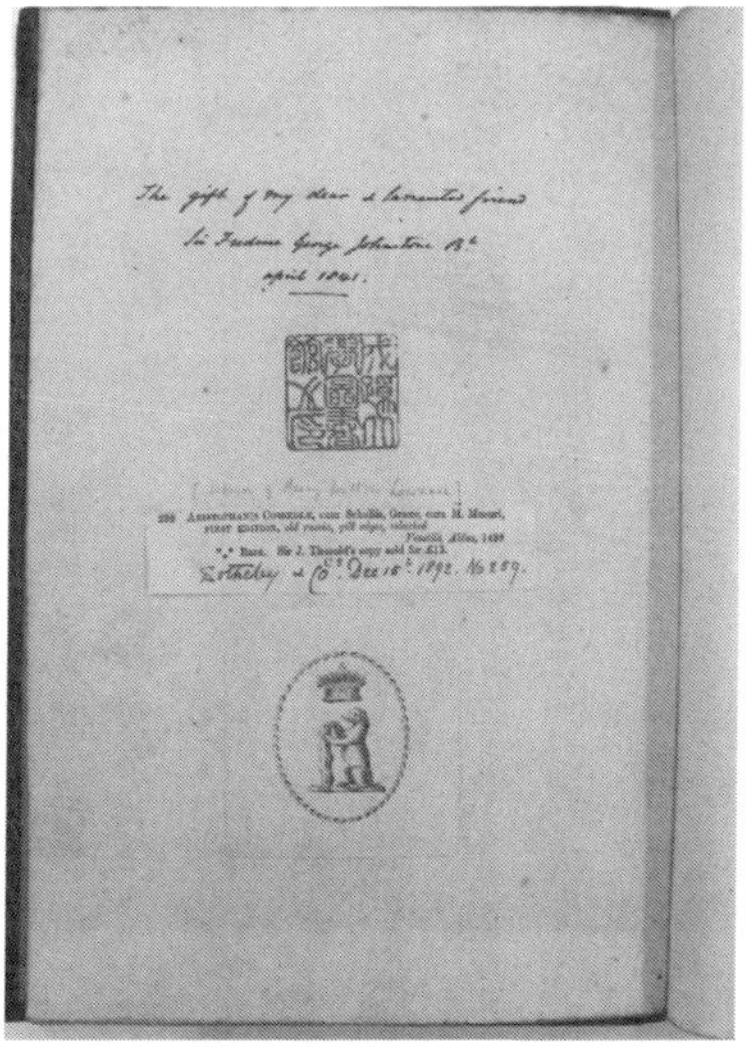

ウォリック伯爵家の副紋章、書込み、競売カタログの切抜き。第一見返し紙葉裏。成蹊大学図書館蔵本

次に、蔵書票の上の方に印刷したラベルが貼られていますが、これはロンドンに本拠をもつ、美術品などの競売で今日でも時々ニュースに名前の出る大きな競売会社サザビーズのカタログからの切抜きです。この本が一八九二年十二月十五日に「ロットナンバー259」で競売に出されたことが読

めますし、さらに競売に出たこの本が、Henry Walton Lawrenceという人の蔵書だったことも、この書込みと、成蹊大学図書館の三宅国嗣さんがインターネットで調べてくださった事柄とをつきあわせて推定できました。結論として、今わたしたちの図書館にあるこの本の、日本に入る前の来歴としては、十九世紀にはイングランドの、まずジョンストン准男爵ついで第四代ウォリック伯爵の館の図書室にあったこと、その後ローレンスという人の蔵書となり、そして十九世紀の末にロンドンで競売にかけられた、というところまでわかります。これが本物でないというなら、わたしたちや日本の古書店だけでなく、イギリスの貴族も、世界最大級の競売会社も、みな、だまされていたことになります。その可能性は……とても小さいと思ってよいでしょう。

本物の証（その二・透かし文様）　贋物でない、というもう一つの証拠、それは、本の紙にある透かし文様（water-mark, Wasserzeichen, filigrane）です。透かし文様については、最近日本でも一万円の偽札事件があって、その真贋判定に透かし文様の有無が問題になっていることで、皆さんもご存じと思いますが、古い時代の本や文書の場合には、紙の作られた年代や場所を推定するうえで透かし文様は重要な手がかりになります。西洋では十四世紀初頭にイタリアの製紙工場で、製品を識別するための工夫として始められた技術ですが、文献を調べる者にとっては、手書きにせよ印刷にせよ、いつ書かれたか年月日の記載の無い文書や書物にであったとき、使われた紙（料紙）がいつごろのものか分かれば、文字が書かれたのは当然それよりあと、ということで年代を推定する助けになるからです。しかも一般的に料紙は、製造されてからせいぜい十五年間しか使われなかった、ということも統計的に判っているのです。ヨーロッパでは、透かし文様については百年以上も前から学術的な研究が為されていて、紙が書写のために使われるようになったのは十三世紀の終わり頃ですが、一二八〇年から一六〇〇年までの三万点を超えるデータに基づいて調査がなされており、調査結果をまとめた基本的な文献は、成蹊大学図書館にも入っています。かんたんに『事典』としておきますが、「字引き」ではなく「絵引き」の事典で、この透かし文様は何年にどこで作られた紙に見られる、という実例が一万六千点を超える数で集められています。正式な題名は次の通りです。

C.M.Briquet, *Les filigranes. Dictionnaire historique des marques du papier dès leur apparition vers 1282 jusqu'en 1600*, Genève 1907[1] (repr. New York 1966 from Leipzig 1923[2]). またこの『事典』の続編にあたる本（D.& J.Harlfinger, *Wasserzeichen*, Berlin 1974-1980）も、図書館にあります。

さてわたしたちのアリストファネス本にはどんな透かし文様があるのか。これはじっさいに本を開いて紙一枚一枚を光に透かして調べなければ分かりません。今年古典ギリシャ語の授業を履修した四年生や私のゼミの人たちが面白がって熱心に、曇りの日には携帯電話のライトに透かしたりして調べてくれて、重要なところは分かっています。本のあちこちに、数種類の文様が見つかったのです。そこでさきほどの事典で調べてみますと、「てんびん秤」、「山」、「牡牛の頭」など、私たちの本のものとまさに同じ文様が出ています。そしてこのような文様がどれも十五世紀末ころのイタリア紙に特徴的なものだということが分かりました。つまりわたしたちの本の透かし文様を「絵引き事典」にてらしてみて、わたしたちの本が本物だという根拠が、またひとつはっきりしたわけです。さらに念押しをすれば、成蹊大学のこの本にあるのと同じ透かし文様が、カリフォルニア大学ロサンジェルス校の図書館にあるアリストファネス初版本にも見出されるということが、これは、カリフォルニア大学所蔵のアルド版刊本のカタログから判明しました。以上お話ししたことからだけでも、このアリストファネスは本物です、ルネッサンスの偉大な出版人アルドと若い学者ムゥスゥロスの協力のおかげで紀元前五世紀の原作者が蘇った、まさにルネッサンスの証人です、と言えるのです。

最後に、小さな話を加えるのをお許しください。先日、一月末に、六本木ヒルズのタワー最上階で、日本と世界の古書の展示会がありました。日本の古書店に加えてアメリカやイギリスからも何店か出店していて、かれらは当然、西洋の古典も持ってきていました。あれこれのブースを回って眺めながら本屋さんと話をす

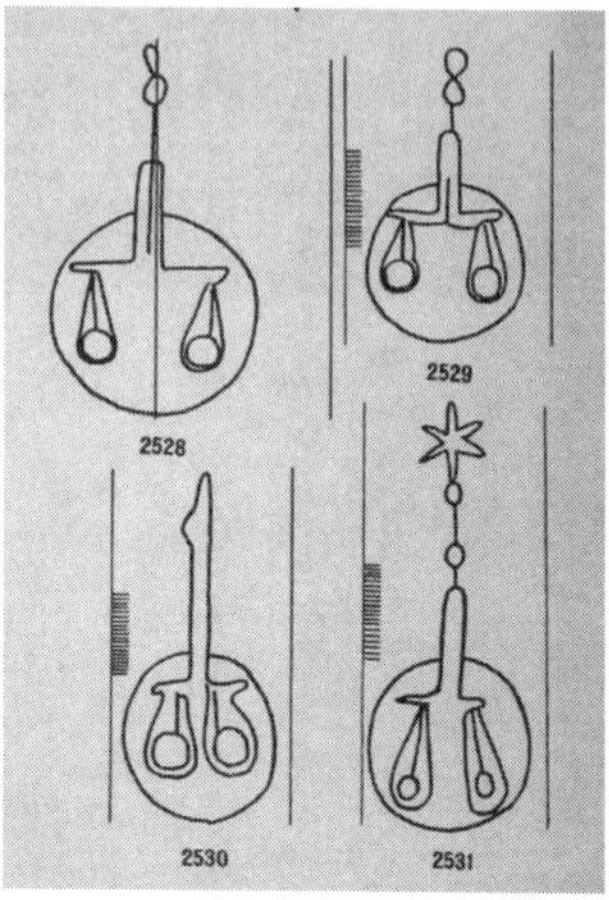

「てんびん秤」Briquet 2531.（右下）

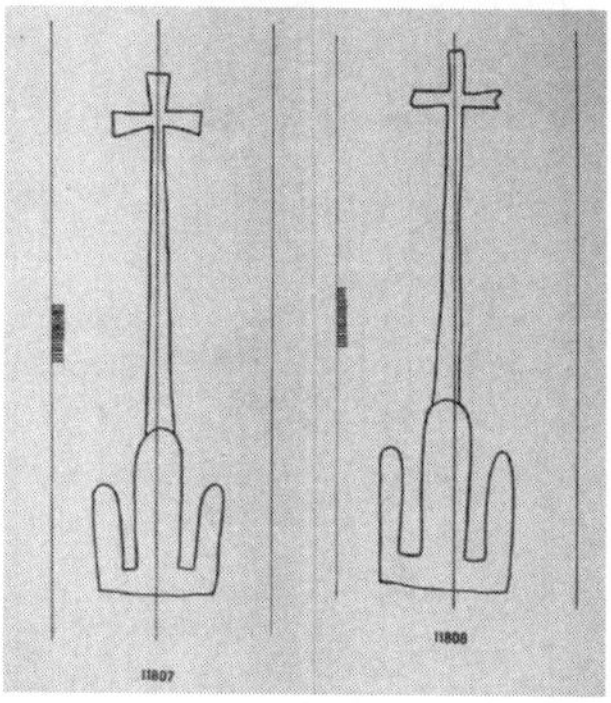

「山」Briquet 11807.（左）

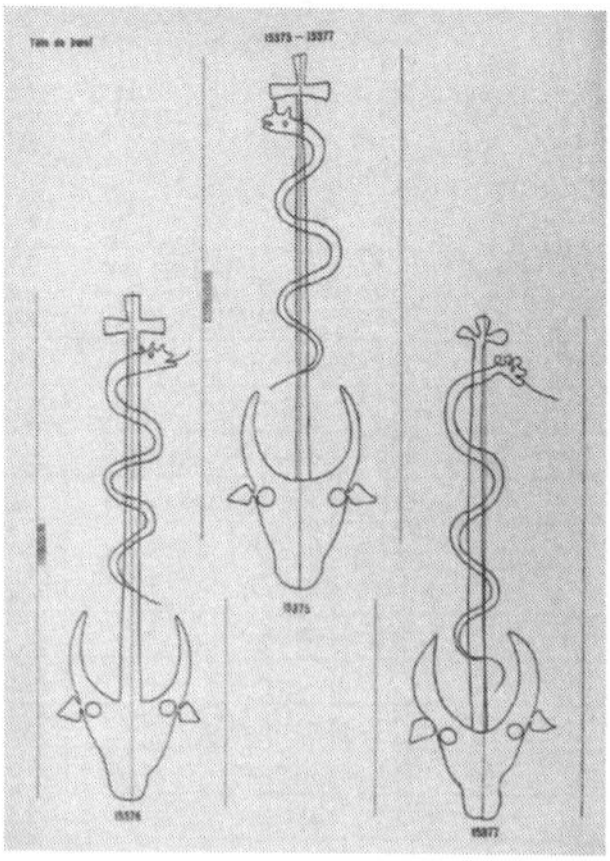

「牡牛の頭」Briquet 15375.（中央）

るのは楽しかったのですが、一つのブースを見ているときに、それはアメリカ・ミネアポリスの古書店（Rulon-Miller Books）でしたが、話のついでに私が、「私の勤めている大学では最近、アリストファネスの初版本を買ったんですよ」と言いましたら、急に、ほうーという、とても真剣な顔になって「どこの大学ですか」と聞くのです。「成蹊です」と答えたら、そのアメリカの本屋さんは、そばにいる日本人のアシスタントに「セイケイって知ってるか」と聞く。アシスタントが「ええ、吉祥寺にある大学です」と答えると、本屋さんは「そうか、やっぱり famous university なんだな」と、独りでうなづいて独りで納得していました……今日の話の冒頭で私が、このアリストファネス初版本は国際的に通用する宝物のひとつだ、と申しましたのには、そういう意味もあります。成蹊大学に関係ある皆さんが、このアルド版アリストファネスを誇りに思い、たいせつにしてくださることをお願いして、私の話をおわりたいと思います。

【付記】 本稿は、筆者の特任教授退職講演（成蹊大学２００５年3月5日）の講演記録「ルネッサンスの証人」と、細井・平田眞「成蹊大学図書館蔵貴重書解説目録（１）西洋古典の初期刊本」（二篇とも**【初出】**『成蹊大学文学部紀要』41号２００６年）および中国文化学会平成十九年度大会（二松学舎大学、２００７年6月30日）での講演を基にして、そこに加除補訂をしたもの。

参考文献として基本的なものは、本稿注4参照（邦訳は、西村賀子・吉武純夫訳『古典の継承者たち』国文社１９９６年）。また、N.G. Wilson, *From Byzantium to Italy-Greek Studies in the Italian Renaissance*. London 1992（Veniceの章とくに14.ii-v, 15がアルドとムゥスゥロスを扱う）。なお『古注集成』に入れられた『蛙』と『福の神』の古注には、担当者による詳細な解説と注釈とフランス語対訳のついた書

M.Chantry, *Scholies anciennes aux <Grenouilles> et au <Ploutos> d'Aristophane Présentation, traduction et commentaire*, Collection Fragments, Les belles Lettres, Paris 2009がある。

成蹊大学図書館蔵のアリストファネス初版本は、同図書館の「貴重書画像データベース」中に公開されている。
https://www.seikei.ac.jp/university/library/collection/kichou/

国立国会図書館蔵　ラテン語訳アリストテレス写本の周辺[1]

半世紀ぶりに国立国会図書館に行ってみようと思いたったのは二〇一二年の一月末、長年の職場からの退職を間近に控えている時であった。半世紀ぶりというのは、高校生の頃、国語の「古文」で興味をもった或る問題に関して先生から国会図書館で調べたらどうかと勧められて、「国立国会図書館」としての一般公開（一九四八年）以後「赤坂離宮」（現在の「迎賓館」）を仮庁舎としていたところへ数回通って以来だったからである。その後は横文字の本を相手にするほうが多くなって和漢書中心という印象のある国会図書館とは縁遠くなり、現在の永田町の建物が竣工（一九六八年）してからも足を向けることはないままになっていた。

留学生時代のパリでは、国立図書館（通称ＢＮ）の写本室へ「実物」を見にゆく勇気は出なかったが、ダン（A. Dain）教授の「ギリシャ語古写本学」[2]を聴講したときに配布された、ギリシア古筆学の手ほどきを記した手書き謄写版刷の冊子は今でも大切にしている。また、帰国して大学に勤務している間には、長期・短

1　この稿は、国立国会図書館蔵の一写本に関する共同調査の過程を、時間を追う形で記した「調査の裏話」である。調査結果そのものは論文：Pieter De Leemans, Atsuko Hosoi et Hidemi Takahashi, <Un manuscrit d'Aristoteles Latinus à la National Diet Library, Tokyo, Japon>, *Bulletin de philosophie médiévale* (Brepols, Turnhout Belgium) 55 (2013), pp.3-18 として公刊した（以下 *BPM* と略記）。

2　*Abréviations employées dans l'Ecriture grecque – Notes succinctes* と題された、Ａ４判十六頁の冊子。

期の在外研究の機会にイリグワン（J. Irigoin）教授の演習に出たり、五年に一度の国際古写本学会を何度か傍聴したりもしたが、とくにヨーロッパ各地（パリ、ハイデルベルク、ベルリン、ハンブルク、ウィーン、ロンドン、オックスフォード、ヴァチカン、フィレンツェ、ミラノ、ヴェネツィア、マドリッド、トレド）の図書館を訪ねて、写本を手にとって見たり調べたりする「図書館詣で」の経験を自分なりに重ねることができたのは幸いであった。そして職場での自分のキャリアが一段落するところに来て、疎遠になっていた自国の国立図書館も見ておかなくては、という気持が動いたのだと思う。

ラテン語写本『アリストテレス　オルガノン・霊魂論』

二〇一二年一月二十五日（水）に国立国会図書館（（National Diet Library 以下ＮＤＬと略記）で利用登録をし、館蔵本の中にギリシア語の写本があれば見たいと思ってカードを調べたり係員に訊いたりしたところ、ギリシア語のものは見当たらないが本館三階の古典籍資料室に「十四世紀制作のラテン語の彩色写本」一点『アリストテレス　オルガノン・霊魂論』（請求記号 WA42-29）のあることが分かった。そこへ行ってたずねると、当該書は「貴重書・準貴重書」だから閲覧にはまず「閲覧申請書」で許可願を出す必要がある、という。申請書には、原資料にあたる必要性の説明（複製資料がないこと等）を書くのは当然であるが、面倒なのは、一週間以上の余裕をもって閲覧希望日の候補を三日あげなくてはならず、そのうちどの日が許可されるかは、申請から一週間後の通知を待たねばならないことであった。ただこの場合は、目的の本がこれまでなじみの薄かったラテン語写本であり内容もアリストテレスの論理学書ということで、にわか勉強で準備をするには、この待ち時間はむしろありがたい。その日のうちに申請書をファックスで図書館に送った。

ＮＤＬのウェブサイトで見ると、この写本は館蔵貴重書のひとつとして『国立国会図書館開館五十周年記念・貴重書展』に出展されていたことが分かり、また同題名の図録（ＮＤＬ編集発行、平成十年六月一日）の「洋書」部門の筆頭（p.42）に一葉（f.64r）のカラー写真と次に引用する、冒頭は英文の簡単な解説（p.73）つきで紹介されていた[3]：

「Aristoteles. Organon. De anima. Manuscript written in Paris, about 14th - early 15th century. 1v. 305 × 210mm. Parch.『オルガノン』は中世の大学で使われた基本的論理学書で、「カテゴリー論」「命題論」「分析論」「トピカ」等からなる。展示本は当館の所蔵する唯一の彩色写本で、十二葉または十四葉による十五の丁《カイエ》（quire）〔＝折丁（cahier）〕が一冊に製本され、最初の一葉を欠く。丁と丁のつなぎには当時の慣例としてキャッチ・ワード〔捕語／つなぎ語〕が書かれている。三十三行二段、獣皮にテクストゥラ体で筆写されており、少なくとも三人の写字生が制作に当たっている。旧蔵者としてベルギーのカルメル会士Johannes Guldener（またはGoldener）の名が見られる。」

3 — 私たちの調査の過程で、この解説は購入先のQuaritch書肆による英文の説明書に拠るものと判明する（後述）。『貴重書展』の図録は、東大、成蹊大など大学図書館にもあり、古書市場でも入手可能であった。またネット上では、ＮＤＬの「ディジタル貴重書展」のサイト（二〇一九年九月二日リニューアル）からも見られ、サイト上の書名は『オルガノン　デ・アニマ』〔＝霊魂論〕となっている。なお、書誌関係用語（日本語）は、原則として、高野彰『増補版　洋書の話』（丸善、平成七年）に、用字「装訂」は、川瀬一馬『日本書誌学用語辞典』（雄松堂書店1990[4], 1957[1]）p.175に拠っている。

また、「NDL書誌情報」[4]に基づく『オルガノン　霊魂論』全十一作品の内容細目は次の通り：

1) Porphyrii Isagoge〔= Porph. *Introductio*, tr. Boethius〕– 2) Liber predicamentorum〔=*Categoriae*〕– 3) Peri ermenias〔=*de Interpretatione*〕– 4) Principiorum〔=Ps.-Gilbertus Porretanus, *Liber sex principiorum*〕– 5) Liber divisionum〔=Boethius, *De divisionibus*〕– 6) Topica Boicii〔=Boethius, *De differentiis topicis*〕– 7) Topica Aristotelis – 8) Liber elenchorum〔=*de Sophisticis Elenchis*〕– 9) Libri priorum〔=*Analytica priora*〕– 10) Libri posteriorum〔=*Analytica posteriora*〕– 11) De anima.

第一回閲覧に向けて

申請書を送ってから一週間、NDL古典籍課から「貴重書・準貴重書等閲覧日時指定票」がファックスで送られて来た。「指定日時：平成二十四年二月六日（月）十時三十分から十六時三十分まで」である。久しぶりに羊皮紙の写本に触れて折丁構成の詳細を確かめるなどの期待はあるものの、[5]アリストテレスの論理学作品では写本の何をとくに注意して見るべきか、まだ見当がつかないでいた。それで閲覧許可を受取るとすぐ、ベルリンのAristoteles Archiv「アリストテレス文書研究所（仮訳）」におられたハルルフィンガー（D.Harlfinger）教授にNDLの欧文書誌を添付したメイルを送って事情を述べ、この写本がすでにそちらのデータに入っているものかどうか、実物を見るにあたってはとくに何に注意して見るべきかをたずねた。ハルルフィンガー教授には、一九八一年夏に私が弁論作者リュシアスの写本を調べるためにパリの国立図書館の写本室に日参していたとき、毎日隣り合わせの席になった、という偶然の縁があって、[6]帰国後も、文通や古写本学会の際にいろいろと教えを乞うていたからである。

ハルルフィンガー教授からは、送信したその日のうちに返信があった。ベルギーのルーヴェン・カトリック大学（Katholieke Universiteit Leuven）所属で「ラテン語訳アリストテレス・プロジェクト」（Aristoteles Latinus Project）[7]の事務局長である、ピーテル・デ・レーマンス（Pieter De Leemans）氏（私には、初めて聞く名前であった）に宛てたもの（Cc：A.Hosoi）で、「…… Hosoiから来た興味深いメイルを転送する。写本来歴におけるベルギーとのつながりなど、何か分かることがあったら、二月六日までに直接、彼女に連絡をお願いしたい」という趣旨である。

---

4 ― この書誌情報は、調査当時はネット上＜NDLのOPAC蔵書検索＞からも見られたが、そのサービスは2017.12.27で終了した。また、作品名1)-11)（番号付けは本稿筆者による）は、写本本文の写字者とは異なる、当時の朱入れ担当者（rubricateur）が書込んだ「欄外見出し」を基にしている。表記が近代の「Arist. の作品名」と同一ではないもの（2-3, 8-10）についてはLSJ式の表記による作品名を、また（1, 4-6）については本稿筆者による補いを、いずれも［　］内に併記する。

5 ― この写本では、一折丁が六枚十二紙葉から成る折丁と、七枚十四紙葉の折丁のものとがあることになるが、それまで私は多くても五枚十紙葉の折丁までのものしか見ていなかったし、ギリシア語の中世写本では四枚八紙葉・一折丁（quaternion）が大多数で、五枚以上の折丁が見られるのはルネッサンス期前後からである（イリグワン教授の話）とも聞いた記憶があった。なおこのNDL写本全体の紙葉数は百八十三紙葉である。

6 ― *Aristotelis Ars Rhetorica* (ed. Kassel, Berlin 1976) の、数多い写本の写字者を同定した人として（R.Kassel, *Der Text der Aristotelischen Rhetorik*, Berlin 1971）、私はその名のみ知っていた。

7 ― 一九三〇年に国際学士院連合（UAI）のプロジェクトとして発足。中世におけるラテン語訳アリストテレス作品写本の目録作成を重要な課題の一つとしている。

それからちょうど二十四時間後の一月三十一日に、ルーヴェンのデ・レーマンス氏から長い英文のメイル（Cc：Harlfinger）が届いた。問題のNDL写本の来歴については、その後の私たちの調査のなかで、このメイルに記された予想が正しい、との結論になるのだが、メイルの要点を箇条書き式にまとめると、次の（1）から（7）になる。

（1）こちらでは『ラテン語訳アリストテレス写本目録』（Aristoteles Latinus Catalogue〔以下『目録』と略記〕）三巻と、アーカイヴにある資料とを調べた。とくに注目したのは、その内容構成（とくに「霊魂論」が写本一巻の最後に付いているのは稀な例である）、紙葉の数、体裁（format）の三点。

（2）これまでのところでは、NDL写本に一致するデータは、こちらにはない。したがってNDL写本はこれまで知られていなかった新資料だといえるかもしれない。が私は、この写本が〔ドイツ中部ヘッセン州の都市〕フルダ（Fulda）の、〈ms. Fulda, *Landesbibliothek C3* =A.L. No.923 (= Catal. I, pp.677-678, nr.924)〉とリンクするのではないかと考える。

（3）その根拠：『目録』No.923によると、フルダ写本の記述は「この写本は一九一三年にはフルダ図書館に在庫。一九二九年の蔵書点検時には在庫せず」であり、この「行方不明の」写本は、フォリオ判、紙葉数一八〇（NDLの一八三紙葉に近い）。さらに、NDLのウェブサイト〔電子展示会〕掲載の画像は、「冒頭文字は、金および多色の彩色で、長い鉤の手の形で書写面を囲んでいる」という、『目録』の記述に対応する。また、一巻を論理学の諸作品から始めて、末尾に「霊魂論」を付加するというめずらしい構成は、NDL本と『目録』上のフルダ本とに共通する。

（4）ただしNDL本とFulda本の間には、各カタログの記述に相違点もある。すなわち制作した写字生は

「三人」（NDL）か「一人」（フルダ）か。制作年代は、十四世紀—十五世紀初期（NDL）か十三世紀（フルダ）か。内容構成の点でもいくつかの不一致があるが、これはNDL本がフルダ本と同一であるという可能性を否定する決定的な理由には、おそらくならないだろう。なぜなら、フルダ本についても、さきほど引いたフルダ図書館の手書きのカタログの記述と、フルダ本のそれ以前の所蔵者であるヴァインガルテン（Weingarten）修道院のカタログの記述との間には、内容構成について、すでに異同がみられるから。

（5）NDL写本閲覧のさいに、旧蔵者を示すような目印があるかどうか見てほしい、とくに、フルダ本の番号〈C3〉、ヴァインガルテン本の〈K38〉が残っているかどうか。

（6）もしNDL本がフルダ本と同一のものであると判明しても、この話は意味がある。論理学関係作品の校訂者たちは、今まで誰一人その写本を使うことはできなかったのだし、「霊魂論」については、中世のラテン語訳は、「ヴェネツィアのジェイムズ」（James of Venice）のもの（= tr. Jacobi）と、メルベケのウィリアム（William of Moerbeke）のもの（= tr. Guillelmi）とがあるが[8]、両方とも未校訂であるから、今後「霊魂論」を校訂するさいには、NDL本も写本吟味に追加されるものとして重要になる。

（7）もし時間の余裕があれば、*De anima*（「霊魂論」）の巻初語（incipit）と巻尾語（explicit）とを書写してほしい。それを見れば、こちらではNDL本での訳者が上記二人のどちらかを判定することができる。また、どうすればこの写本の写真複製かマイクロフィルムかデジタル画像かを入手することができるか、につ

8 「ラテン語訳アリストテレス・データベース」中の解説によれば、「ジェイムズの『霊魂論』翻訳は十二世紀になされ、それをメルベケのウィリアム（一二八六年没）が一二七〇年以前に改訂した。この改訂版は絶大な人気を博した」とある。

いても情報をいただければ嬉しい。

長いメイルであった。(2)(3)のような、写本の来歴問題は、古写本学での一つの重要な分野であり、いずれ調べることになるとは思っていたが、当初からこのように具体的なデータの提供をうけると、いっそう興味をそそられる。ただ来歴の調査には写本そのものを離れてできる作業も多いので、当面の閲覧にさいしては、まず、写本の中に〈C3〉〈K38〉という旧蔵書番号が、刻印・書込み・蔵書票などの形で残っているかを探すのが課題(5)であり、それは私でもできそうに思えた。(4)の写字生の「手、字体」の問題は、古写本学(広義のpaléographie)の中でpaléographie「古筆学/書体学」とされる分野で、写本制作の年代や場所を推定するために重要なことは周知であるが、これは、ラテン語写本を見馴れていなければ「推定」も「判定」もできる問題ではない。私としては、インクの濃淡、筆跡の印象など自分の目で観察できることを記録するのがせいぜいだと考えた。残る課題(7)の「霊魂論」巻初語と巻尾語とを読むことは——私はすぐ、東大駒場の高橋英海氏に頼みたい、と思った。以前、新潟大学でのフィロロギカの研究集会のときアリストテレスの「気象学」(シリア語訳)に関する発表をされたのを覚えていたからであり、和洋の古い本にも興味をおもちのようにお見受けしていたからでもある。

翌日(二月一日)、NDLの古典籍課に電話して「同一資料の閲覧は一日のみ、閲覧者は二名まで許可」との了承を得、ルーヴェンには、とりあえずお礼かたがた「霊魂論」の二つのラテン語訳の巻初語・巻尾語が活字になっていたらそれを送ってほしいと頼んでから、午後、高橋さんに前置きなしのメイルを送った。

「二月六日の十時三十分から十六時三十分までの間のどこかで、NDLへおいでくださることは可能でしょうか。ラテン語訳アリストテレスの写本を見ることになったのだが、私一人の力には余ることになりそうなので、なんとか都合をつけていただけないでしょうか（NDLの書誌データと、ハルルフィンガー、デ・レーマンス両氏からのメイルとを添付）」という強引な依頼である。幸いなことに、その夜「修論審査と口述試験と会議が終わって研究室にもどったところ」から返信があった。「たいへん面白そうな話……二月六日は十二時頃までならNDLでの閲覧が可能（午後一時からは駒場で期末試験の監督）」との快諾である。おかげで、ルーヴェンからの課題（7）にも答える目処がたった。

さらに翌二月二日夕方、さっそくに高橋さんから「ラテン語訳アリストテレス・データベースのCD-ROMが本郷の西洋古典学研究室にあり、小池登さんに依頼したところ、かれと松浦高志さんとの連携で、「霊魂論」の二つの訳（ジェイムズ訳とウィリアム訳）の巻初語・巻尾語のテクストが抽出できた、そのファイルを送るから、プリントして当日NDLへ持参してほしい」旨のメイルが来て、必要部分についてルーヴェンからの返事を待つまでもなく、活字テクストを写本の文字と対照できることになった。そのうえなお、次の日には、高橋さんからの何度目かのメイルで、「ウィリアム訳は、もうひとつ、トマス・アクィナスによる「霊魂論」注解に引用された形でも残っているが、そのデータを、駒場のY氏が提供してくれた」との連絡もあり、それまで「霊魂論」の伝承など無知無縁だった私も、ともかく、その三通りのラテン語訳の巻初語・巻尾語各数行を並記したファイルをつくり、また、私でも時には拾い読みくらいはできるかと考えて、ラテン語中世写本書体の縮約形についての二点の辞書（A. Cappelli, *Dizionario di Abbreviature latine ed italiane*, Milano 1979[6] と A. Pelzer, *Abbréviations latines médiévales*, Louvain-Paris 1966[2]）も持参することにした。

第一回閲覧（二〇一二年二月六日）

二月六日は、打合わせた通りの手続きをして開室時間（十時三十分）に入室、目的の写本を前にすることができた（まず道標になるはずの図書館作成のカタログはなく、[9] NDLのウェブサイト上の内容リストには、頁付もフォリオ表示も無い）。サイズは約295×205 mm。テクストは三十三行・左右二欄に書かれ、テクスト面サイズは約152×117mm. 十五世紀の装訂とされる、薄茶色の革に包まれた板表紙には虫損が多い。背表紙上部には、三行で〈ORGANON| DE ANIMA| ARISTOTELIS〉「オルガノン・霊魂論・アリストテレス著」と書名が手書きされており、表裏それぞれの表紙には、装飾と擦れ防止とを兼ねた五個の丸い小金具がそのまま残り、上下二箇所に留め革の付いていた痕跡がはっきり見えたが、NDLの目録に記された、表《おもて》表紙（の上部）にある「鎖穴の痕跡」[10]は、虫喰い穴に紛れて確認が難しかった。また、背表紙の下部には30×15mmくらいの楕円形の紙片貼付けの痕があるが、〈C3〉〈K38〉などの字らしきものは見えない。装訂保護のために、本を大きく開くことは禁止されているので注意して中を開くと、所々補修の跡はあるがヴェーラムとされる皮紙も全体の状態は予想したほど悪くはない。彩色写本で、金や青、赤、白、紫、緑等々多彩な動植物モチーフの飾り頭文字が多数見えるので、この本は当時、学生や学者の実用に供するためというよりは、献上本ないしは特注本として制作されたものであろうという印象であった。

折丁（cahier）の構成など、「物」としての写本（codex）を対象とし「写本の考古学」といわれるcodicologie 分野の調べは、午後に私一人でも、ある程度はできそうなので、ともかく「霊魂論」の巻初語・巻尾語の問題にとりかかったが、まず面倒だったのは、この写本にはフォリオ付が、当時のものにせよ近現代のものにせよ、いっさい見当たらないことであった。折丁記号（signature）は、各折丁の最初の紙葉recto（おもて面）の右下隅に、鉛筆書きで（すなわち、この書込みは写本制作／製本当時のものではなくて、近現代の所有者によるものであろう）、ローマンアルファベットの小文字一字でごく薄く書き入れてあるだけで[11]、目前の紙葉を示すには、閲覧者はその都度いちいち頁を繰って枚数を確認する必要がある。資料保護の意味でも、所蔵館のほうで（ギリシア語写本でしばしば見るように）書写面を妨げない場所に、紙葉数字を鉛筆書きで小さく入れておくほうが本のためではないか、と思った。

ともかく、本の末尾から二番目の折丁（記号o）の五枚目から始まって最終折丁pの末尾に至る「De anima」に辿りつき[12]、十二時半まで「写本と睨めっこする至福の時を過ごした」（高橋メイル二月六日）、そのおかげで、巻初語（f.164r）と巻尾語（f.182v）とを読むことができ、準備してあったテクストと対照して、

9 ― NDL「国立国会図書館所蔵複製西洋写本目録」（『参考書誌研究』57（2002.11）, p.7によれば、「我が国では西洋写本の「目録法も確立していない」ため、このアリストテレス写本も、NDLの所蔵する「唯一の西洋中世写本」原本であるが、「同書の詳しい書誌学的調査は残されたままである」由で、目録には採録されていない。

10 ― フィレンツエのメディチ・ロレンツォ図書館で見た写本は、すべて六十センチほどの鎖が裏表紙下方についたまま運ばれ閲覧に供されていた。持出し防止のために本を書架につないでいた時代の名残りであろう。

11 ― この表記が見えにくいことは、一例としてNDLが公開している唯一の画像（本書p.314）からも察せられよう。f.64rのTopica冒頭で、この右頁右下隅にf（一文字の折丁記号）が鉛筆書きで入っているのだが、すぐに見えるだろうか。紙の本である前述の展覧会図録p. 42にある写真では、識別可能であるが。

12 ― その冒頭（f.164r）の画像は、のちに入手したVenatorの競売カタログ中にある（本書p.316）。

これは、メルベケのウィリアムのもの（tr. Guillelmi）であることが判定できた。その上、本文末尾では、左欄（f.182*va*）の〈Alios autem …… aliquid alteri.〉に続けて、同じ筆写者が、最後の二行に〈Explicit liber de anima secundum nouam trans|lationem. Deo gratias.〉つまり〈新訳[13]による「霊魂論」了。神に感謝。〉と奥書（colophon）を入れているのも読めたのである。まさに *Hidemi gratias !* であった。

午後は、ルーヴェンから言われた二つの旧蔵図書館の痕跡（Fulda〈C3〉と Weingarten〈K38〉）を探しながら、本の折丁構成を確かめる作業をした。

来歴関係では、NDLの現番号（WA42-29）、朱印（No.87Y18479）、ゴム印（63.1.22）が表《おもて》表紙の裏にあることを手がかりに係員に質問すると、奥から司書らしい年配の女性が出て来て、「その件でこちらにある資料はこの手書きの一冊子だけ。今ここで、私が開く頁だけを見て、必要な部分を写すように。コピー等はお断りです」とのこと。「平成一年〔一九八九年〕三月開催、第二十二回貴重書等指定委員会」の資料で、彼女の監視下で大急ぎで写した。大要はすでにNDLのネット上の書誌にも公開されていることであったが、注目したのは二点すなわち、この資料には、（1）この写本の内容一覧（目次）（各作品名には日本語訳も付す）にフォリオ付数字が明記されていること、（2）「裏表紙に内容を記述した書簡状断章があり、その末尾に〈A magistro Io. guldr.〉と手書きされて」いて「表紙の内側にも所蔵者としての彼のサインが見える」[14]との記述も含まれていること、この二つであった。司書によれば、「この資料作成当時の担当者はすでに退職しており、名前は、推測はしているが、言えない」とのこと。また、本の中にある朱印（No.87Y18479）の87-は会計年度の昭和六二年度を、（63. 1. 22）は「六三年一月二十二日受入」を意味する、しかし、受入が寄贈によるか購入によるかなど、これ以上の情報は、ここでは分からない、とのことであった。ただ、「これはもう、古いことですから、情報開示請求をしても、これより詳しいことは分からないでしょう」と言われたのは記憶に残った。

本にもどって裏表紙外側上部の「書簡状断章」を探す。午前中に見たときには裏表紙までは注意が届かなかったのか、革の薄茶色に紛れて気づかなかったのか、あらためてよく見ると、前述の小金具の少し下に、横長（25×170mm）の薄い皮紙が貼りつけてあり、そこに金文字で二行：〈Textus Vetus…tis … Topicor〈um〉Elencor〈um〉PRi] or〈um〉. Posterior〈um〉et … A mgro Jo. guld.〉を読むことができた。[15] etに続く六、八字分はすり減っていて読めないが、本の内容を記している題簽《だいせん》（標題紙）のようなものであること、〈A mgro Jo. guld.〉（＝「magister Johannes Guld. の蔵書から」）によって旧蔵者が推定されること、は理解できる。ただ、どういう根拠でこの皮紙片が「書簡状断章」と判断されたのか、は疑問に思った。[16] ともかく、この一枚の貼付け皮紙片が、のちに、旧蔵者についてのＮＤＬによる解説を訂正し、ＮＤＬ本がFulda本と

13 — 前述注8参照（この「新訳」は、十二世紀 のジェイムズ訳を改訂した訳、を意味するから）。

14 — 「〈Io. Guldr.〉は、コローニュ[ケルン]のカルメル会修道士で、パリ大学の論理学教師となったJohannes Guldener（or Goldener ）のサインで、彼は1355年ベルギーで死去している。表紙の内側にも所蔵者として彼のサインが見える。ブラッセルのカルメル会集会所が出処であるらしい。[後略]」ともあった。この人物については、のちにルーヴェン側の詳細な文献調査によって、この同定が誤りであることが判明する。

15 — 最後の文字を -dと読むか、ＮＤＬ書誌のように -drと読むかは微妙なところであり、実際二つの説があるが、私たちの結論では文献調査（後述）の結果等を考慮して-d と読む。

16 — 後述注40参照。

同一であることを示唆する、有力な手がかりの一つとなる。
一方で、「表紙の内側にある、かれ［＝旧蔵者］のサイン」というのが何を指すかは、けっきょく、分からなかった。表《おもて》表紙の内側には、全面を覆う形で一枚の皮紙が、見る者には裏面を見せる形で貼付けてあり、そこには落書きのような僧服男性の小さなデッサンや、それに重なるようにして薄くて読み取れない五行ほどの文字が書かれており、隅にはNDLの現在の請求記号（WA42-29）や整理番号、朱印が押してあり、しかもよく目をこらすと紙面の表が透けて見えて、もとは彩色写本の一作品の冒頭だったらしく装飾頭文字があったりするが、もちろん文字はまったく判別できない。この、裏返しに貼付けられてしまった一紙葉と、現写本冒頭が一紙葉欠如で[17]文章の途中から始まっていることとの間にどういう関係があるのか。「表表紙内側の貼付け皮紙」の問題は、単純な目視だけではおそらく解明困難な問題として今も残っている。[18]
午前中に本全体をざっと見たときにも、私たちは共通して、この本は、中央の部分とその前後の部分とでは、どうも感じが違うという印象を受けていたが、この印象が間違っていないことは、午後の作業でも確かめられた。
本の最初から順に、各作品冒頭の装飾頭文字や欄外に書込まれた「巻初語－巻尾語」〈Incipit–Explicit〉の表示を読みつつ、ごく薄い鉛筆書きで小さく入れられた折丁記号を目印に、折丁末尾紙葉の裏右下隅にあるはずの「捕語」（次に続く折丁の本文最初の語）の有無と次の折丁との繋がり方を注意して見てゆく。折丁〈a〉の末尾（f.11v）[19]の捕語は折丁b（f.12r–）の最初の語に一致しているが、折丁bの末尾（f.23v）には捕語がなく、折丁c（ff.24r–37v）には捕語の機能をするものがない。折丁d（ff.38r–49v）とe（ff.50r–63v）とは捕語によってその連続が分かるが、eの末尾（f.63v）には捕語がない。しかし折丁f以後（f.64r–）は、最終折丁p（ff.172r–182v）まで、各折丁末尾には規則的に捕語があって、丁と丁をつないでいる。また、一折丁に含まれる紙葉の点でも、折丁〈a〉とbおよびf–pが一折丁六枚綴十二紙葉であるのに対して、折丁c–eでは十二紙葉構成の折丁はdのみで、前後の二折丁（c、e）は七枚綴十四紙葉である。つまり、この本は折丁構成上、次の三部分：〈a〉–b（ff.1-23v）、c–e（ff. 24r-63v）、f–p（ff. 64r–182v）に分けられ、第一部分と第三部分はそれぞれ捕語と折丁の関係も規則的で整っているが、第二部分はそうではなく、あきらかに他の部分とは異なっている、と分かる。

そして、この理解は、書写面のガイドラインとしての「罫」の引き方（réglure）、欄外に朱色と青色で入れられた「柱」（欄外見出しtitre courant）の書き方、作品冒頭の大きな装飾頭文字や作品中の区切りに入れられた装飾文字、随所に見える、本の写字者とは異なる手による書込み等々、多くの点でも妥当であることがわかった。例をあげると、

（1）本文書写のための罫が三十三行、左右二欄／段であることは本全体に共通であるが、本文の外枠を示

17 ―「二つのカタログ」の項で後述するように、ヴェナトール（Venator）の競売カタログでは、欠如した冒頭一紙葉を、fol.1（第一紙葉）と数えているが、NDLの目録では、現存の第一紙葉を、fol.1としている。これはNDLが購入先クゥオーリッチ（Quaritch）作成の目録によっているためであり、私たちもそれに従う。

18 ― 二〇一六年秋に来日されたフランス学士院図書館（Bibliothèque Mazarine）館長ヤン・ソルデ（Yann Sordet）氏に*BPM*の抜刷を進呈したところ、このことについての感想は「ぼくだったら、その紙をはがすだろうな」であった。

19 ― 冒頭の一紙葉欠如のため、第一折丁〈a〉の最後はf.11vである。

す線は第一と第三部分では、いわば必要最小限の罫が引かれているが、第二部分では二重線の反復もあって、より複雑である。[20] また罫を引くための目印の小さな針穴（piqûre）は、第二部分では紙葉の端に例外なく残っているが、第一と第三部分では、（おそらく製本時に裁断されて）全く残っていない。このことから、第一と第三部分の紙葉は、書写段階では第二部分のそれよりもサイズの大きいものであったことが推定される、

（2）紙葉上部の欄外見出しは、第一・第三部分では例外なく一行におさめてあるが、第二部分では、f.24vに〈liber〉と書いて、その続きの〈sex principiorum〉をf.25rに書くという不規則例もある、

（3）作品冒頭の多彩色の装飾頭文字は、第一・第三部分では装飾がテクスト面に沿ってL字型になっている（NDLサイト上のf.64r画像＝本書p.314に見るように）が、第二部分では、装飾植物の蔓様の部分が、テクスト書写面全体を四方から取囲む形になっている（f.24r）、

（4）また、テクスト本文の書体は、不慣れな目には判定が難しいが、インクの色の点では、第二部分のほうが、より薄く見えた。第一と第三部分が同一の写字者によるか否か（さらにいえば第一と第三がもともと同一の本に属していたか否か）も微妙であるが[21]、第二部分がまた別のひとりの写字者の手によることはおそらく確かであろう。本文筆写者と同時代の手によると思われる欄外書込みは、とくに「霊魂論」の部分に多い……などである。

このような作業をして、午後五時に本を返却した。「日時指定票」には十六時三十分までとあったが、閲覧室にいた他の二、三名に合わせたのである。写真や電子化など複製の可能性を係員に尋ねてみたが、「これは図書館の宝物、それを水平に開いて撮影するなど、とんでもないこと」と全く否定的であった。

この日の閲覧の結果は、翌七日にルーヴェンへ第一報として書き送った。[22] Hidemi Takahashiの参加を得て

「霊魂論」の巻初語・巻尾語が読めて、これが「メルベケのウィリアム」の新訳による写本と判定できたこと、蔵書票（らしきもの）としてはNDL以外の図書館のものは見当らなかったが裏表紙の外側に、NDL資料で「書簡状断章」とされる、作品名を記した貼付け皮紙片があること、写真等複製の問題については方策を考慮中、の三点である。そしてその後数日の間に、「霊魂論」の巻初語・巻尾語と奥書の転写、司書が見せてくれたNDL資料の仏語訳、閲覧で調べ得た折丁や捕語関係の記述などを五頁のファイルにして、ルーヴェンへ送信した。[23] ルーヴェンからは十二日に返信があり、「七日付のメイルをありがとう。これから急用で出なければならないので、また」という短い文面であった。

こちらとしては、現にNDLにあるこの写本が、どこからここへ入ったのか、ここから遡ってどこまで判明するかを調べたいと思い、四月に入って、以前成蹊大図書館にアリストファネスの初版本（アルド一四九

20 ―― このとき描いたスケッチを翌二〇二三年秋にパリのInstitut de Recherche et Histoire de Textesの専門研究者に届けて二つの型の該当番号（codification）の同定を依頼し、判明した（*BPM* p.5）。罫線の型の問題が書写年代や制作地の推定にどのように関係するかは私には未詳である。

21 ―― 折丁bの末尾に捕語が（見え）ないので、第一部分と第三部分がもとは別の本であった可能性も、全くの否定はできなかった。

22 ―― これ以後のメイル交換にはほとんどの場合、フランス語が使われた。

23 ―― 折丁記号が製本時よりあとの手で入っている、との報告には、秋になってからの交信の中でルーヴェンから疑問が出された。しかしこれが「鉛筆書き」であることは、私たちの目視から確かであり、再確認して了解された。なお、「鉛筆」の発明は十六世紀中頃（スイス）で、その世紀末にはイギリスで黒鉛が使われるようになり、一六一〇年までにはロンドン市場で広く販売された（Wikipedia）という。

八年印行）を入れた雄松堂書店に問合わせたが「それは、うちでは入れていない」とのこと。次いで早大中央図書館の雪嶋宏一さん（西洋書誌学・現早大教授）に相談したところ、「以前にＮＤＬの古典籍課課長だった友人に聞いてみる」とのことで、その結果、「問題のアリストテレス写本は、〈ドル減らし補正予算〉がついたとき、当時の収集部の司書監がヨーロッパに出かけて買付けてきたもののはずで、どこの書店から買ったかは聞かせてくれなかった。簡単な英文の説明書がついていて、旧蔵者名などの説明があったと思うが、詳しい情報はほとんどなかったと記憶している。貴重書に指定したときに『国会図書館月報』で紹介した記事があるはずだが、残念ながら電子展示会での情報以上ではなかったように思う」との返事をもらうことができた。その『月報』は、「［雪嶋さん自身が］一九八八年からすべて調べたが、アリストテレス写本についての紹介はなく、したがって、国会図書館では一九九八年に開催した『国立国会図書館開館五十周年記念貴重書展』でこの写本を出陳し、その画像一点と解説をウェブに掲載したが、詳細についてはまだ公刊していない、ということでしょう」との回答（四月十七日付メイル）であった。問題の本は、寄贈ではなくてＮＤＬによる購入だったと判明したわけで、最初の閲覧時に司書が写させてくれた写本説明の資料は、売主「ヨーロッパの書店」が付けた「英文の説明書」によるものであろうか。ＮＤＬが本を受入れた日付は、すでに「一九八八年一月二十二日」と分かっている（上述）ので、あとは「ヨーロッパでの購入」の詳細が明らかになればよい。閲覧時に司書がちょっと口にした「情報開示請求」をすれば、調べられるかもしれない。そう思いながらも、こちらから送った「観察記録ファイル」についてのルーヴェンからのコメントを待つうちに時が経ち、現役の高橋さん（以下ＨＴと略記）の超多忙はいうまでもなく、ひまな私のほうも十月末のフィロロギカ研究集会を目処に、リュキア語碑文を手がかりとして『イリアス』中のトロイア方援軍の言葉について考えてみたいという課題を抱えていて等々で、ＮＤＬ写本問題はいわば棚上げになったまま夏休みが終わった。

ルーヴェン訪問（二〇一二年十一月二十一日）

秋になって、私には、十一月中旬に十日間ほど私用でパリとブリュッセルに行く機会があった。ルーヴェンにも寄ればそこでＮＤＬ写本の追跡を再開するかどうかなど、今後の見通しをたてられるのではないか。ＨＴに相談し、十月四日に久しぶりのメイルをルーヴェンに送って、十一月十九日から二十一日までの間に会う機会があれば嬉しい旨を伝えたところ、翌々日に「十一月二十一日午後に」との返信があり、ついで場所と時間等を打合わせるメイルの往復があった。

晩秋の小雨模様の午後、もとフランス国立図書館の東洋写本部門の司書で現在はブリュッセルに住んでいる、留学時代からの旧友（本書 p.105）に同行を頼み、二人で電車で三十分ほどのルーヴェンに行ってブライデ・インコムスト街の「ユーロパハウス」三階にあるオフィスでピーテル・デ・レーマンス氏に会った。中背で四十代の始めかと見える温厚な感じの人で、おちついた声のフランス語を話す。こちらからは、すでにメイルで送っていたファイルを整理して八ページほどのプリントにしたものを持参したので、双方がそれを見ながら、説明、質問、コメントを交換する形で話をした。ちょうど一時間経つ頃になって、かれは書棚から *Bulletin de philosophie médiévale*『中世哲学会報』（仮訳）の二〇一一年号を抜き出して、ファイルをこの『会報』に出したらどうか、と言った。次号（二〇一二年号）の締切は今年の十二月末なので、もし誌面に余裕がない場合は一年先になるが、ともかく自分が編集長に聞いてみる、とのこと。私のほうでは、その誌名は初めて知るものであったが、帰ってHidemiと相談して返事する、出すならそれなりに形も整えなくてはならない、と答え、かれのほうでも、とくに「写本の旧蔵者問題」は、調べる手がかりがあるので、何か判明したら知らせる、そちらで適切だと考えたらそれも付加えたらどうか、とのことであった。

第二回閲覧（二〇一二年十二月七日）

最初の閲覧では、「写本と睨めっこ」で調べる喜びを味わいながらメモをとり、ともかくルーヴェンから出されていた「何を見るべきか」の宿題に答えることに努めていたので、ルーヴェンへ持参したファイルは、導入部のない「課題への答案（「霊魂論」巻初語・巻尾語と旧蔵者関係と見える書込み等について）とNDL本の構成の項目別メモ（NDL書誌・外形・折丁と捕語・罫・書体・欄外注・装飾・装訂）」であった。面会時に出された、『中世哲学会報』に載せたらという提案について、こちらは二人とも、この写本の存在が再び忘れ去られないためにもやってみる価値はあるだろう、との考えで一致して、帰国後まもなく賛成の返事を送った。しばらくしてルーヴェンからは、「もらった八頁のファイルを読んだ。アリストテレス・プロジェクトのアーカイヴには既に二千点以上の写本が記録されていて現在もなおその数が増えつつある。NDL本もその文脈に入るものだという観点から紹介するのがよいのではないか、異存なければ、自分が冒頭に少しその趣旨を付加することもできると思うが」とのこと。どういう形にせよ、かれの協力は貴重であり、私たちに異存はなかった。

活字にするとなると、「答案」そのものにはまだ再確認したいところがあり、とくにあの本の内容（十一作品）がはたしてＮＤＬの書誌情報にあるとおりなのか、もう一度、原本を見る必要がある。ＨＴには講義や会議や海外出張の合間を縫って時間をとってもらい、十一月二十六日午後に第一回と同様、二名閲覧申請のファックスを送る。と、すぐ古典籍室から電話が来て「状態の悪い資料なので、どこを見たいのかを前もって指定すれば、その頁のみ閲覧を許可する」という。頁付がまったく無い本のこととて、どう応対したか確かな記憶はないが、ともかく電話の後すぐに「閲覧箇所は、前回の調査で見落とされた部分に限定してご覧ください」という但書き付きで、十二月七日（金）を指定するファックスが来た。

第二回閲覧では、第一回と同様、開室から閉室（実際は五時）まで、おもに「霊魂論」以外の作品の確認、先に見た「霊魂論」の巻尾語が左欄（f.182vα）末行で終わった後の右欄（f.182vβ）に薄い色のインクで記されて消えかかっている〈O gloriosa ……〉に始まる五行の判読の試み（結論としては、内容は「聖母讃歌 Cantique de la Vierge」だが、インクがかすれていて読み取るのが難しく、奥書としての意味は未詳）、巻初語・巻尾語や欄外見出しのメモ読解の試み、各折丁ごとの綴糸の場所と紙葉数の確認・記録などをした。最初の閲覧時に私たちが共有した理解、つまりこの本が三つの部分から成っているとの理解は、本の内容と折丁との対応についてもいえる、との確認もした。つまり全十一作品は、作品1)-3)が第一部分（ff.1-23）に、作品4)-6）が第二部分（ff. 24-63）に、作品7）-11）が第三部分（ff.64-182）に入っている。折丁の始めと作品の始めとが一致しているのは折丁ｃと折丁ｆのみであった。そしてこれらを調べる間、私たちは「限定的閲覧」は全く忘れていたが、係員から咎められることもなかった。

ルーヴェンには、この閲覧の報告として、裏表紙の外側に貼付された横長の皮紙片[24]に書かれた文字をできるかぎり忠実に臨模したスケッチとＮＤＬの『貴重書展』図録を郵送し、初対面以来の交信と私たちの第二回閲覧とを考慮して、提出済みの「答案」に加除補訂をしたファイルを送信した。向こうからは「こちらはノエルの休暇明けにベルギーのカルメル会問題[25]にとりかかるつもり」という返事が来た。

写本の旧蔵者としてNDLの書誌にある「カルメル会士」問題については、こちらでも同じ頃に、インターネットで検索したり、ケルンの修道院にメイルを送って、そこから示唆されたミュンヒェンのカルメル会の管区長に問合わせて返事をもらったりしていたが、「ケルンには（現在あるのは女子修道院だが）かつては一二四九年創設の男子修道院があった」というあたりで頓挫した形となっていた。

また複写問題に関しては、当時日本学士院院長でいらした久保正彰先生にもいろいろとお骨折りをいただいていたが、手続き関係の資料の中には、現在の私たちにはとてもクリアできそうもない条件もあり、また現場担当者の、閲覧による資料の劣化への危惧の強さを思うにつけても、少なくとも当面の私たちには、複製あるいは電子化の方向へ事を進める力量も時間的余裕もないと考えざるをえなかった。

情報開示（二〇一三年一月二十三日〜二月二十三日）

「国立国会図書館事務文書の開示について」という書式は、NDLのホームページから取出すことができた。一頁だけのごく簡単な書式である。

「国立国会図書館長　殿」、「下記のとおり事務文書の開示を求めます。」と印刷してあって、こちらが記入するのは「（1）事務文書の名称等（2）その他」の二箇所。
（1）の欄に、「……この図書の収蔵年月日は、当該図書上の押印その他から一九八七年度収蔵と推測されるが、それが具体的に、いつ・どこで・どのように（年、国内／国外、都市、古書店／個人、購入／寄贈など）取得されたものか、可能な限り詳細な来歴を知りたい」と記入し、NDL総務課宛、一月二十三日（水）に投函した。それから三週間、話はもう立ち消えかと思っていた頃、二月十三日（水）夕方にNDLの総務課から「開示手続きに入りますが」という電話があった。「当該の書類にはそのとき同時に購入した別の図書のことも入っているので、全部だと十枚を超える。全部のコピーをほしいか、それとも当該図書のみの箇所のコピーか。また、来館するなら、その場でコピーを見せるだけになるが、来館せずにコピー送付を希望するなら、一枚十円です」とのこと。もちろん全部のコピー送付を希望、と答えると、「では一週間後くらいにこちらから、コピー請求のための用紙を送る。そこにコピー代にあたる収入印紙を貼付して返送のこと。それを受けてコピーを送る」とのことであった。

二月二十一日（木）、「国会内 20.02.13《ママ》」の消印で、NDL総務課から「事務文書開示通知書の送付について」を一枚目とする総務課長名の「事務文書開示通知書」（日付は「平成25年2月19日《ママ》」）が来た。全部で五枚、最後には「不開示に対する苦情の申出について」（NDL館長宛）なる用紙もついている。[26]必要事項

24―前述注15

25―前述注14

26―ここには「開示しない部分とその理由」が記してあり、開示する文書中にある「丸善株式会社会計課長の名前」は特定の個人の情報なので、NDL事務文書規則第3条第2号＊＊に規定する情報に該当するから、開示しない、との趣旨である。たしかに、翌日受取った文書コピーでは、その部分（計六箇所）が黒塗りであったが、私たちに必要な情報ではないので「苦情の申出」は、しなかった。なお、引用文書中の算用数字表記は横書き原文のまま。

「写しの交付・郵送」を記入し、指定通りコピー代の収入印紙百十円を貼付し返信用切手百四十円を入れて、速達で投函した。そして二月二十三日（土）、開示請求を出してからちょうど、ひと月後に、文書コピー（用紙Ａ３とＡ４合わせて十一枚）が総務課文書係から届いた。

一枚目：「文書記号番号：国図　収第175号、決裁区分　部局長、起案　昭和62年11月25日[27]、決裁　昭和62年12月１日」とあり、続いて収集部長から収入支出係長にいたる、十六名の職位と押印が並んでいる。その下に「標題：図書館資料（別紙のとおり）の購入にともなう随意契約の締結について。標記について、会計法第29条の３第４項の規定に基づき、別紙の各社と、別紙契約書（案）のとおり随意契約を締結してよろしいか。」と記載のあるＡ４判一頁。

二枚目：（参照）会計法29条の３第４項［随意契約について］。

三〜六枚目：「契約事項等一覧表」と関連の説明。

七〜九枚目：「契約書（案）」買手（甲）ＮＤＬ収集部長、売手（乙）書店［名は空欄］。

十〜十一枚目：［第一区分についての］「図書受入命令書」と「内訳明細書別紙」。

これら十一枚のコピーを読んで分かったのは、私たちの問題の写本は、「第一区分」とされる三点中にあり、

1) Noort, Olivier van. - *Beschryvinghe van de Voyagie*, Rotterdam/Amsterdam 1601, 金額 3,740,000-

2) *Captain Cook's Florilegium*, London 1973-76. 金額 4,080,000-

3) *Aristotle - Organon* ca.1300, 金額 10,200,000-　3点 1set, 合計金額 18,020,000-

の一つとして（株）丸善から購入され、「受入発令 63.1.22」に「貴重書候補　現物事務室ロッカー保管」（文書十〜十一枚目から引用）としてＮＤＬに入った、ということである。

そして、丸善以前の状況を説明するのが、文書一～六枚目にある「随意契約」の内容、すなわち四枚目の、上記三点一セットについての「資料の性格と随意契約の理由」である。（1）と（2）はここでは省略するが、（3）のアリストテレス写本についての記述を引用すると「アリストテレス「オルガノン（原理）」及び「生命原理論」。パリ製作、1300年頃／14世紀末あるいは15世紀初頭。ヴェラム写本．ゴチック書体。装飾入りの彩色文字を含む2段33行の本文。」であり、つづいて最後に、三点を一括した「第一区分」について、「上記資料は、英国クゥオーリッチ社の保有している古書で、今回当館の海外派遣職員が現地にて選定した資料である。同社は日本における販売を丸善（株）に委託しているが、上記の経緯等を鑑み、今回に限って直接に購入するのと同じ条件にて丸善（株）から購入できることになったものである。よって丸善（株）と随意契約によるものとする。」であった。[28]

「開示請求」の結果として、NDL写本が一九八七年秋に、ロンドンの古書肆であるクゥオーリッチ

27 ― 問題の写本はこの日以前にNDLに到着していたのかもしれない。なお「保存区分」の欄では、「永久10年5年1年」のうちのどこにも該当の印がない。

28 ― 資料によればこの三点1セットは「第1区分」。「第2区分」は「Newton, *Principia Mathematica* 1set, London 1687年初版本」、「第3区分」は「1)Seitz, A. *Die Gross-Schmetterlinge der Erde*, 20vols., Stuttgart 1909-1954; 2) Laplace, Cyrille-Pierre Théodore, *Voyage autour du monde par les mers de l'Inde et de Chine, Exécuté sur la corvette de l'Etat La Favorite*, 4vols & 2 vols of atlas in-folio.」.第2区分は第1と同じく「クゥオーリッチ社―丸善」、第3区分は「シーレンベルク社とマッグス社―雄松堂書店」で、これら計六点が同時に決裁されている（合計金額34,080,000-）。

(Bernard Quaritch) から購入したものと分かり、本の来歴を一歩でも確実に遡れたのは嬉しかった。翌々日ルーヴェンに知らせて、それまでのレポートで購入先を「ヨーロッパ(都市名未詳)で購入」としていた箇所に、「ロンドンのクゥオーリッチ書肆から丸善を通して」という形で入れることができた。ただ、「随意契約」云々や購入金額については、こちらでは二人とも、写本の記述一般から見て、それを今回のレポートに入れる必要はないと考え、付加しなかった。[29]

ルーヴェンのピーテルからの返信は四月十日であった。「三月は例年のように諸々の研究計画書を作成するのに時間をとられてしまった」としながらも、「勝手なやり方ですまないが、あなた方からもらったファイルに〈変更履歴記録〉の形で手を入れたから、見てもらいたい」とていねいな書き出しで、冒頭への付加に始まる、コメントや疑問点・問題点などを書き込んだファイルが送られてきた。

このメイルでピーテルは「最大の発見」として、「(フルダ以前の所蔵者であった)ヴァインガルテン修道院蔵写本のカタログ[30]の中に:〈K38 fol.= Fulda C3 saec. XIII./XIV. *1630*. Nach einem Titelstreifen des Deckels von einem magister Guld.〉という記述があり、さらに、少なくとももう一点、同じ形式の「題簽」が付いたアリストテレス関係の十四世紀の写本(K.47)が記録されているのも見つけた。もっと他にもあるかもしれない、これで、ヴァインガルテン=フルダ=NDLという三点が同一本であることを確信した」と言う。彼はさらに続けて、「旧蔵者については、べつの著作にもguld. 所蔵の写本のことが出ていて、そのguld.は「ヨアンネス・グルデ(Ioannes Gulde)」なる人物らしい。……この問題はまだ追究する余地があると思う、もしお二人が役に立つと思うなら、こちらでこれを追いかけてみて、あなた方のレポートの一部分に付加えたい。もちろん、お二人のほうで追究したいということなら、介入するつもりはないが」とのことで、典拠資料としてヴァインガルテン蔵本カタログからの二頁および他の参照文献からの該当箇所[31]（各三頁）のスキャンが添付されていた。また、「*BPM* に掲載する件で編集長と相談したが、今年の号はすでに掲載の余地がないので、来年二〇一三年号（二〇一四年六月刊行予定）になるだろうとの話だが、それでよいか？」とのことであった。

ピーテルの確信の主たる根拠となったのは、「裏表紙に貼付された皮紙片[32]」であった。ヴァインガルテン修道院のカタログの記述は、「Weingarten K38. フォリオ版＝現在 Fulda C3. 十三―十四世紀制作。表紙に貼付の題簽によれば magister Io. Guld. の蔵書から1630年に受入」ということになるが、私には、こちらの題簽の記述がＮＤＬ本の二行の題簽と同一かどうかは不明だし、またヴァインガルテン・カタログ中の作品タイトルもＮＤＬ本と完全に一致しているわけではない、という疑問は残っていた。しかし手写本における「作品のタイトル」というものは近代の刊本のように一義的ではなく、ましてやこの「ラテン語訳アリストテレス」のように、中世の学者たちの解説や論考も「作品」として一巻の写本の中に入っている場合、作品内容そのものは同じでも「タイトル」はカタログ作成者によって異なることも十分ありうる。ともかく、目前の

29 ― 前述したＮＤＬ旧職員の記憶中の「ドル減らし補正予算」（雪嶋メイル4.17付）のことは、すでにこちらのレポートに記してあった。
30 ― K. Löffler, *Die Handschriften des Klosters Weingarten*（Leipzig 1912）, pp.131-132.
31 ― これらの出典については、*BPM*, p.7およびp.17参照。
32 ― ＮＤＬ本については、本書 pp.296-297およびp.318参照。

問題については、HTは「フルダ本との同定は受入れてよいのではないか。フルダ本にも（NDLと同じく）〈magister Guld.〉の名があったというのはかなり強力な証拠だから」との意見であり、また写本カタログの渉猟や人物の探索は日本にいては難しい、ピーテルがこのレポートの、助言者というよりも共同作成者となってくれるなら、そこは彼に委せようとの考えで一致し、公刊のこと（原稿締切二〇一三年十二月末）とも合わせて、その旨の返信をした。

これ以後夏休み明けまでにもルーヴェンとの間には、加除補訂をしたレポートファイルの交換があったが、こちら側もイスタンブールでの学会発表（HT）、九月末のハンブルクでの古写本学会傍聴（AH）等々があって、レポート作成上の大きな進展はなかった。ハンブルクではオックスフォードのウィルソン（Nigel Wilson）先生にもNDLの件を話す折があったが、写本がロンドンのクゥオーリッチから購入したものだと言うと、先生は「クゥオーリッチに問い合わせても、たぶん出処は言わないだろう、盗品かもしれないから。以前この書肆にはラテン語写本に詳しい人がいたが、引退した」と言われた。

第三回閲覧（二〇一三年十二月十六日）

十一月半ばにかかる頃、二人宛に「わたしたちのアリストテレスをレーテー（忘却）の河辺から連れ戻す期限をお忘れなく」と出したメイルに、「忘れているわけではない、写本の出処関係資料はそろった、ただ書く時間がない……」や「今、学会でピサにいてこれから発表。その後パリでも学会が二つあり……」の返信があったあと、十一月二十八日になって、ピーテルから、ファイルが届いた。これまで同様、双方の加除補訂とその説明を入れた交換だが、メイル末尾に「会報の編集長から、写本の内容記述の項に、（全十一作品の）巻初語・巻尾語を付加してもらいたいとの要望が出された。良い考えと思うが、お二人にはもう一度、閲覧をお願いできるか？」とあった。要するに三回目の閲覧が必要となるわけで、HTの返事は「確かに、それは入れたら良い。が十二月で可能なのは十六日か二十六日のみ」である。その二日を候補（第一希望は十六日）として、翌二十九日にNDLへ申請を出した。時間節約のために先回の書式にならった形を自分で作ってファックスで送ったところ、「所定の書式でないと困るので出し直すこと。第一希望の十六日は仮予約とする」との電話があり、週明け（十二月二日）に「十二月十六日（月）指定」のファックスが来た。

巻初語・巻尾語については、一年前、第二回閲覧時にもメモをとったりして調べ始めていたが、公刊するレポートに入れるには、なお準備をする必要があった。というのも、さきに記したように（p.288）、この写本の「オルガノン」と総称される部分には、アリストテレスの論理学六作品のボエティウス（紀元五—六世紀）らによるラテン語訳（本稿での作品番号2-3、7-10）だけでなく、ポルフュリオス（同三世紀）の「イサゴーゲー」（ギリシャ語からのボエティウス訳・本稿での作品番号1）、伝ギルベルトゥス・ポレタヌス（同4）やボエティウス自身の二つの論考（同5-6）も作品として入っていて、それらの作品で校訂出版されているものは、駒場と本郷、本郷では総合図書館と哲学研究室などに分散して収蔵されている。前年十一月末に駒場の集密書庫で、床に厚い本を何冊も拡げて、借出せるもの、コピーできる箇所を探した時には、二人がかりでも全部は取出せていなかったのである。それでこちらからは、すでにHTのメモがあるところは除いて、「第三回閲覧のために、とくにボエティウス自身の二つの論考（*De divisionibus* と *De diffrentiis topicis*）の巻初語・巻尾語の活字テクストが必要。空飛ぶ絨毯に乗って十六日朝十時半にNDLに来てほし

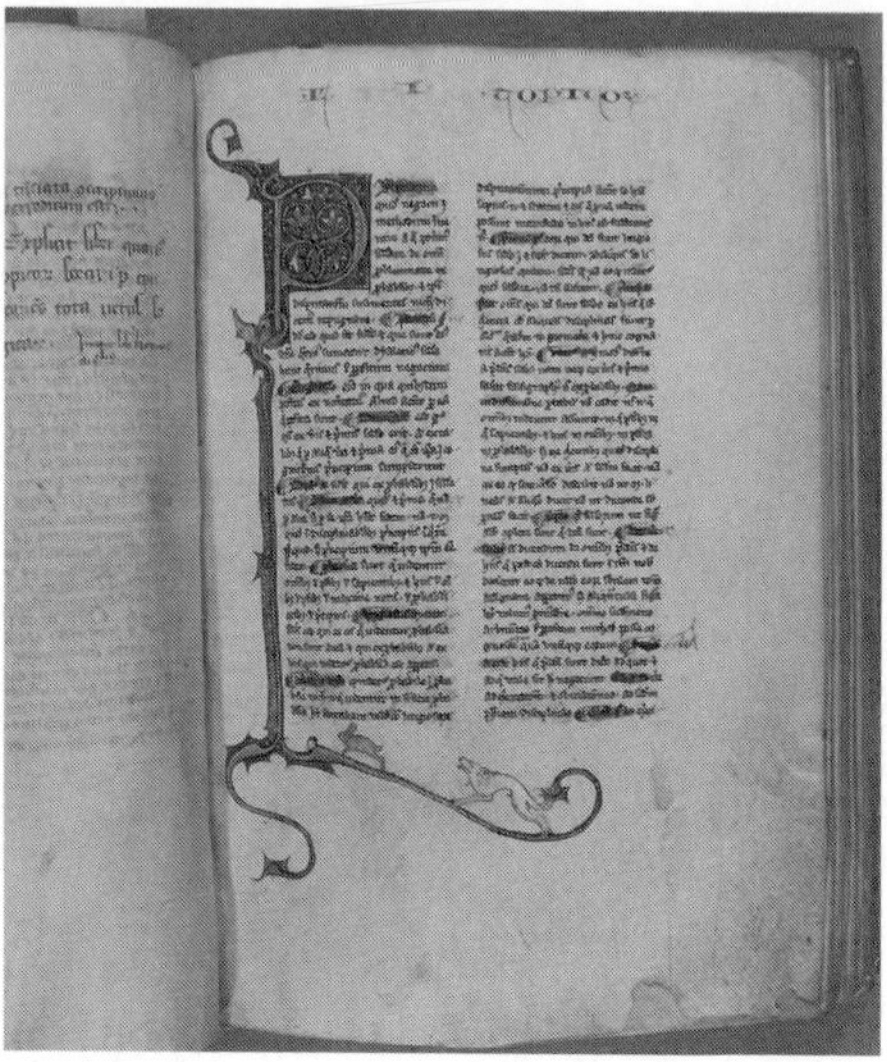

国立国会図書館蔵ラテン語写本『アリストテレス　オルガノン・霊魂論』、「トピカ」冒頭［f.64r］．この図の左端にf.63v（ボエティウス）の一部分が見える。出典：同図書館「ディジタル貴重書展」

い」と依頼した。ピーテルからはすぐ（十二月三日）、「NDL本にある全作品の巻初語・巻尾語を書き出したファイルを送る。数行にわたる長い箇所もあるが、とくに注意すべき語は黄色でマークしてある。十六日の閲覧に参加したいが、空飛ぶ絨毯がなくて残念」と返信があった。

最終回閲覧の主目的は、全十作品[33]の巻初語・巻尾語の記録であった。HTが、ピーテルから送信された活字テクスト（書込み用の余白があり、ところどころに出典を記した脚注やコメントがある）を参照しながらメモをとり、ファイルに書込んで、「まだいくつか不確かなところも残っているが、そこには？を付して」数日後にルーヴェンに送った。このファイルはピーテルに、本の内容面のみならず「物」としてのこの写本（codex）の成立問題にも関わる次のような説明を可能にすることになった。

折丁eにある六番目の作品「Topica Boecii」の巻尾語（f.63v）は「ボエティウス『トピカ』第四巻筆写終了、すなわち旧論理学全作品終了」で、そのあとに少し間を空けてやや小さな字で右端に寄せた二行「アリストテレス『トピカ』筆写開始」があって、次の折丁開始につながる指示つまり捕語の役割をしている（右頁の図上部左端）。f.63は折丁eの最後の紙葉で、折丁c-eは、この本を構成する三部分すなわち（〈a〉-b）+（c-e）+（f-p）のうちの、筆写年代としては比較的新しい[34]と考えられる第二部分である。その最終紙葉末尾（f.63v）に右に引いた巻尾語や指示があるのは、第二部分の写字者（あるいは本の注文主）が、すでに在った写本冊子（アリストテレスのラテン語訳としては中世初期から西欧に知られていた「旧論理学」諸作品から成る「第一部分」と、十二世紀中頃以降に西欧に入ってきた「新論理学」諸作品および『霊魂論』から成る「第三部分」とからできていた写本）を二分割して[35]、その中間にボエティウスらの論考から成る「第二部分」を挿入することによって、より完全な論理学書としての冊子本を作ろうとした、その意図を示すのではないかとの説明である。

二つのカタログ

最終回の閲覧（二〇一三年十二月）から遡ると十ヵ月ほど前のことになるが、私たちが「情報開示請求」

33―写本の巻末に置かれた「霊魂論」では、この問題は第一回閲覧で済んでいた。
34―NDLの英文書誌では、＜early 15th century＞「十五世紀初期」。
35―第2回閲覧で見たように、折丁と作品との対応からみれば、二分割可能なのはこの箇所のみ。また折丁cの第一紙葉表面が他に比べてかなり褪色していることは、装訂までの期間が長かったことを示すのかもしれない。

前掲書「霊魂論」冒頭［f.164r］。出典：ヴェナトール書肆の競売カタログ

の結果として、NDLによる写本の購入日（一九八七年で十一月以前）と購入先（ロンドンのクウォーリッチ書肆）が確定したことを知らせると、ピーテルのほうではすぐ同書肆に問合わせを出した。また、同じ頃にプロジェクトでピーテルの同僚であるベウレンス（P. Beullens）氏が、ネット上のオークションのデータ（*Schoenberg Database of Manuscripts*）[36]中に、問題のNDL本と思われる写本が（タイトルの *De anima* を *De natura animalibus* と誤記してはいるが）ケルンのヴェナトール書肆（Venator & Hanstein, Buch-und Graphikauktionen, Köln）によって一九八六年九月十二日の競売で売却された（ロット番号910）というデータを発見したので、ヴェナトールにも問合わせていた。しかしクウォーリッチからは返事がなく、ヴェナトールからはルーヴェン宛に「来歴については言わないのが慣例[37]」との回答があった由。

その後もロンドンとケルンに対しては、ルーヴェンから、重ねて催促をしたのであろう。私たちのところへは、最終回閲覧の少し前、十二日の夜にピーテルから、ヴェナトールの競売カタログからとった二頁（写本記述一頁と画像一点＝右図）のスキャンが届き、翌十三日夜に、「今年の早い段階でお問合わせのあった写本関係のデータを、データベース・ストック（Ref.CC240）から取出したので、送ります」という、クゥオーリッチの担当者がピーテルに宛てたメイル（13 December 2013）が転送されて来た。添付されたデータは三頁で画像は無い。

ヴェナトールのカタログからの画像は、まさしく、私たちが最初の閲覧時以来、毎回よく見て鮮やかに記憶している『霊魂論』冒頭（f.164r）の画像であった。巻初語の最初の大きな装飾頭文字Bの中には、赤い長衣の男が、何か語りかけるように右手を挙げ、膝に本を載せて（あるいは机に向かって）座っており、その本／机の上には、男を背にし男と同じく右方向に（やや上向きの）視線を向けて手を合わせている、小さな白い立ち姿が描かれている。これは、第一回の閲覧時に、HTが一目見て「アリストテレスとアニマだ」と言った、その図柄であり、左下隅と右上鉤の手に、おそらく本文と同時代の書込みがぎっしりと入っているのも確かに見覚えがある。「Venator 本 = Quaritch 本 = NDL本」は、まさに一目瞭然であった。ただ、ヴェナトールは、推定可能であるが現在では失われている冒頭の一紙葉をf.1と数えているので、ピーテルとのやりとりの中で話が少々混乱したこともあったが、私たちの調査では、冒頭一紙葉欠如は理解した上で、NDLの書誌に従って現存の第一紙葉をf.1としていたので、それを通すことにし、その旨を注記した。[38]

36 — URL: http://dla.library.upenn.edu/dla/schoenberg

37 — *BPM*, p.13, n.39 : «Although it may be interesting from a scientific point, we normally do not name an insignificant private provenance, unless the object is from an important collection or it is effective in advertising.»

一方クゥオーリッチの資料は、そのまま図書館の書誌になりうるようなものであり[39]、そして実際、NDLの資料は、英文書誌（OPAC書誌情報WA42-29）も、日本語のもの（貴重書展資料、第一回閲覧時に司書が見せてくれた委員会資料など）も、それを典拠にして簡略化したものであると判断することができた[40]。「［制作地］パリ、一三〇〇年頃［第一・三部分］および十四世紀後期から十五世紀初期［第二部分］」との見解である[41]。ピーテルのメイルにも「書写年代の推定は、これに従うことにしよう」とあった。

写本の旧蔵者

これまでに確定された事柄から問題の写本の所蔵者と所蔵時期を図式化すると次のようになる：

写本制作者／注文主（十四世紀―十五世紀初期）→ magister Io. Guld. → ヴァインガルテン修道院（一六三〇年にMagister Guld.から受入）→フルダ図書館（一九一三―一九二九年の間に行方不明となる）→ヴェナトール（一九八六年九月十二日競売に出品）→クゥオーリッチ→NDL（一九八七年十一月二十五日以前にクゥオーリッチより購入、一九八八年一月二十二日受入）。

残る問題は、裏表紙の題簽皮紙片にあった「A magistro Io. guld.」の解明であり、それはHTの言うように、この写本制作時期の下限を確定するためにも必要であった[42]。ピーテルは、この「ラテン語訳アリストテレス」写本が「オルガノン＋霊魂論」という例外的な構成であることから「行方不明のフルダ本・前所蔵者はヴァインガルテン」に注目して、そこから関連の写本カタログを中心とする文献を渉猟博捜していた。そして、「裏表紙貼付の皮紙片」の存在を手掛かり・かつ・決め手として、問題の人物は、Quaritch（とそれに倣ったＮＤＬ）の書誌にあるようなケルン出身のカルメル会修道士で一三五五年に没したヨハンネス・グルドナー（またはゴルドナー）（Johannes Guldener or Goldener[43]ではなくて、ドイツのイスニー・イン・アルゴイ（Isny in Allgäu）出身、コンスタンツの司教座聖堂参事会員で一四六九／七〇年に没した蔵書家ヨハンネス・グルディン（Johannes Guldin）である、という結論に至った。[44] ピーテルの調査によれば、グルディンの蔵書は、そのほとんど全てにＮＤＬ本と同形式の「裏表紙貼付の皮紙片」（題簽）があり、アリストテレス関係では『レトリカ』『ポリティカ』なども含まれていたが、かれの没後、コンスタンツの聖堂図書館に入った。そして一六三〇年にこの図書館蔵書の大半とともにヴァインガルテン修道院に売却され、一八〇三年同

38―ＮＤＬ本中にはフォリオ付が全くなされていない、ということは前述した。

39―作成者は、N.Wilson先生の話にでた「以前クゥオーリッチにいた、ラテン写本に詳しい人」かもしれない。ただ、写本制作の「推定年代下限（十五世紀初期）」と「推定旧所蔵者の没年（1354/55）」とは両立が難しいと考えられる。

40―当初から疑問だったＮＤＬ書誌中の「書簡状断章」が、<lettering-piece detailing the contents> 中の<lettering-piece >のたんなる誤訳で、「文字を記した紙片」となるべきところだったことも、ここで判明した。

41―Venatorは、この点に関しては"Frankreich, wohl Paris, um 1300."（フランス、推定パリ、一三〇〇年頃）とのみ記している。

42―Venatorは、写本の旧蔵者や来歴についてはカタログ中でも言及せず、「題簽」のことも「hs. Pgt-D.schild」（手書き・皮紙の表紙ラベル）と記しているのみ。

43―Quaritchカタログに見える推定の根拠は：Villiers de Saint Etienne, *Bibl. Carmel.* (1752), I.859-60. しかしこの線では「ＮＤＬ本と同形式の貼付皮紙片をもつ写本」という物的証拠には至らなかったと考えられる。

44―詳細は、数多い注とともに*BPM*, pp.15–18参照。

院の廃院にさいしてその蔵書がシュトゥットガルト、フルダその他に分散した時、問題のNDL本はフルダに移されたものの一つであった。そこで〈C3〉の記号を得て百年以上とどまったが、一九一三―一九二九年の間のどこかで行方不明となり、そして一九八六年、ヴェナトールの競売に再び姿を現したのである。

写本制作者／注文主と旧蔵者グルディンとの間の時間的隔たり、フルダからヴェナトールまで、またヴェナトールからクゥオーリッチまでの間の状況、これらの問題は未解明にとどまった。[45]

ルーヴェンと東京、三人の間で加除補訂と確認を繰返しながら[46]編集長ケント・エメリー・ジュニア（Kent Emery Jr.）[47]にピーテルから最終ファイルを送ったのは年明け（二〇一四年一月七日）で、同様の作業は校正段階（二月下旬から三月始め）でも続いた。そして、三月十七日に編集長から「校了」の連絡があり、三人の間でも「とても楽しい共同作業だった、ありがとう」のメイルが行き交った。[48]いわば偶然のきっかけで始まった仕事、そして、アリストテレスの（しかもそのラテン語訳の）伝承の外枠を探るという、霧の中で遥か遠くにいる巨大な怪物の足跡を追うような仕事であったが、多くの協力者に恵まれたこと、三人の共同作業は、誰か一人でも欠けたら形にならないものだったと考えられること、それが私には嬉しかった。

おわりに

この問題の発端において「写本上にヴァインガルテン修道院の蔵書印が残っているか」という問が出されたが、それらしいものが見つけられなかったことは第一回閲覧の項で述べた。一方で私は、表表紙裏面の落書きのような僧服男性の小さなデッサンについて「NDL書誌にある「Jo. Guldener のもうひとつの署名」とはこれを指すのであろうか?」と記した（*BPM*, p.13）。ピーテルからのコメントはなかったが、今ふり返ると、この「落書き」は、グルディンの蔵書を一六三〇年に買入れたヴァインガルテン修道院のディートリッヒ神父（Abbé Franz Dietrich）（*BPM*, p.17）のサイン（自画像）だったのかもしれない、とも思える。あらためてピーテルにも訊いてみたいが、今となっては、できない。本稿を書くにあたって、かれの現在の職位を確認しようとルーヴェン・カトリック大学（KU-Leuven）のホームページを開いて、私は息をのんだ。そこには、大学の学長名で出された「訃報　ピーテル・デ・レーマンス教授、一九七三年十一月二十日アールスト（Aalst）にて出生、二〇一九年四月十三日ヘント（Gent）にて逝去」があった。

【初出】『フィロロギカ』第XV号（古典文献学研究会２０２０年６月）

45 ― 次の段階としてのテクスト本文の吟味（*BPM*, p.11, n.35参照）には、当写本全体の電子化が必須であろう。また、写本装飾については、できるだけ早い時期（電子化以前）に専門研究者による原本調査が必要と考えられる。

46 ― これまでに三者間で送受信したメイルは、ゆうに三百通を超えており、中には「ケータイのカメラでいいから、題簽（Titelstreifen）の写真を撮れないか?」とのメイルもあった。それは不可能とは思わなかったが、万一発覚したら、自分が「図書館出入り禁止人物」（persona non grata）になるのは覚悟の上としても、写本そのものが「永久にお蔵入り」になるのではと考えると、とても実行はできなかった。

47 ― Editorial Office: University of Notre Dame, Medieval Institute, Notre Dame, IN46556 (USA). 編集長からは、Pieter宛（2014.2.27付）に〈……it is an excellent description and analysis of the manuscript and I thank you and your colleagues for sending it to the *Bulletin*.〉とのメッセージが来た。

48 ― *BPM* 55号（2013年号）pp. 3-18として刊行されて私たちに届いたのは夏休み明け二〇一四年九月であった。NDL宛にも抜刷一部を、内容の概略説明と資料電子化の要望とを述べた文書を添えて、郵送で謹呈した。

あとがき

これまで折々に書いた随筆風のものを、そろそろまとめてみたらどうか、と東大ギリシャ悲劇研究会時代の上級生である畏友森村稔さん（元株式会社リクルート専務取締役）から勧められたのは二〇二〇年の夏であった。まず、まとめるほどの質と量があるかどうか、だいぶ迷ったが（そして今でも迷いは残っているが）、十一月中頃になってから森村さんにお願いして、ながらく氏のエッセイや歌集の刊行を手がけてこられた〈書肆アルス〉の山口亜希子さんに紹介していただき、公刊の方向をきめることができた。以後山口さんには，編集方針の検討と原稿候補の取捨選択に始まるすべての過程で、たいそうお世話になった。その時宜を得た励ましがなかったならば、企ては途中で頓挫してしまったであろう。

森村さんと山口さん、お二人に、そしてレイアウト・装訂・印刷・製本をご担当くださった皆さまに、心より感謝申し上げる。

第1章「船から家への便り」、第2章「初めてのギリシャ」と「ギリシャ再訪」中の数篇、「トロイア遠征記」および第3章の「ある友人への手紙（つづき）」を除けば、あとは一九六〇年代後半から近年（二〇二〇年）までに執筆や講義、公開講座などの形ですでに公表したもの、あるいはそれを基に今回書き更めたものであり、それらには初出年と掲載誌等を付記している。再録にあたって加除補訂をしたところも少なくない。第2章以下の図版掲載にあたっては、ご対応くださった国内外のすべての所蔵館に、厚くお礼申し上げたい。

用語の表記とくに、初出時に横書きであったものを縦書きにしたときの数字の表記は、全体としての統一よりも、その文脈の中での読み易さ（と筆者が考えるもの）を優先した場合もある。また、古典ギリシャ語のカタカナ表記にさいしては、原則として長母音の音引きを省略した。それは、表記の煩雑さを避けるためもあるが、もともと自国語とは異なる言葉、それも二千数百年の歴史をもつ言葉を現代の自国語の文字で表記しようとするとき、これなら絶対に正しいといえる表記はありえない、と思うからでもある。学校で習う古典ギリシャ語の発音は、ルネッサンス期に提唱されて、英仏など西欧の古典語教育によって一般化した「エラスムス式」発音に基づいていて、現代の、たとえばギリシャ国立劇場が演じるギリシャ悲劇の舞台から聞こえる発音とは異なっている。カタカナ表記における音引きの有無は、とくに日本語からギリシャ古典に近づく場合に、さして重要な問題ではないと考え、大方のご宥恕をいただければ幸いと思っている。

二〇二一年十月

細井敦子（ほそい・あつこ）　（旧姓 松川）

1937年（昭和12）、東京生まれ。光塩女子学院中等科、都立西高等学校、東京大学文学部言語学科卒業。同大学院西洋古典学専修課程修了（この間フランス政府給費留学生としてパリ大学に留学）。1966年より成蹊大学文学部において「フランス語」、「古典ギリシア語」、「ギリシア・ローマ文化」担当。2002年定年退職、成蹊大学名誉教授。特任教授次いで非常勤講師として2012年まで同大学に勤務。共著書に『ギリシア悲劇全集別巻』（岩波書店）、『レトリック連環』・『人文学の沃野』（風間書房）、共編著書に『古代ギリシア—遥かな呼び声にひかれて』（論創社）、共訳注書に『リューシアース弁論選』（大学書林）、『リュシアス弁論集』（「西洋古典叢書」京都大学学術出版会）、訳書に『線文字B』・『ギリシア語の銘文』・『ギリシア・ローマの神々』・『ギリシアの英雄たち』（「大英博物館双書」學藝書林）など。

船の旅　本の旅

2022年1月26日　初版第1刷発行

著者　細井敦子

発行者　山口亜希子

発行所　株式会社書肆アルス
〒165-0024　東京都中野区松が丘 1-27-5-301
電話 03（6659）8852　FAX 03（6659）8853

印刷・製本　株式会社厚徳社

ISBN 978-4-907078-37-9　C0095